À L'OMBRE DES GUERRES JUSTES

Dans la même série :

Populations en danger, *1992*, Hachette, coll. « Pluriel », Paris, 1992.
Face aux crises..., Hachette, coll. « Pluriel », Paris, 1993.
Populations en danger, 1995, La Découverte, Paris, 1995.

Populations en danger

À L'OMBRE
DES GUERRES JUSTES

L'ordre international cannibale
et l'action humanitaire

Sous la direction de Fabrice Weissman

FLAMMARION

À François Jean

Sommaire

Table des abréviations

CICR :   Comité international de la Croix-Rouge
CPI :   Cour pénale internationale
FAO :   Organisation des Nations unies pour l'alimentation et l'agriculture
FICR :   Fédération internationale de la Croix-Rouge
FMI :   Fonds monétaire international
MSF :   Médecins sans frontières
OCHA :   Bureau de coordination des affaires humanitaires des Nations unies
OMC :   Organisation mondiale du commerce
OMS :   Organisation mondiale de la santé
ONG :   Organisation non gouvernementale
ONU :   Organisation des Nations unies
OSCE :   Organisation pour la sécurité et la coopération en Europe
PAM :   Programme alimentaire mondial
PNUD :   Programme des Nations unies pour le développement
UNHCR :   Haut-Commissariat des Nations unies pour les réfugiés (ou HCR : Haut-Commissariat pour les réfugiés)
Unicef :   Fonds des Nations unies pour l'enfance

Introduction

L'ordre international cannibale et l'action humanitaire

« Désormais, nos actions sont guidées par un subtil mélange d'intérêts réciproques et de dessein moral tourné vers la défense des valeurs que nous chérissons. Au bout du compte, les valeurs et les intérêts se confondent. Si nous pouvons établir et disséminer les valeurs de la liberté, de l'État de droit, des droits de l'homme et de l'ouverture des sociétés sur le monde, alors c'est également notre propre intérêt national que nous servons [1]. » C'est ainsi que s'exprimait Tony Blair à Chicago le 22 avril 1999, quelques jours après le déclenchement de l'opération « Force alliée » en ex-Yougoslavie, suivi du retrait des forces armées serbes qui terrorisaient la population albanaise du Kosovo. Cinq mois plus tard, des casques bleus australiens débarquaient à Timor-Est pour mettre un terme aux exactions commises par des milices pro-indonésiennes, hostiles à l'indépendance de l'ancienne colonie portugaise. En mai 2000, un corps expéditionnaire britannique venait prêter main-forte à la force de maintien de la paix des Nations unies déployée en Sierra Leone et ramener un calme précaire dans ce pays ravagé par dix années de guerre civile.

1. « Doctrine of the international community », Remarks by Prime Minister Tony Blair to the Economic Club of Chicago, 22 avril 1999.

Au nom de la défense des droits de l'homme et de la démocratie, les États occidentaux ont ainsi lancé trois interventions armées dans des pays en conflit entre 1999 et 2000. Cette propension à agir militairement « pour défendre des valeurs » autant que des intérêts n'a pas faibli depuis les attentats du 11 septembre 2001, bien au contraire. Morale universelle et sécurité nationale ont été invoquées de concert pour justifier les interventions occidentales et anglo-saxonnes en Afghanistan et en Irak. Éthique et politique seraient réconciliées à l'initiative d'une poignée d'États avant-gardistes considérant la défense des libertés fondamentales à travers le monde comme constitutive de leur intérêt national. « Si les gens sont réellement rendus libres de gérer leur pays comme ils l'entendent, nous aurons affaire à un monde très favorable aux intérêts américains », déclarait, en écho à Tony Blair, le sous-secrétaire américain à la Défense, Paul Wolfowitz, début 2002.

Ces évolutions pourraient constituer un motif de satisfaction pour les populations soumises aux formes d'oppression les plus violentes. Enfin, les appels incantatoires de nombreuses organisations humanitaires sommant les politiques de « prendre leurs responsabilités », de rompre avec la *Realpolitik* et de mettre un terme aux violations massives des droits de l'homme auraient été entendus : par les Nations unies tout d'abord, dont le secrétaire général Kofi Annan déclarait le 20 septembre 1999, au moment même où les casques bleus australiens débarquaient à Timor-Est : « Les États enclins à des comportements criminels doivent savoir que les frontières ne sont plus une défense absolue [...], que les violations massives et systématiques des droits humains – où qu'elles aient lieu – ne sauraient être tolérées [1] » ; par les États-Unis ensuite, forts de leur « destinée manifeste [2] » et décidés dans le cadre de la « guerre au

1. T.G. Weiss, « The politics of humanitarian ideas », *Security Dialogue*, vol. 31, n° 1, p. 11.
2. Concept développé en 1845 par l'éditorialiste John L. O'Sullivan pour justifier l'annexion du Texas au nom de la mission civilisatrice des États-Unis d'Amérique. Voir A. Kaspi, « États-Unis : diplomatie humanitaire et droit d'ingérence », *Géopolitiques*, n° 68, janvier 2000, p. 72.

terrorisme » à diffuser les droits de l'homme et la « démocratie de marché » à l'étranger – au besoin par les armes et au mépris du droit international. En bref, nous assisterions à la cristallisation d'une conscience morale universelle mobilisant les énergies de tous en vue d'une amélioration continue de la condition humaine à l'échelle mondiale – sous l'égide des Nations unies pour les uns ou des États-Unis pour les autres.

Penser l'inacceptable

Associées à cette représentation enchantée du monde, les organisations humanitaires se doivent précisément de la questionner, de la confronter aux souffrances dont elles sont témoins – tout en s'interrogeant, bien entendu, sur l'efficacité de leur propre action. Dans quelle mesure la multiplication des guerres dites « justes » et l'engouement de ces dernières années pour les valeurs éthiques et humanitaires ont-ils bénéficié aux populations exposées à la violence de masse ? Derrière les discours sur le « droit d'ingérence » ou la lutte contre « le Mal », quelle a été en pratique la réaction internationale aux crises les plus graves de ces cinq dernières années ? Telle est la question placée au centre de ce nouveau volume de la série « Populations en danger », qui après huit années d'interruption reprend le fil d'un travail initié en 1992 sous la direction de François Jean.

Un tel projet nécessite de passer du singulier au général : la première partie de l'ouvrage analysera une dizaine de crises majeures ainsi que les réactions internationales qu'elles ont suscitées ; la seconde abordera plusieurs questions transversales qui se posent à l'action humanitaire. Cette réflexion plonge ses racines dans les expériences vécues, les succès mais aussi les échecs les plus dramatiques de la réponse internationale aux crises et de sa composante humanitaire. Elle ne pouvait être entreprise sans collaboration extérieure, tant les compétences requises sont larges. Ce qui explique la présence parmi les auteurs de cet ouvrage, dirigé par Fabrice Weissman, de contributeurs d'horizons divers : chercheurs, universitaires, journalistes.

La sélection des crises les plus graves est toujours un choix difficile. Quel est le meilleur indicateur de la sévérité d'une crise ? Du point de vue de l'économie de la vie humaine, la mortalité s'impose comme le critère décisif. Pour cette raison, les conflits ivoirien, népalais ou israélo-palestinien ne seront pas abordés dans ce livre. Le nombre de leurs victimes est nettement moins important que celui des morts dénombrées en Tchétchénie, en Algérie, en République démocratique du Congo, en Colombie, en Corée du Nord, en Angola, au Soudan, en Sierra Leone, au Liberia, en Afghanistan, ou au Timor. En revanche, des pays comme le Congo-Brazzaville ou l'Éthiopie auraient pu figurer dans l'ouvrage, mais ont été écartés en raison de la diffusion récente par Médecins sans frontières de travaux consacrés à ces aires [1].

En guise d'introduction, cette préface abordera quelques-unes des questions qui se posent à tout acteur humanitaire souhaitant clarifier sa relation au pouvoir politique afin d'améliorer la qualité de son action. Dans cet esprit – celui d'une réflexion ayant pour objectif l'amélioration des secours –, nous chercherons à repréciser le sens de la démarche humanitaire avant d'envisager les principales caractéristiques des différents types de réponses politiques internationales aux crises et leurs impacts spécifiques sur la qualité des secours.

---

1. Voir M. Le Pape et P. Salignon (dir.), *Une guerre contre les civils. Réflexions sur les pratiques humanitaires au Congo-Brazzaville (1998-2000)*, Paris, Khartala, 2001, et F. Weissman, *À qui s'adresse l'aide alimentaire d'urgence ? Retour sur la « famine » en Éthiopie de l'an 2000*, Paris, Fondation MSF (disponible sur www.paris.msf.org).

De l'idéal cannibale à l'esprit humanitaire

L'édification de l'ordre international – tout comme celle des ordres politiques nationaux ou locaux – requiert toujours son quota de victimes. Les Sierra-Léonais et les Libériens sacrifiés à la pacification de la Sierra Leone en 1997-2000 comme les prisonniers de guerre massacrés en Afghanistan lors de l'opération « Liberté immuable » en 2001 nous rappellent que la construction d'un « monde meilleur » se paie toujours du prix de la vie des autres. Les partisans d'un nouvel ordre politique comme ceux qui défendent la reproduction de l'ordre établi, loin de nier l'existence de ces condamnés, justifient leur sacrifice au nom d'un avenir radieux ou de la préservation des acquis de la civilisation : « On ne fait pas d'omelette sans casser d'œufs. » Au final, une logique de recette de cuisine décide de la disparition précoce d'une partie de l'humanité. L'exécution de la sentence prendra la forme spectaculaire de la mort violente ou celle – si parfaitement intégrée au paysage social qu'elle en devient invisible – de la lente extinction par privation d'éléments indispensables à la survie (eau, nourriture, soins médicaux et abris). Dans le fond, peu importe quels stigmates permettent à une société de distinguer ceux qui peuvent vivre de ceux qui peuvent ou doivent mourir : l'esprit humain renouvelle ces marques au rythme des projets de société idéale qu'il invente. Si la couleur de la peau, la prononciation particulière d'un mot peuvent suffire à une exécution sur le bord de la route dans certains pays, dans les sociétés occidentales contemporaines, ces marques se sont déplacées de la surface à l'intérieur du corps humain. Aujourd'hui, pour cause de « déviance biologique » (l'hypercholestérolémie) on peut se voir refuser une assurance maladie, des soins.

L'action humanitaire, telle que nous la concevons, entend précisément questionner la logique qui justifie la disparition précoce et évitable d'une partie de l'humanité au nom d'un hypothétique bonheur collectif. « Toutes ces morts sont-elles bien nécessaires ? », telle est la question que nous objectons systématiquement au politique. Pourquoi ? Parce que nous avons pris le parti arbitraire et radical d'essayer de secourir ceux que la société sacrifie. Autrement dit, l'aide humanitaire s'adresse en priorité à ceux dont l'exigence de vivre se heurte à l'indifférence ou à l'hostilité ouverte des autres ; elle s'adresse à ceux dont la vie est volée par la violence et les privations extrêmes. Dès lors, si elle se veut conséquente, l'action humanitaire ne peut que se heurter à l'ordre établi. Sa dimension subversive apparaît lorsqu'elle cesse de se laisser réduire à une analyse des besoins matériels pour dévoiler les processus discriminatoires produisant les victimes et empêchant la mise en place d'actions efficaces de protection et d'assistance.

Avant de porter secours, l'acteur humanitaire doit identifier ces individus, ces populations dont la mort est évitable, ainsi que la nature des crises qui les engloutissent. La cible légitime de l'action humanitaire ne s'impose pas comme une évidence : son choix constitue au contraire la première étape de l'action. Aucune force naturelle n'oriente l'aide en direction des personnes dont la vie en dépend ; ces dernières sont le plus souvent cachées à la vue des gouvernés par les pouvoirs politiques. La survenue répétée de situations où les morts de famine sont enterrés à proximité d'entrepôts bondés de secours alimentaires l'atteste. À ce titre, l'exemple de la Corée du Nord présenté dans ce livre est édifiant, mais il n'est malheureusement que le jalon d'une trop longue liste où figurent également la Somalie (1992), le sud du Soudan (1998) et l'Angola (2002)...

Comment limiter le nombre de morts et de souffrances induites par l'instauration ou la conservation de l'ordre ? La tentation du droit peut se révéler séduisante. Le droit international humanitaire n'a-t-il pas pour vocation d'« humaniser la guerre » en posant une norme de l'acceptable et de l'inacceptable en matière de violence armée ? Sur le théâtre des conflits, l'acteur humanitaire peut s'appuyer sur un corpus de règles internationalement reconnues qui trace une limite entre sacrifice légitime et illégitime. Dévoiler le coût de la violence, c'est ici rappeler aux belligérants leurs manquements aux obligations qu'ils ont contractées ou qui s'imposent à eux. Négocier le prix du sacrifice, c'est les enjoindre à respecter la vie des non-combattants (civils, soldats blessés ou faits prisonniers) au nom d'une norme internationale arbitraire et peu respectée mais paradoxalement consensuelle, qui leur impose de restreindre l'usage de la violence à un strict nécessaire, juridiquement défini, et de permettre à des organisations humanitaires impartiales de porter secours aux victimes du conflit. Ne nous méprenons pas. L'appel au droit, s'il se veut réaliste, doit demeurer opportuniste. C'est parce qu'il offre un instrument de pression sur le pouvoir politique, un moyen de faire reculer la mort et la souffrance, que nous y recourons. Mais le droit est également violence. Dans notre expérience, les plus grandes cruautés et privations surviennent dans les camps et prisons administrés par la justice ou les forces dites de sécurité. Avant de penser à se placer sous la protection du droit international humanitaire, le secouriste fait au quotidien l'expérience de la nécessité de transgresser certains interdits légaux – dans le simple cas du franchissement illégal d'une frontière, par exemple – afin de porter secours.

La guerre n'est pas l'unique circonstance où se joue la disparition d'une partie de l'humanité. Selon les dernières estimations de l'Organisation mondiale de la santé, plusieurs millions de personnes décèdent chaque année du sida et quelques centaines de milliers du fait de la guerre. Autrement dit, le sida tue dix fois plus que la guerre. Et la mortalité liée au sida représente seulement un cinquième du total annuel des décès liés aux maladies infectieuses les plus meurtrières (14 millions de morts en 1999 selon le *Rapport sur la santé dans le monde, 2000* de l'OMS). Ces pathologies sont pourtant sensibles à un traitement préventif (vaccin) ou curatif (antimicrobien). Les premiers traitements capables de maintenir en vie la grande majorité des patients immunodéprimés par le virus du sida sont apparus au milieu des années 1990. En 2000, leur coût annuel s'élevait à plusieurs milliers de dollars, ce qui les rendait inaccessibles à la majorité des malades. La raison d'un prix si élevé ne résidait pas dans des coûts de production particulièrement lourds : sous la pression de campagnes d'opinion, le prix de ces molécules indispensables à la survie a été divisé par trente en moins de deux ans, sans pour autant conduire les compagnies pharmaceutiques à la faillite... Pourquoi si peu d'attention portée jusqu'à une période récente à la survie de millions d'individus ? Poussé dans ses derniers retranchements par le dynamisme de la mobilisation portée par les associations de malades et de soignants, Andrew Natsios, patron de l'USAID, agence gouvernementale américaine pour le développement international, répond le 7 juin 2001, dans le *Boston Globe Today*, par une diatribe digne de Gobineau tant elle révèle une pensée dans la lignée des théories raciales européennes des siècles précédents : « Beaucoup d'Africains ne savent pas ce qu'est le temps occidental. Vous devez prendre ces médicaments à heures fixes chaque jour ou alors ils ne sont pas efficaces. Beaucoup de gens en Afrique n'ont jamais vu une horloge ou une montre de leur vie... »

Comment, du point de vue de la destruction de la vie humaine, distinguer le bombardement d'une population civile lors d'un conflit de l'envoi de médicaments inefficaces au cours d'une pandémie responsable de la disparition de millions d'êtres humains ? L'effusion de sang a longtemps semblé le critère distinctif de la guerre parmi toutes les formes de relations sociales. Mais suffit-elle à isoler la guerre comme un champ social à part, auquel devraient se cantonner les organisations humanitaires en vertu des droits qui leur sont conférés dans ce contexte précis par les normes internationales ? À notre sens, non. La distinction entre la guerre et la paix passe moins par l'usage ou non de la violence que par la différence entre une violence ouverte et une violence cachée, intégrée à la reproduction routinière de l'ordre social, avec toutes les gradations intermédiaires qu'une telle distinction peut admettre[1]. L'analogie entre la guerre et une catastrophe sanitaire est manifeste lorsque, en situation d'épidémies ou d'endémies, il existe

---

1. Voir E. Terray, *Clausewitz*, Paris, Fayard, 1999, p. 229-253.

une alternative réaliste à la privation de traitement ou à la distribution de médicaments inefficaces. Ce qui est majoritairement le cas dans le domaine des maladies infectieuses qui restent responsables de la plus grande part de la mortalité mondiale. L'action des organisations humanitaires consiste dans ce cas à dévoiler la létalité cachée de l'ordre politique et à prouver par des actes qu'il existe les moyens – mais non la volonté politique – de limiter le nombre de morts dues aux grandes épidémies et endémies.

En opposition au pouvoir mais non lancée à sa conquête – puisqu'elle refuse d'être associée aux logiques qui partagent l'humanité entre ceux qui peuvent vivre et ceux qui doivent mourir –, l'action humanitaire est subversive par nécessité car les partisans de l'ordre établi acceptent rarement la solidarité en faveur de ceux dont ils décrètent ou tolèrent l'élimination. Autrement dit, la première condition du succès de l'action humanitaire est de refuser de collaborer à ce tri fatal. Condition fondamentale, jamais acquise d'avance, et qui nous conduit à nous interroger sans complaisance sur la violence à laquelle s'associe parfois l'action humanitaire, du fait de ses usages symboliques et pratiques par les acteurs les plus puissants et les plus violents de la scène internationale et locale ou du fait de la défense de ses propres intérêts institutionnels.

La réaction internationale aux crises : abstention, implication ou intervention militaire

La communauté internationale des États ne peut ignorer complètement les conflits armés contemporains. Leur dimension planétaire s'impose d'autant plus qu'ils s'inscrivent dans une période historique d'intense croissance des échanges internationaux de toutes natures : êtres humains, idées et marchandises. En réaction à ces guerres, les interventions internationales tendent à se multiplier et jouent un rôle important dans la régulation des conflits et de leurs conséquences humaines. La fin de la guerre froide a relancé l'idée d'un système politique international capable de prévenir les guerres, d'encadrer les négociations, de s'interposer entre les belligérants et parfois d'imposer la paix et la justice par la force. En quatre ans, de 1988 à 1992, les Nations unies ont lancé autant d'opérations militaires internationales que dans les quatre décennies précédentes. Cette tendance, déjà relevée en 1993 dans un volume précédent de la série « Populations en danger » (*Face aux crises...*), semble se confirmer. Les interventions militaires internationales se sont succédé à un rythme inégalé ces cinq dernières années et sont devenues plus ambitieuses. Cependant, elles représentent toujours l'exception et non la norme en matière de réaction internationale aux crises majeures. Si l'on prend comme critère l'usage de la force par une coalition internationale sur le territoire d'un État souverain et ses conséquences pour l'action humanitaire, il semble que trois types de réactions se distinguent : l'intervention armée, l'implication politique, l'abstention.

L'intervention

Les opérations militaires déclenchées après la fin de la guerre froide au Kurdistan (1991), en Somalie (1992), dans une certaine mesure au Rwanda (« opération Turquoise », 1994) et en Bosnie (1995) témoignaient déjà du retour en force de l'idée de « guerre juste », à savoir de guerre conduite par les acteurs les plus puissants de la scène internationale au nom d'une hypothétique morale universelle et de la sécurité collective (voir *Face aux crises...*, 1993, et *Populations en danger, 1995*). L'inertie des casques bleus lors du génocide des Rwandais tutsis (1994), précédée de la piteuse retraite somalienne (1993) et des massacres en ex-Yougoslavie (1992-1995), a montré à quel point la protection des populations n'était pas une priorité dans ce regain d'interventionnisme militaire international. Suspect dès sa naissance d'être l'habillage moral de la défense des intérêts des plus puissants, le « droit d'ingérence » international étend aujourd'hui ses prérogatives au nom de la « guerre globale à la terreur ». Proposée à l'origine pour mettre rapidement fin à des violences massives contre des civils, l'ingérence internationale a dérivé vers la guerre préventive. Le but affiché est désormais de « remettre le monde en ordre » sous la conduite d'« une grande nation », selon les termes employés après le 11 septembre 2001 par le Premier ministre britannique Tony Blair et le président américain George W. Bush.

Les opérations déclenchées au Kosovo, au Timor oriental, en Sierra Leone, en Afghanistan et plus récemment en Irak incarnent ce nouvel interventionnisme aux relents messianiques. Il conjugue actions militaires, psychologiques, diplomatiques, économiques et assistance aux populations au sein d'un vaste dispositif auquel les organisations humanitaires sont priées de s'intégrer si elles entendent profiter de financements institutionnels. Ces opérations, déclenchées avec ou sans l'aval des Nations unies, se sont toutes conclues par la prise de contrôle de tout ou partie d'un État souverain par une force armée internationale. À l'exception de l'Irak, cette mise sous tutelle a été imposée dans un contexte de violences massives contre les civils, auxquelles elle a mis un terme provisoire. L'indéniable part de succès des interventions au Kosovo, au Timor oriental, en Sierra Leone et en Afghanistan tient pour beaucoup au ralliement de la majorité de la population de ces pays à l'intervention militaire internationale et aux dommages réels mais limités infligés aux civils par les forces internationales.

Dans ces situations, un large accès aux financements des bailleurs de fonds internationaux, du moins au cours de la phase initiale de l'intervention militaire, est garanti à des organismes d'aide toujours sensibles au maintien et à la croissance de leurs budgets. La mise en scène médiatique d'une aide internationale abondamment distribuée aux victimes d'un ennemi censé incarner le mal absolu permet de faire oublier les dommages humains causés par l'emploi de la force et le problème politique posé par l'atteinte à la souveraineté d'un État. L'enrôlement des organismes de secours par les forces armées internationales n'a suscité que de timides protestations de la part des ONG et des agences des Nations unies, dont une grande majorité a abandonné toute neutralité au nom de la défense des droits de l'homme et de la civilisation. La ligne de partage entre « bonnes » et « mauvaises » victimes a ainsi été renforcée : les premières ont été secourues, y compris militairement ; les secondes sacrifiées, à l'instar des populations des zones rebelles en Sierra Leone (privées entre 1999 et 2000 d'une assistance humanitaire jugée contraire à la pacification du pays), des réfugiés sierra-léonais en Guinée (soumis dès les premières négociations entre belligérants à une politique d'accueil dictée par le « bon déroulement du processus de paix »), ou des prisonniers de guerre afghans (dont plusieurs centaines ont été massacrés par les troupes alliées aux forces américaines sans susciter de réaction significative ni de la part du Comité international de la Croix-Rouge ni de celle des Nations unies).

Contrairement aux précédentes interventions (Kosovo, Timor, Sierra Leone et Afghanistan), la guerre contre l'Irak n'a pas été décidée dans un contexte de violences massives contre la population mais officiellement pour désarmer l'Irak et prévenir ainsi l'accès d'al-Qaïda à d'éventuelles « armes de destruction massive ». Le rôle de l'humanitaire n'est pas de juger du bien-fondé de la thèse anglo-américaine. L'humanitaire est pacifique par nature mais non pacifiste. Son action se situe dans le cadre de règles, définies par des conventions internationales, concernant l'emploi de la force et l'organisation des secours en temps de guerre. C'est la manière dont la force est employée et non la décision d'y recourir qui est appréciée. L'attitude qui consisterait à demander aux militaires de respecter le droit des organisations humanitaires de porter secours aux non-combattants, tout en leur déniant celui de faire la guerre, ne pourrait être perçue différemment d'un acte ouvert d'hostilité à leur encontre. S'abstenir de juger les motivations et les buts des combattants peut certes paraître frustrant. Mais c'est le prix à payer par les organisations humanitaires pour accéder au champ de bataille et secourir toutes les victimes, quel que soit leur camp. Cette règle n'admet que de très rares exceptions, telles les situations de génocide où l'extermination totale et systématique de groupes entiers de civils auxquels est déniée la qualité d'êtres humains ne laisse aucun espace à l'action humanitaire.

Si l'humanitaire reste neutre lors de l'examen des motifs qui poussent les protagonistes d'un conflit à s'entretuer, il ne demeure pas sans réactions quand ces derniers décident de s'en prendre aux non-combattants. À cet égard, la conduite des opérations militaires en Irak soulève un certain nombre de questions. Comment, face à un adversaire faible, épuisé par plusieurs défaites et un embargo, assurer une victoire-éclair en épargnant au mieux ses propres soldats et dans la mesure du possible la population irakienne, alors même que les forces armées sont regroupées au sein des plus fortes concentrations de civils, à savoir les villes ? En d'autres termes, comment utiliser, dans le temps le plus bref et dans les zones les plus densément peuplées, d'énormes quantités d'explosifs en épargnant les non-combattants ? Formuler le problème de cette façon, en donnant toute sa place à l'exigence politique de rapidité, c'est se rendre à l'évidence de l'impossibilité d'une issue totalement respectueuse des règles de la guerre. N'oublions pas qu'à peine entrées sur le territoire irakien, les forces de la coalition étaient déjà accusées de piétiner par la presse américaine, tandis que la presse du monde entier étrillait les stratèges américains pour leur incapacité à gagner la guerre en quelques jours.

Malgré cette pression, on ne peut nier les mesures prises afin de limiter les pertes au sein de la population irakienne, ni leur réel impact, mais on doit également en souligner les limites. Certes, l'offensive anglo-américaine ne s'accompagne pas de pertes suffisamment importantes parmi les civils pour entraîner un exode massif et une catastrophe sanitaire majeure. Mais le mitraillage préventif de tout individu susceptible de représenter une menace d'attentat répond aux critères définissant les crimes de guerre tant les moyens employés sont meurtriers pour les civils et paraissent disproportionnés eu égard à la faible résistance d'un ennemi se refusant, par exemple, à défendre la capitale du pays, pourtant objectif principal affiché de l'offensive américaine. De même, l'emploi de bombes à fragmentation, dispersant l'équivalent de mines antipersonnel, en zone urbaine, montre toutes les limites de la volonté affichée d'épargner les civils. Le peu d'enthousiasme de Washington et Londres à voir publiquement débattre ces questions n'étonne pas. Mais l'absence de mobilisation du camp des anti-guerre – les États hostiles à l'offensive américaine et les Nations unies par exemple – pour s'interroger sur d'éventuels crimes de guerre et réclamer une enquête internationale exprime à quel point le questionnement sur la légitimité de la guerre prend le pas sur la critique de sa conduite. C'est un effet de la puissance américaine sur les relations internationales : être capable de sommer le monde entier de se prononcer pour ou contre une de ses initiatives militaires, trier ainsi le bon grain de l'ivraie, punir les récalcitrants et imposer le silence sur les crimes, limités mais réels, commis au cours de l'opération elle-même.

L'habillage se sophistique quand assumer ses responsabilités de puissance occupante (sécurité, eau, nourriture, abris, soins, etc.) envers la population acquiert le statut d'« aide humanitaire » par la magie de l'appareil de propagande le plus puissant du monde. Puis on s'avise que cette surprenante « aide humanitaire » sera financée par les revenus du pétrole irakien et la farce vire à l'escroquerie. Enfin le sinistre l'emporte sur le ridicule quand la lenteur, toute bureaucratique, du redéploiement des services publics essentiels aux lendemains de la guerre laisse les blessés, les patients des urgences et les malades chroniques sans soins, aggravant ainsi la crise d'une société irakienne mise en demeure de se sentir libérée par le passage d'un régime d'inspiration totalitaire à une dictature militaire étrangère. Le dernier épisode des « guerres justes » contemporaines se déroule au moment où l'écriture de ce livre s'achève. Il ne semble guère différer des précédents (Kosovo, Timor, Sierra Leone, Afghanistan) : l'affirmation forcenée du droit des plus puissants à intervenir militairement contre un État souverain domine la question des entorses aux règles de la guerre. L'usage abusif de l'humanitaire offre alors le double avantage de justifier la guerre et de faire oublier ses crimes.

L'implication

La deuxième forme de réaction internationale affiche également une préoccupation formelle pour le coût humain des crises considérées. En 2001, la Corée du Nord, le Soudan et l'Angola ont été le théâtre des trois plus gros programmes d'assistance des Nations unies. Mais en dépit d'opérations de secours très importantes et d'une présence humanitaire parfois massive, le coût humain de ces crises est resté élevé. En Angola, 3 millions de personnes retenues en zone rebelle ont été totalement privées d'assistance entre 1998 et 2002, des dizaines de milliers d'entre elles sont mortes d'inanition, de maladies ou du fait de violences directes commises par les combattants de tous bords. Au Soudan et en Corée du Nord, des centaines de milliers de civils ont péri par la famine alors même que d'importantes quantités d'aide alimentaire y étaient distribuées.

Dans ces trois pays, l'engagement international a pris la forme d'une implication partisane dont l'objectif était de contenir la crise dans des limites ne remettant pas en cause les intérêts des États les plus puissants. Cet engagement s'effectue alors au bénéfice d'un camp contre l'autre sans toutefois accorder au favori de la communauté internationale le soutien décisif d'une intervention militaire internationale. Quant à l'aide « humanitaire », elle se plie à cette politique de contention au point d'en devenir souvent l'instrument privilégié. Peu importe que la partialité des puissants s'exerce au profit d'un parti d'opposition (l'opposition au régime islamiste de Khartoum), d'un parti au pouvoir (le MPLA, Mouvement populaire pour la libération de l'Angola) ou d'une option politique faisant l'objet d'un consensus international : « l'atterrissage en douceur » ou « l'isolement sur mesure » du dernier régime totalitaire stalinien, prônés par l'administration américaine dans la péninsule coréenne. L'essentiel de la volonté internationale tient davantage de l'intention de contenir la crise, si possible à l'intérieur de ses frontières, que de celle d'y mettre rapidement un terme en appuyant militairement de manière décisive un des protagonistes du conflit.

Dans ces situations, le déploiement sur le terrain de programmes internationaux d'aide est d'autant plus important et théâtralisé qu'il vise souvent à effacer la désastreuse image produite par un système politique international impuissant à éviter massacres, famines et épidémies survenant dans le sillage des guerres. On pourrait presque dire que la gestion de la crise prend principalement la forme d'un gigantesque programme d'assistance labellisé « humanitaire », dont le fonctionnement est prévu pour servir en priorité les intérêts du parti ayant les faveurs des acteurs les plus puissants de la scène internationale et calmer l'inquiétude du public par la mise en scène médiatique du secours à des populations civiles en réalité abandonnées aux mains de leurs bourreaux. Dans ces conditions, l'aide est souvent abondante mais inaccessible à ceux qui en ont le plus besoin (comme en Angola) ou transformée en ressource significative pour les acteurs locaux du conflit par l'entremise de détournements massifs et institutionnalisés (comme au Soudan et en Corée du Nord). Les populations en danger sont alors privées de secours vitaux, qui profitent en fait à ceux qui les déciment.

Quand l'opération s'effectue au profit d'un régime totalitaire, en l'occurrence la Corée du Nord, l'aide participe alors à l'entretien d'un système où terreur et privations extrêmes entraînent la disparition d'êtres humains par millions. On estime que plusieurs millions de personnes sont mortes de faim sous le joug du régime de Pyongyang à la fin des années 1990. À cette époque le régime totalitaire coréen recevait le soutien d'une des plus grosses opérations d'aide alimentaire internationale jamais réalisées dans l'histoire. Mme Catherine Bertini, ex-secrétaire d'État à l'Agriculture des États-Unis, ancienne directrice du Programme alimentaire mondial (PAM) des Nations unies, a dirigé cette opération de sauvetage d'un régime de terreur justifiée par la promesse, non tenue, de sauver les enfants coréens affamés. Les dizaines de milliers de réfugiés poussés en Chine par la faim et la misère ont fait le récit de cette lente destruction d'une partie de la population alors que l'aide internationale présente dans le pays lui demeurait inaccessible. Cela n'empêcha pas la directrice du PAM de présenter l'opération comme une « réussite totale » ayant permis d'éviter la famine en Corée du Nord. On comprend mieux pourquoi les dizaines de milliers de réfugiés présents à la frontière chinoise sont demeurés invisibles sur la scène internationale. Ils ne cadraient sans doute pas avec la « réussite totale » annoncée par l'ex-secrétaire d'État à l'Agriculture des États-Unis et étaient dès lors condamnés aux persécutions policières chinoises et au rapatriement forcé au goulag coréen.

L'abstention

Le récent regain d'activisme international face aux crises ne doit pas faire oublier que la première forme de réaction aux conflits les plus meurtriers pour les civils (Algérie, Colombie, Tchétchénie et République démocratique du Congo) consiste à s'abstenir d'intervenir ou à ne s'impliquer que de façon marginale. La violence subie par les populations n'étant pas considérée comme un enjeu politique international, la brutalité des belligérants peut se déployer dans toute l'étendue et la cruauté autorisée ou encouragée par les pouvoirs locaux, *de facto* en possession d'un véritable permis de tuer. Dans de tels contextes, l'action humanitaire se heurte de plein fouet à la volonté commune des parties au conflit de se livrer une guerre totale, conduisant à l'extermination de groupes entiers de populations. Les activités internationales de secours sont réduites ou inexistantes et d'un impact marginal compte tenu de l'ampleur et de la diffusion des phénomènes de violence physique et sociale. Le désintérêt international pour la brutalité de ces conflits ne permet pas de dégager l'espace nécessaire au respect des non-combattants (civils, soldats blessés et prisonniers) et d'assurer une répartition efficace des secours. Pis, les belligérants sont souvent en mesure de détourner, par la violence et pour la violence, les ressources de l'aide internationale.

L'exemple de la Tchétchénie est emblématique de cette politique d'abstention. Dans son roman *Alamut*, l'écrivain slovène Vladimir Bartol conte l'histoire de Hassan Ibn Saba, chef de la secte des haschischins qui, plus de mille ans avant ben Laden, promettait déjà le paradis aux martyrs. « Rien n'est vrai, tout est permis » était le secret transmis à ses plus fidèles disciples par Hassan Ibn Saba, le Vieux de la Montagne. L'aversion affichée de Vladimir Poutine pour l'islamisme ne doit pas faire illusion. La campagne de l'armée fédérale en Tchétchénie est la parfaite illustration de la politique du « Rien n'est vrai, tout est permis » conçue par un islamiste du Moyen Âge : favoriser le conflit en fournissant des armes à l'adversaire, mettre en scène de faux mais néanmoins meurtriers attentats en Russie, raser Grozny, la capitale de la Tchétchénie, écraser ses habitants sous les bombes, massacrer, torturer, violer femmes et hommes, se livrer au commerce des êtres humains et des cadavres... Depuis 1994, on estime qu'au moins 100 000 personnes ont été tuées et 400 000 déplacées parmi le million d'habitants que comptait cette petite république avant la guerre, le tout avec le consentement du Conseil de sécurité des Nations unies.

Il faut se rendre à l'évidence. Il y a des conflits où la violence de masse est un enjeu subalterne des négociations entre les acteurs internationaux et les belligérants. Certains semblent profiter d'une sorte de tolérance illimitée. Ainsi, les autorités algériennes bénéficient d'une profonde compréhension de la part des puissances internationales, de la France en particulier, en dépit de leur part de responsabilité dans les exactions massives commises contre la population au cours d'une guerre civile dont le bilan est très lourd depuis plus de dix ans : 100 000 morts, 1,2 million d'Algériens déplacés par la violence et 4 000 disparus officiels.

Mais c'est probablement dans la région des Grands Lacs (Rwanda, Burundi, République démocratique du Congo,

Ouganda) que ce laisser-faire en matière de violence de masse atteint les proportions les plus dramatiques depuis une dizaine d'années. L'article portant sur le conflit en République démocratique du Congo soulève la question : les « victimes sans importance » de ce conflit ne se chiffrent-elles pas par millions ? Une ONG américaine, International Rescue Committee, affirme sur la base d'extrapolations (discutables, car supposant une distribution homogène des événements au sein de larges groupes de population dispersés sur un territoire important), que, sur une population d'environ 20 millions d'habitants, 2,5 millions de personnes ont péri du fait de la guerre, dont 350 000 par homicide, entre août 1998 et mars 2001, dans l'est du Congo. Si l'on ajoute à ce bilan le million de morts du génocide de 1994, les centaines de milliers de morts de la guerre civile burundaise et les 200 000 réfugiés rwandais massacrés dans l'ex-Zaïre en 1996 et 1997, c'est plus d'un dixième de la population du Rwanda, du Burundi et de l'est de la République démocratique du Congo qui a été victime de la violence politique ces dix dernières années.

Court plaidoyer pour un art de vivre

Délesté de l'illusion d'une humanité inéluctablement en marche vers une société idéale, l'esprit humanitaire résiste en actes à cette tentation si humaine d'accepter la disparition d'une partie d'entre nous afin d'assurer soi-disant le bonheur collectif. La part indéniable d'échec du projet humanitaire décrite dans la première partie de ce livre réside pour beaucoup dans l'allégeance de l'humanitaire aux pouvoirs politiques institués dont l'une des fonctions est précisément de décider du sacrifice humain, de départager les gouvernés entre ceux qui doivent vivre et ceux qui peuvent mourir. L'échec répété des opérations internationales d'aide doit beaucoup à cette alliance, qui n'est autre qu'une soumission de l'humanitaire aux intérêts du pouvoir. La mécanique de cette aliénation, responsable de la disparition de centaines de milliers de personnes privées chaque année de secours indispensables à leur survie, comprend une multitude de rouages : économique (l'accès aux fonds publics pour les organismes d'aide), idéologique (l'attrait d'une hypothétique morale universelle), bureaucratique (la défense des intérêts et de la sous-culture du système de l'aide)... mais tous concourent à aligner l'action humanitaire sur l'horizon politique en la détournant au passage de sa responsabilité : sauver le plus de vies possible. L'action humanitaire ainsi détournée de son objet devient inefficace et, plus grave encore, participe à son tour à la production de la violence politique dont elle a pourtant la mission de prendre en charge les conséquences humaines désastreuses.

Certes, et à juste titre, face à la puissance et à la violence de certains acteurs politiques, le combat est inégal et la défaite fréquente pour un humanitaire pacifique par nature. Mais en gardant à l'esprit que nul avènement d'une société idéale ne viendra changer cet état de fait, l'humanitaire peut faire de la résistance à l'élimination d'une partie de l'humanité un art de vivre fondé sur la satisfaction d'offrir inconditionnellement à une personne en danger de mort l'aide lui permettant de survivre. À cette condition, les victoires sur cette politique du pire, toujours provisoires et partielles par définition, sont possibles. Les 20 000 enfants sauvés de la famine par Médecins sans frontières en Angola en 2002 le montrent bien. Pourtant à cette époque, pour les leaders de la scène politique internationale, les agences humanitaires des Nations unies, la majorité des ONG et les médias, l'urgence était ailleurs.

Dr Jean-Hervé BRADOL,
président de Médecins sans frontières.

SITUATIONS

Les articles de la partie « Situations » ont été écrits en collaboration avec les membres de Médecins sans frontières.

I

L'intervention

CHAPITRE I

Timor : mieux vaut tard que jamais...

Plus encore que l'intervention occidentale au Kosovo, la gestion internationale de la crise timoraise est présentée comme un immense succès de la communauté internationale. En effet, le débarquement le 20 septembre 1999 de casques bleus australiens à Timor-Est a permis de mettre un terme à la politique de terreur déclenchée par des milices anti-indépendantistes, hostiles à la tenue d'un référendum d'autodétermination dans l'ancienne colonie portugaise annexée par Djakarta vingt-trois ans auparavant ; trois semaines après le début des destructions et massacres ayant suivi la tenue du scrutin, la majorité des rescapés a pu être protégée et a bénéficié d'une assistance humanitaire relativement efficace dispensée en bonne entente avec les troupes de l'Organisation des Nations unies. Preuve est faite qu'une force d'intervention internationale dotée d'un mandat clair, des moyens politiques et militaires de le remplir, et respectueuse du partage des rôles entre acteurs humanitaires et militaires est ainsi susceptible de sauver un grand nombre de vies.

Néanmoins, peut-on réellement parler d'un « immense succès » ? Pendant une vingtaine d'années, l'occupation brutale de Timor-Est n'a suscité aucune réaction de la part de la communauté internationale bien que 35 à 43 % de la population ait été exterminée par l'armée indonésienne. L'accession à l'indépendance a ensuite été conduite à marche forcée, et

Timor oriental

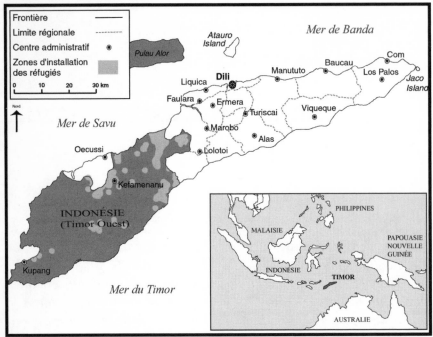

s'est soldée par le massacre annoncé de 1 000 à 2 000 personnes, par des destructions massives et par la déportation de
plusieurs dizaines de milliers de Timorais à l'Ouest, dans la
partie indonésienne de l'île. Enfin, parmi les organisations
humanitaires ayant cherché à leur porter secours, plusieurs
(dont Médecins sans frontières) n'ont pas réagi à la violence
extrême pratiquée contre la majorité des 260 000 réfugiés et
déportés retenus contre leur gré dans des camps de fortune
soumis à la férule des anciens miliciens anti-indépendantistes.

Quoi qu'il en soit, il est difficile de pleinement partager
l'optimisme affiché par le secrétaire des Nations unies au
moment du débarquement des casques bleus à Dili, lequel, à
l'ouverture de la cinquante-quatrième session de l'Assemblée
générale des Nations unies, avait prédit un avenir où « les violations massives et systématiques des droits humains – où qu'elles

aient lieu – ne sauraient [plus] être tolérées ». Loin de constituer l'illustration emblématique d'une moralisation générale des relations internationales, il semble au contraire que l'implication décisive de la communauté internationale au Timor en 1999 ait été le résultat de circonstances bien singulières.

Le Timor oriental, grand perdant de la guerre froide

Après quatre cent cinquante ans de présence portugaise, la colonie de Timor-Est voit s'affirmer au début des années 1970 plusieurs mouvements politiques animés par les élites autochtones et métisses de la capitale. Ils expriment, sous différentes formes, des revendications d'ordre nationaliste. Longtemps négligé par la puissance coloniale portugaise, Timor-Est est alors un territoire culturellement et physiquement morcelé, doté d'à peine 30 kilomètres de routes asphaltées, et peuplé d'une vingtaine de groupes ethnolinguistiques dominés par des aristocraties locales. Principal relais de l'administration coloniale, ces dernières sont très éloignées des élites urbaines dont elles ne partagent pas la conscience nationale. Leurs aspirations politiques se limitent, pour l'essentiel, au respect des particularismes locaux.

Lorsque, après la « révolution des Œillets [1] » en 1974, Lisbonne offre à ses anciennes colonies la possibilité d'exercer leur droit à l'autodétermination, l'indépendance immédiate n'est envisagée par aucune des forces politiques timoraises. Un courant minoritaire prône le rattachement provisoire à l'Indonésie, dont la souveraineté s'exerce sur la partie occidentale de l'île, ancienne colonie hollandaise. D'autres militent pour une

---

1. La « révolution des Œillets » est le nom donné au Portugal au renversement du régime de Marcello Caetano, issu de la dictature de Salazar, en avril 1974.

large autonomie sous la tutelle de Lisbonne. Un troisième courant, le Front révolutionnaire pour l'indépendance de Timor-Est (Fretilin), d'inspiration marxiste, est favorable à l'indépendance après une période transitoire de cinq à dix ans sous la tutelle de la puissance coloniale. Parvenant à diffuser ses idées dans les campagnes reculées de l'île, le Fretilin remporte des élections partielles organisées en mars 1975. Celles-ci sont suivies d'une brève guerre civile qui consacre la victoire du Front. Il s'empare de l'administration laissée vacante par le départ précipité des Portugais en août 1975 et déclare l'indépendance le 28 novembre – beaucoup plus tôt qu'il ne l'avait envisagé initialement.

Alors que les pays communistes d'Asie et les anciennes colonies portugaises reconnaissent l'indépendance du Timor oriental, les puissances occidentales et l'Indonésie s'y refusent. Après la victoire des communistes du Sud-Est asiatique en 1975, l'« endiguement » du communisme en Asie est considéré comme une priorité par l'Australie et les États-Unis. Ces derniers soutiennent le projet du général Suharto d'absorber l'ancienne colonie portugaise. Le 7 décembre 1975, les troupes de Djakarta débarquent à Timor-Est qui devient, six mois plus tard, la « 27e province » de l'Indonésie. Bien que constituant une violation flagrante du droit international, l'invasion du Timor oriental est mollement condamnée par l'Organisation des Nations unies dont le Conseil de sécurité est alors paralysé par l'affrontement américano-soviétique. Qui plus est, ni l'URSS, ni la Chine ne désirent se froisser avec Djakarta.

À Timor, les troupes d'occupation doivent faire face à une résistance armée qui s'organise sous l'égide des Falintil (Forces de libération nationales de Timor-Est). Les militaires indonésiens lancent des opérations « d'encerclement et d'annihilation », détruisant les villages, les terres cultivables et les réserves alimentaires afin d'affamer les Timorais suspectés de soutenir la résistance. Les Indonésiens parquent la moitié de la population dans des centres concentrationnaires livrés à une famine que le Comité international de la Croix-Rouge déclare « aussi grave que celle du Biafra ». Si Djakarta échoue d'un point de vue militaire, la répression des années 1970 et 1980 fait au minimum 180 000 morts et plus vraisemblablement 250 000 à 300 000, soit 35 à 43 % de la population. Toutes proportions gardées, il s'agit du plus grand ethnocide depuis la Seconde Guerre mondiale. L'extrême violence de Djakarta contribuera à fabriquer politiquement le « peuple est-timorais », assurant une diffusion du catholicisme et de la langue portugaise que quatre siècles de domination coloniale n'étaient pas parvenus à réaliser.

Durant les quinze premières années d'occupation indonésienne, la communauté internationale évite toute remontrance envers la dictature de Suharto à laquelle Américains et Européens apportent un soutien militaire, économique et diplomatique substantiel. Les Australiens reconnaissent officiellement l'annexion du Timor oriental en 1978, ce qui leur permet, onze ans plus tard, d'obtenir de Djakarta un accord sur l'exploitation du pétrole en mer de Timor.

Ce n'est qu'avec la fin de la guerre froide que la question du Timor oriental est progressivement inscrite à l'agenda international. Alors que les autorités indonésiennes estiment que les journalistes étrangers et les ONG peuvent désormais visiter cette province officiellement « pacifiée », des militants indépendantistes multiplient les actions en vue d'internationaliser le conflit. Des troubles éclatent à Dili lors de la visite du pape Jean-Paul II en 1989. De jeunes Timorais organisent des manifestations en Australie et à Djakarta. En novembre 1991, la médiatisation du massacre du cimetière de Santa Cruz (250 morts) à Dili conduit certains pays à prendre pour la première fois des mesures à l'encontre de Djakarta. Mais si le prix Nobel de la paix est décerné en 1996 aux leaders indépendantistes timorais Mgr Carlos Ximenes Belo et José Ramos Horta, ce n'est qu'avec la crise financière asiatique de 1997 et la chute consécutive du général Suharto que la situation se débloque finalement.

La marche forcée à l'indépendance

Menacé par un soulèvement populaire et lâché par son allié américain, le président indonésien Suharto doit quitter le pouvoir en mai 1998. Son successeur, Bacharuddin Jusuf Habibie, hérite d'un archipel en faillite, miné par la corruption, le népotisme, et touché de plein fouet par la crise financière asiatique. Les pressions de la rue et de ses partenaires internationaux contraignent Habibie à initier une démocratisation du régime et à changer radicalement de cap sur la question timoraise. Avec la fin de la guerre froide, Timor-Est n'est plus un enjeu stratégique pour l'Occident, mais une « question épineuse » qui contrarie ses relations diplomatiques avec Djakarta.

Trois mois après la chute du général Suharto, Habibie entame des négociations avec le Portugal, sous l'égide des Nations unies, afin de « régler le problème timorais ». Alors que les pourparlers progressent, l'armée indonésienne réactive sa politique de terreur au Timor oriental : elle organise, arme et paie des milices chargées de terroriser la population favorable à l'indépendance. Les témoignages, rapports et preuves sont accablants qui dénoncent meurtres, viols, tortures, arrestations arbitraires, disparitions ainsi que les liens étroits unissant les milices pro-intégrationnistes aux forces indonésiennes. Cette situation illustre la dualité du pouvoir indonésien, divisé entre un président pragmatique, obligé de répondre aux pressions de la communauté internationale, et les forces armées qui tentent par tous les moyens de conserver leur contrôle sur l'archipel – notamment sur Timor-Est où nombre d'officiers ont fait leurs premières armes et où ils se sont constitués des rentes de situation.

En dépit de la violence des milices et de l'armée, le Portugal et l'Indonésie signent à New York, le 5 mai 1999, un accord prévoyant l'organisation d'un référendum d'autodétermination « direct, secret et universel [...] dans une atmosphère exempte d'intimidation, de violence et d'interférence de toutes parts ». L'accord précise également que « le gouvernement indonésien sera responsable du maintien de la paix et de la sécurité au Timor oriental ». Pour le leader indépendantiste José Ramos Horta, qui accueille l'accord de façon positive bien qu'aucun Timorais n'en soit signataire, « demander à l'armée indonésienne de garantir la sécurité de la population revient à demander à Milosevic de garantir la sécurité de la population kosovare ». De fait, l'occupant s'impose comme le gardien du scrutin et en définit également la forme. Les Timorais ne s'exprimeront pas sur leur volonté d'indépendance mais se prononceront pour ou contre l'autonomie au sein de l'Indonésie.

Début juin 1999, le Conseil de sécurité décide la création de l'Unamet (Mission des Nations unies pour le Timor-Est) « chargée d'organiser et de mener à bien une consultation populaire prévue le 8 août 1999 [...] ». La résolution 1246 précise que 280 policiers civils non armés seront déployés dans l'île pour « conseiller la police indonésienne », ainsi que 50 officiers pour faire le lien avec les forces armées de Djakarta.

Ni la signature de l'accord de New York, ni l'arrivée du corps onusien ne changent le comportement des milices et de leur parrain indonésien, qui renforcent leur politique d'intimidation dans l'espoir d'empêcher la tenue du référendum. Les leaders indépendantistes José Ramos Horta, Xanana Gusmão et Mgr Carlos Belo demandent le déploiement d'une force armée des Nations unies mais l'opposition de Djakarta est immédiate. De son côté, l'Unamet dénonce auprès du gouvernement indonésien l'impossibilité pour des dizaines de milliers de Timorais, cachés dans les montagnes, de s'inscrire sur les listes électorales et fait état des sévices systématiques dont sont victimes les pro-indépendantistes. Dans les semaines précédant le scrutin, la situation ne cesse de se détériorer, les milices évoquant ouvertement leur intention de mettre la province à feu et à sang en cas de victoire des indépendantistes. Aucune mesure contraignante n'est décidée afin de prévenir l'affrontement : cela supposerait de dénoncer l'armée indonésienne et de prendre des dispositions, comme l'envoi d'une force internationale de maintien de la paix, qui remettraient en cause l'accord du 5 mai.

Septembre noir

Finalement, le 30 août 1999, après avoir été écartés de l'accord de New York et ignorés alors qu'ils manifestaient leurs craintes à l'égard du chaos annoncé, les Timorais vont voter. Dans un calme relatif, ils sont plus de 430 000 à se rendre, parfois après des heures de marche, dans 850 bureaux de vote. Dès le lendemain la terreur reprend. À Dili, où malgré les violences et intimidations toutes les urnes sont arrivées, les hommes en noir de la milice Aitarak ont pris le contrôle de la rue et brûlent des bâtiments. Appuyés par certaines unités de l'armée indonésienne, ils s'en prennent à l'Unamet, aux organisations humanitaires et aux journalistes dans le but apparent de chasser tout observateur étranger. Kofi Annan décide l'évacuation du territoire par le personnel de l'ONU, ordre qu'une partie de ce personnel refuse d'exécuter, s'opposant ainsi courageusement au massacre de Timorais réfugiés dans ses locaux. Alors que l'ONU proclame le lendemain la victoire écrasante des indépendantistes – 98 % des inscrits se sont rendus aux urnes et 78,5 % des votants ont refusé l'autonomie sous souveraineté indonésienne – les Timorais n'ont pas l'occasion de célébrer leur libération, trop occupés qu'ils sont à sauver leur vie. Les treize milices épaulées par l'armée indonésienne déclenchent une opération de destruction systématique accompagnée de violences extrêmes dont le bilan, en l'espace de trois semaines, s'établit entre 1 000 et 2 000 morts, des milliers de blessés et de nombreux viols. La quasi-totalité du personnel international, ONG et agences humanitaires de l'ONU comprises, est obligée de quitter le territoire. Les Timorais qui le peuvent fuient l'île par la mer, mais pour des dizaines de milliers la seule échappatoire reste la montagne. Plus de 200 000 d'entre eux trouvent refuge dans les jungles reculées, hors de portée des militaires et des miliciens ; 260 000 autres fuient ou sont déportés vers l'Ouest indonésien de l'île.

En dépit de la gravité de la situation, prévisible de surcroît, la réaction de la communauté internationale n'est pas immédiate. La seule décision concrète du Conseil de sécurité, le 8 septembre, est de dépêcher une mission à Djakarta pour une fois encore essayer de convaincre les autorités indonésiennes de remettre de l'ordre au Timor oriental. Djakarta répond en imposant la loi martiale sur le territoire et annonce l'envoi d'un contingent supplémentaire de 1 400 soldats ainsi que huit navires pour aider à l'évacuation des réfugiés. En fait d'évacuation, les navires serviront à accélérer la déportation des Timorais.

Le 9 septembre, Washington suspend toute coopération militaire avec l'Indonésie. L'Union européenne décrète un embargo sur les ventes d'armes à destination de l'archipel. La Banque mondiale et le Fonds monétaire international suspendent leurs prêts et repoussent d'un an l'examen du traitement de la dette indonésienne. Djakarta finit par céder. Le 12 septembre, le président Habibie accepte l'envoi d'une force multinationale et le 15 septembre, le Conseil de sécurité vote la résolution 1264, qui confie à l'Interfet (Force intérimaire au Timor-Est) la mission « de restaurer la paix et la sécurité au Timor oriental, de protéger et de soutenir l'Unamet dans l'exécution de sa tâche dans la mesure de ses moyens, de faciliter les opérations d'assistance humanitaire ». Cinq jours plus tard, les premiers soldats australiens de l'Interfet croisent sur le tarmac de l'aéroport de Dili les derniers militaires indonésiens à quitter le pays. La force d'intervention assume pleinement son mandat, menant de réelles offensives contre les milices encore présentes sur le territoire est-timorais, très affaiblies par le retrait de leur parrain indonésien.

L'Australie, inquiète de voir se développer à quelques encablures de ses côtes une crise pouvant déboucher sur une arrivée massive de réfugiés, et le Portugal, où le lobby timorais était très présent, furent les plus actifs pour convaincre leurs partenaires américain et européen d'envoyer une force multinationale. Mais, faute de vouloir imposer une intervention militaire sans l'aval de Djakarta, la communauté internationale joua de sanctions économiques en attendant que le pouvoir indonésien cédât. Pour expliquer ce choix, nombreux furent ceux qui s'abritèrent derrière le droit international, expliquant que l'on ne pouvait imposer une ingérence étrangère – comme cela avait pourtant été le cas en Irak, en Somalie ou en ex-Yougoslavie. Or, selon l'ONU, l'Indonésie n'avait aucune souveraineté sur le Timor oriental puisque son annexion en 1976 n'avait jamais été entérinée internationalement. Seul Canberra a reconnu la « 27ᵉ province » indonésienne, mais cet acte n'engageait que l'Australie. Lorsque le scrutin du 30 août eut lieu, le Timor oriental demeurait, selon l'ONU, un territoire portugais toujours inscrit sur la liste des « territoires à décoloniser ». Si donc une souveraineté était menacée, il s'agissait de celle de Lisbonne, non de celle de Djakarta, imposée *de facto* (mais pas *de jure*) au fil des ans par les armes.

Destruction, déportation et assistance

Alors que les soldats de l'Interfet débarquent, le Timor oriental est en ruine. 70 % à 80 % de ses infrastructures (bâtiments administratifs, écoles, structures de soin ou encore réseaux de distribution d'eau et d'électricité datant de la période indonésienne) tout comme les maisons individuelles ont été systématiquement détruits par les milices désireuses de faire payer l'« ingratitude » des Timorais envers une Indonésie ayant « généreusement contribué au développement » de leur province. À cette destruction physique planifiée s'ajoute la désertion de tous les fonctionnaires indonésiens ou pro-indonésiens en charge des services publics.

Les activités de secours se mettent rapidement en place, et, une fois n'est pas coutume, en relative bonne entente avec les forces d'intervention internationales. À la différence de la façon de faire en Bosnie, les casques bleus ne se cachent pas derrière leur fonction de « facilitation des opérations humanitaires » pour éluder leur obligation de protéger les Timorais menacés par les milices. À la différence de ce qui s'était passé en Somalie, ils ne bombardent pas d'hôpitaux et se plient aux dispositions du droit international humanitaire. À la différence de ce que feront les forces américaines en Afghanistan quelques années plus tard, ils n'utilisent pas des activités de secours dites « humanitaires » pour mener à bien des opérations de guerre psychologique. L'Interfet apporte son concours aux organismes d'assistance (notamment pour l'acheminement des équipes et du matériel sur les lieux de la crise) tout en respectant le partage des tâches et des responsabilités entre agences humanitaires indépendantes et impartiales d'une part, et forces armées éventuellement impliquées dans des activités de secours aux civils d'autre part. Les distributions alimentaires du Programme alimentaire mondial, les abris précaires fournis par le Haut-Commissariat pour les réfugiés et les services de santé rudimentaires offerts par les organisations médicales d'urgence permettront d'éviter la crise.

En revanche, dans la partie indonésienne de l'île, où 260 000 Timorais ont été rassemblés pendant les trois semaines du « Septembre noir », l'insécurité est totale. Les réfugiés qui craignent des représailles de la part des indépendantistes en raison de leur collaboration avec l'occupant indonésien ne constituent qu'une minorité. La plupart des exilés ont été déportés de force par les milices pro-indonésiennes, lesquelles cherchaient à contester l'issue du scrutin en arguant de la « fuite » de dizaines de milliers de Timorais. En fait, ces derniers sont retenus et terrorisés par les miliciens à l'intérieur de quelque 250 camps de fortune. Les milices surveillent étroitement les mouvements des déportés soumis à une intense propagande, répétant notamment que la situation n'est pas sûre à l'Est, qu'hommes, femmes et enfants y sont séparés dès leur retour, que les exilés sont traités en collaborateurs et exécutés, et que les jeunes filles deviennent les esclaves sexuelles des soldats onusiens. En fait de propagande pour dénigrer l'Est, les miliciens ne font que décrire ce qui se passe dans les camps sous leur contrôle, où règnent la terreur et l'arbitraire. Qui plus est, l'assistance humanitaire dispensée par l'Église, les ONG, la Croix-Rouge et le gouvernement indonésien est le plus souvent détournée par les milices qui utilisent les « sanctuaires humanitaires » de Timor-Ouest pour lancer des opérations de déstabilisation dans la partie orientale de l'île.

En dépit des restrictions qui entachent sérieusement leur indépendance d'action et leur capacité à s'assurer de la bonne distribution des secours, certaines ONG, dont Médecins sans frontières, ne dénoncent pas ouvertement la situation, au point de se faire partiellement complices d'un système de terreur. En revanche, le Haut-Commissariat pour les réfugiés adopte une attitude beaucoup plus courageuse. Il tente par tous les moyens, même clandestinement, d'exfiltrer les déportés, et pousse Djarkarta à désarmer les milices, s'exposant à la vindicte de ces dernières : le 6 septembre 2000, trois représentants du HCR sont assassinés à Atambua, forçant l'organisation à évacuer le Timor occidental et à suspendre ses opérations.

Djakarta eut le plus grand mal à remettre de l'ordre sur son propre territoire. Alors qu'au Timor oriental les milices étaient sous le contrôle des forces indonésiennes, dès qu'elles eurent passé la frontière elles gagnèrent en autonomie. Néanmoins, 126 000 déportés parvinrent à rejoindre le Timor oriental avant la fin de 1999. Le flot se tarit en 2000 avant de reprendre en 2001 à la suite des pressions exercées sur l'Indonésie par les Nations unies après l'assassinat des trois membres du HCR. À l'heure actuelle, il resterait 50 000 réfugiés, dont une part de Timorais ayant choisi de demeurer à l'Ouest par peur de représailles : en dépit des propos rassurants du leader indépendantiste Xanana Gusmão venu s'adresser aux réfugiés en avril 2002, un certain nombre d'anciens fonctionnaires de l'administration pro-indonésienne, d'auxiliaires militaires ayant participé à la campagne de répression des années 1970-1980, de dissidents du Fretilin, de miliciens anti-indépendantistes, etc., semblent se sentir plus en sécurité en territoire indonésien.

Le protectorat de la Banque mondiale

Entre-temps, au Timor oriental, l'ONU a pris la relève des Indonésiens et installé son administration transitoire, l'Untaet. Celle-ci doit notamment « mettre en place une administration efficace », « assurer la coordination et l'acheminement de l'aide humanitaire, ainsi que de l'aide au relèvement et au développement » et « appuyer le renforcement des capacités en vue de l'autonomie » (résolution 1272 du Conseil de sécurité). Bien que le pays soit de taille modeste – 19 000 km^2 pour une population d'environ 750 000 habitants –, il s'agit d'une mission d'envergure. Elle compte quelque 8 000 soldats de maintien de la paix, 1 350 policiers civils et 1 200 fonctionnaires. L'Untaet est présidée par le Brésilien Sergio Vieira de Mello, ancien fonctionnaire du HCR qui occupait alors le poste de secrétaire général adjoint des Nations unies chargé des affaires humanitaires. L'administration transitoire peut aussi compter sur les principales agences spécialisées des Nations unies, la Banque mondiale (secondée par la Banque asiatique de développement), de même que sur une myriade d'ONG internationales. Au total, ce sont plus de 25 000 expatriés qui participent à la reconstruction de Timor-Est.

L'administration transitoire met en place des instances paritaires afin d'associer les Timorais à ses décisions. Un Conseil national consultatif est créé, regroupant sept membres des Falintil, un représentant de l'Église catholique, trois anciens partisans de l'autonomie et quatre représentants de l'Untaet. Néanmoins, nombre de Timorais dénoncent le caractère purement formel de mécanismes de consultation qui semblent avant tout destinés à entériner des décisions prises par les fonctionnaires internationaux. De fait, la détermination des « besoins prioritaires » et l'estimation de leur coût sont confiées à des experts de la Banque mondiale, accompagnés de représentants de plusieurs agences onusiennes, de la Commission européenne et de cinq pays donateurs. La Banque participe activement à la définition des priorités, des objectifs et des chemins à prendre pour la reconstruction (c'est ainsi par exemple qu'elle s'oppose aux demandes de fonctionnaires timorais proposant la mise en place de silos à grain et d'abattoirs publics : selon la Banque, tout projet potentiellement rentable doit être confié au secteur privé) et s'assure du respect de ses directives grâce au contrôle qu'elle exerce au Timor sur les financements institutionnels destinés aux ONG.

Neuf mois après le débarquement de l'Untaet, la phase d'urgence est officiellement déclarée close. Bien que le système de santé repose entièrement sur l'aide internationale et que le PAM continue à assurer des distributions alimentaires en raison du lent redémarrage des activités agricoles, on peut en effet estimer que l'heure n'est plus à l'aide humanitaire d'urgence. Une assemblée constituante est élue en août 2001 et la première élection présidentielle se tient le 14 avril 2002. Xanana Gusmão, leader de la résistance, est élu avec 83 % des suffrages. Il déclare officiellement l'indépendance de Timor Loro Sa'e le 20 mai 2002.

Pour autant, la reconstruction administrative et économique de l'île tarde à se concrétiser. Un ressentiment apparaît au sein de la population timoraise qui observe un décalage flagrant entre le dispositif international, les fonds gérés par celui-ci et l'aide effective dont elle bénéficie. Au-delà de ses réalisations politiques, l'effet immédiat de la présence internationale est de dynamiser une « économie de l'aide » alimentée par les revenus considérables des expatriés (estimés par certains à 75 millions de dollars par mois, soit quinze fois le budget du gouvernement timorais). Les secteurs de l'hôtellerie et de la restauration sont en pleine expansion, mais l'essentiel des activités d'import-export profitent à des compagnies étrangères, principalement australiennes et indonésiennes. Au fil de la reconstruction, nombreux seront les programmes ne faisant pas appel à la main-d'œuvre et au savoir-faire timorais mais à des entreprises étrangères. Plus généralement, « l'aide au développement » s'impose comme un véritable rouleau compresseur formatant de l'extérieur le futur de l'État timorais, au risque d'en miner la viabilité.

Ces préoccupations ne sauraient toutefois gommer le fait que l'Interfet a rempli la mission qui lui avait été confiée. Elle était certes soutenue par un mandat clair et une ferme volonté politique, conditions importantes pour aboutir. Mais les raisons primordiales de son « succès » tiennent aux conditions locales de son déploiement, à savoir, un soutien total apporté par l'immense majorité de la population aux troupes débarquées pour la protéger, qui plus est sur un territoire de petite taille rapidement abandonné par les troupes indonésiennes et les milices. C'est ce contexte qui a permis aux militaires et aux humanitaires de contribuer activement à l'amélioration du sort des civils en respectant les obligations et les responsabilités propres à chacun.

Reste à s'interroger sur les raisons complexes qui ont conduit à une telle mobilisation en faveur des Timorais. La proximité de l'Australie, la médiatisation de la répression indonésienne et de la résistance timoraise, la disparition de la « menace communiste », le retour de flamme de la rhétorique diplomatique des droits de l'homme, la quasi-simultanéité de l'intervention occidentale au Kosovo ont très certainement joué un rôle. De même, la conviction assez largement partagée que les Timorais avaient été victimes d'un tort historique ayant escamoté, au nom de la guerre froide, un droit à l'autodétermination qui avait été reconnu à la quasi-totalité des anciennes colonies a participé à la reconnaissance politique du drame timorais. Enfin, la mobilisation de la communauté internationale n'a pas nécessité de sacrifices majeurs : les autorités politiques de Djakarta ont consenti avec une relative facilité à l'abandon d'un territoire que les Indonésiens n'ont jamais – sauf peut-être les militaires – considéré comme constitutif de la « Glorieuse Indonésie » historique, et le déploiement de l'Interfet s'est opéré dans un environnement propice à l'accomplissement de son mandat. Autrement dit, les conditions qui ont rendu possible cet engagement international apparaissent très singulières – comme l'illustre *a contrario* la faible mobilisation en faveur des populations d'Aceh ou de l'Irian Jayah.

Gil GONZALEZ-FOERSTER

Références bibliographiques

G. Defert, *Timor-Est, le génocide oublié : droit d'un peuple et raisons d'États,* Paris, L'Harmattan, 1992.

Lusotopie, numéro intitulé *Timor, les défis de l'indépendance,* Paris, Karthala, 2001. Voir notamment M. Cahen « Loro Sa'e, "soleil levant" archaïsant, ou signe de modernité à l'ère de la mondialisation ? », p. 125-133 ; S. Dovert, « Timor Loro Sa'e, un nouvel État à l'heure du village global ? », p. 327-345 ; F. Durand, « Timor Loro Sa'e : la destruction d'un territoire », p. 215-232.

W. Maley, « Australia and the East Timor crisis : some critical comments », *Australian Journal of International Affairs,* vol. 54, n° 2, 2000 et « The United Nations and East Timor », *Pacifica Review,* vol. 12, n° 1, février 2000.

J. Taylor, *Indonesia's Forgotten War : The Hidden History of East Timor,* Londres, Zed Books, 1991.

CHAPITRE 2

Sierra Leone :
la paix à tout prix

En 1991, des rebelles sierra-léonais agissant au nom du Front révolutionnaire uni (Revolutionary United Front, RUF) se soulèvent contre le régime déliquescent de Freetown. L'ancienne colonie britannique est alors sous la coupe d'un « État fantôme » dépossédé de ses prérogatives par des élites locales engagées dans l'exploitation des importantes richesses minières du pays. L'armée étant incapable de repousser les rebelles, le gouvernement sierra-léonais fait appel à des milices irrégulières, à des mercenaires étrangers, puis à des forces d'intervention régionales mandatées en 1997 par la Communauté économique des États de l'Afrique de l'Ouest (CEDEAO) pour « rétablir l'ordre constitutionnel » à Freetown. Cependant, les troupes ouest-africaines ne peuvent venir à bout d'une rébellion qui se finance par le commerce des diamants et qui a su capitaliser à son profit les frustrations de jeunes générations exploitées par les trafiquants de gemmes ou marginalisées au sein de l'économie urbaine.

La guerre est extrêmement brutale. Le RUF, imité par les forces progouvernementales, pratique une politique de terreur et recourt à l'amputation pratiquée de manière spectaculaire sur des civils pour imposer sa domination. Quant aux troupes d'intervention régionales, elles sont à peine plus respectueuses du droit international humanitaire. Par centaines de milliers, les Sierra-Léonais tentent d'échapper à l'emprise des belligé-

Sierra Leone

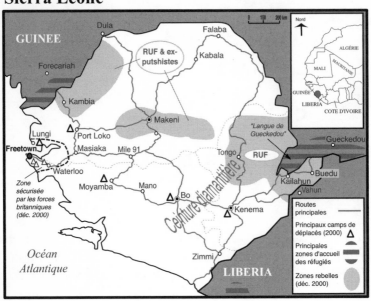

rants en se déplaçant à l'intérieur du pays ou en franchissant les frontières. En vain. Les hommes en armes se jouent des limites territoriales et les camps de déplacés internes, asiles misérables, restent exposés à la violence des combattants de tous bords.

Après avoir délégué huit années durant la gestion de la crise à la CEDEAO, les Nations unies sont contraintes de s'y impliquer suite au désengagement des troupes ouest-africaines, épuisées par le coût de l'intervention et plusieurs revers militaires. Mais les 11 000 casques bleus débarqués en Sierra Leone à partir de novembre 1999 s'enlisent rapidement. En mai 2000, la Grande-Bretagne envoie 650 commandos à leur rescousse, permettant ainsi de mettre un terme provisoire au conflit armé. La « diplomatie éthique » ardemment défendue par Tony Blair lors de sa campagne électorale de 1997 a enfin trouvé un terrain de démonstration.

Néanmoins, cet apaisement relatif a un prix : au nom de la lutte contre les « rebelles coupeurs de mains », des dizaines *de milliers de civils n'ont pu bénéficier d'une protection et de secours humanitaires jugés contraires à la stratégie de pacification du pays. Nombre d'organisations humanitaires ont justifié ce sacrifice, piétinant ainsi le principe d'impartialité fondateur de leur action. Par ailleurs, la diabolisation du RUF a conduit à occulter les exactions imputables aux forces pro-gouvernementales tout en masquant le conflit social et politique dont la rébellion s'est nourrie. Enfin, le retour à la paix tient en partie à l'expulsion de nombreux combattants au-delà des frontières sierra-léonaises où ils ont trouvé à s'employer dans la guerre qui fait à nouveau rage au Liberia et qui s'est étendue en 2002 à la Côte d'Ivoire.*

La déstabilisation d'un « État fantôme »

Le conflit sierra-léonais est généralement présenté comme un prolongement de la guerre civile libérienne. En effet, c'est avec l'aide de Charles Taylor, alors engagé dans une lutte sans merci pour la conquête militaire du Liberia, que des rebelles sierra-léonais, appuyés par des combattants libériens et burki-nabés, lancent une insurrection dans l'est de la Sierra Leone en mars 1991. Les insurgés se revendiquent du Revolutionary United Front (RUF). Pour Taylor, le RUF est un moyen de déstabiliser un pays jugé hostile en raison de sa participation à la force d'interposition ouest-africaine déployée au Liberia pour empêcher son accession au pouvoir. Il est aussi une force supplétive permettant au futur président libérien de sécuriser une frontière abritant les bases arrière d'une faction rivale, l'United Liberation Movement of Liberia for Democracy (ULIMO), et recelant d'importants gisements de diamants. Rapidement, le RUF s'empare de l'est du pays ainsi que des principales zones d'extractions minières.

La facilité avec laquelle la rébellion met en déroute l'armée régulière du président Joseph Momoh révèle l'effondrement de l'État sierra-léonais. De l'indépendance jusqu'au milieu des années 1980, les élites gouvernementales de la Sierra Leone s'étaient appropriées les principales ressources naturelles (diamants, or, rutile, bauxite) en contournant l'administration par des alliances informelles avec des compagnies étrangères connectées à la diaspora libanaise résidant dans le pays. À son arrivée au pouvoir en 1985, Momoh avait pris possession d'un « État fantôme », incapable de contrôler une rente minière passée aux mains de puissants pouvoirs économiques et politiques locaux. De plus, le partage inique de la manne diamantifère avait alimenté une contestation vivace parmi les jeunes Sierra-Léonais, exploités par les entrepreneurs miniers ou exclus de la clientèle du pouvoir.

Aussi, malgré l'augmentation précipitée des effectifs de l'armée régulière qui sont passés de 3 000 à 14 000 hommes en 1991, le gouvernement est-il en mauvaise posture pour contenir l'avancée rebelle. Sous-équipés, mal payés et peu motivés, de nombreux soldats préfèrent profiter de la confusion pour se livrer au pillage et faire main basse sur quelques gisements de diamants. À l'inverse, en s'en prenant surtout aux commerçants libanais impliqués dans le trafic de gemmes, le RUF recueille à ses débuts la sympathie d'une partie du prolétariat minier des campagnes et des intellectuels déclassés des villes. En rupture avec l'ordre social traditionnel, tout en étant exploitée par les compagnies de diamants ou marginalisée au sein de l'économie urbaine, une partie de la jeunesse rejoint volontairement la rébellion dont les cadres dénoncent avec virulence l'oppression politique et économique des jeunes générations au nom d'un idéal révolutionnaire syncrétique mêlant réinterprétation de la tradition et modernisation socialiste. Toutefois, le RUF se transforme rapidement en corps social guerrier, recourant massivement au recrutement forcé et à des pratiques de terreur assez proches de la caricature médiatique qui en est dressée.

Exaspérés par l'incurie et la corruption de leur hiérarchie, un groupe de jeunes officiers déposent le président Momoh en avril 1992. Malgré l'enrôlement massif de jeunes combattants, ils n'arrivent pas plus que leurs prédécesseurs à repousser les rebelles, qui parviennent aux portes de Freetown au début de 1995. La progression du RUF est stoppée in extremis grâce à l'aide de mercenaires népalais puis sud-africains (de la compagnie Executive Outcomes), engagés au premier semestre 1995 en échange de concessions minières. Le RUF repoussé vers la frontière libérienne, les militaires acceptent sous la pression internationale d'organiser une élection présidentielle. Cantonné aux zones gouvernementales (soit 25 % du corps électoral), le scrutin se déroule dans un climat d'extrême violence. Au slogan du candidat Ahmad Tejan Kabbah : « L'avenir est entre vos mains », le RUF réplique par une campagne de mutilations spectaculaire, amputant d'un avant-bras ou d'un bras des dizaines de civils. Il est imité par des soldats gouvernementaux rebaptisés *sobels* par la population en raison de leur propension à se faire passer pour des rebelles afin de se livrer aux pillages et aux exactions. Ahmed Tejan Kabbah, ancien fonctionnaire des Nations unies et candidat favori de la communauté internationale, remporte l'élection du 15 mars 1996. Il est intronisé « président démocratiquement élu de la Sierra Leone ».

Kabbah consolide ses positions économiques et politiques à Freetown en confiant la gestion des zones reconquises à des compagnies minières opérant sous la protection de filiales sierra-léonaises d'Executive Outcomes. Certaines sociétés développent des services sociaux dans leurs zones d'exploitation en créant des ONG locales. Se réclamant de la « société civile », elles parviennent parfois à obtenir des financements institutionnels au nom de leur adhésion aux slogans en vigueur parmi les bailleurs de fonds (création de « *self-sustaining local capacity* », « micro-projet de paix », encouragement du « *women empowerment* », etc.).

Mais en janvier 1997, le président est contraint de se séparer d'Executive Outcomes, trop coûteuse et peu fréquentable aux yeux de la Banque mondiale. Méfiant à l'égard d'une armée régulière largement « sobelisée », Kabbah remplace les mercenaires par des milices villageoises : les « chasseurs traditionnels » Kamajors, groupes d'autodéfense mobilisés dès

1991-1992 pour faire face aux exactions de tous bords. Le soutien que leur apporte la présidence au détriment de l'armée alimente la colère des militaires qui s'emparent du pouvoir par un coup d'État le 25 mai 1997. Devenus des alliés objectifs du RUF dans la lutte contre Kabbah et ses associés, ils passent un accord avec la rébellion. Des membres du RUF sont nommés à des postes ministériels.

L'internationalisation du conflit

Ce nouveau tournant entraîne une implication croissante de la communauté internationale dans le conflit. Le coup d'État est fermement condamné par la CEDEAO, qui décrète un embargo contre la junte et confie à l'Ecomog (Economic Community of West African States Monitoring Group) – son bras armé déployé au Liberia – la mission de « restaurer l'ordre constitutionnel » sierra-léonais. Avec la fin provisoire du conflit libérien en 1996, la force d'interposition ouest-africaine, commandée par le Nigeria qui fournit l'essentiel de ses effectifs, est en effet en mesure de basculer son dispositif militaire en Sierra Leone.

L'entrée en lice de l'organisation régionale suscite une réaction ambiguë des Nations unies. En octobre 1997, le Conseil de sécurité affirme soutenir « sans réserve » l'initiative de la CEDEAO mais n'autorise pas formellement le recours à la force par les troupes ouest-africaines. Plus, il décrète une série de sanctions contre Freetown, incluant l'interdiction de l'approvisionnement en armes de toutes les parties au conflit, y compris l'Ecomog. Violant ces dernières dispositions, la Grande-Bretagne utilise les services d'une compagnie de sécurité privée pour équiper les partisans de Kabbah et la force ouest-africaine. L'aide humanitaire ne bénéficiera pas d'un tel régime d'exception. L'embargo international s'étend *de facto* à l'assistance alimentaire et sanitaire, frappant l'ensemble de la population sierra-léonaise.

Épaulé par un soutien diplomatique et militaire britannique, l'Ecomog lance une offensive sur Freetown en février 1998. À nouveau, les rebelles – accompagnés des militaires putschistes – sont repoussés dans leurs bastions du nord-est au terme d'une retraite désorganisée au cours de laquelle ils se livrent à d'innombrables violences contre les populations civiles et les organisations humanitaires. Quant à Kabbah, il retrouve sa place à la tête de l'archipel de concessions minières qui lui tient lieu d'administration territoriale. En l'absence de mercenaires étrangers, la défense des zones gouvernementales est assurée par les Kamajors et l'Ecomog. Le Conseil de sécurité se félicite *a posteriori* du succès militaire des troupes ouest-africaines. Mais les États occidentaux rechignent à financer directement l'Ecomog, craignant de soutenir ainsi le régime militaire nigérian et d'être associés à une force d'intervention dont le manque de considération pour le droit international humanitaire est de notoriété publique.

Dans un ultime mouvement pour mettre un terme au conflit et s'emparer des zones diamantifères, l'Ecomog s'attaque aux bastions rebelles situés au nord-est du pays en décembre 1998. Elle se heurte à une violente contre-offensive du RUF et des anciens militaires putschistes qui occupent Freetown pendant quelques jours au début de l'année 1999. Les combats dévastateurs font entre 3 000 et 5 000 morts. Aux exactions et sévices perpétrés par des rebelles s'ajoute la violence des forces de l'Ecomog qui massacrent les prisonniers de guerre et les suspects après avoir bombardé à l'artillerie lourde les faubourgs de la capitale.

Ce dernier épisode, associé à l'alourdissement du coût humain et financier de l'intervention, conduit le nouveau gouvernement civil nigérian, arrivé au pouvoir en 1999, à envisager son désengagement de l'Ecomog. Cette perspective incite Kabbah à signer un nouvel accord de paix avec le RUF le 7 juillet 1999 à Lomé. Celui-ci prévoit le désarmement et la démobilisation des troupes, la formation d'une nouvelle armée nationale, ainsi que la constitution d'un gouvernement de coalition octroyant honneurs et prébendes à certains officiers rebelles.

Les Nations unies, qui s'étaient jusqu'alors contentées d'un rôle d'observateur, décident l'envoi d'une force de maintien de la paix en octobre 1999. Elles confient à la Minusil (Mission des Nations unies en Sierra Leone) la mission de soutenir le gouvernement de coalition afin de garantir le bon déroulement du processus de paix. Son mandat se réfère au chapitre VII de la charte des Nations unies et autorise le recours à la force, notamment pour « la protection des civils immédiatement menacés de violences physiques ». Alors que le premier contingent des 11 000 casques bleus débarque à Freetown en novembre 1999, l'Ecomog entame son désengagement.

Le tribunal spécial pour la Sierra Leone

En 1999, les États-Unis et la Grande-Bretagne prônent l'amnistie des criminels de guerre sierra-léonais pour faciliter la signature de nouveaux accords de paix. Pour Susan Rice, alors secrétaire d'État adjoint américain pour l'Afrique, « la paix est plus importante que la justice ». Signés le 7 juillet 1999, les accords de Lomé prévoient effectivement une amnistie générale pour les crimes commis depuis mars 1991. Cette disposition, en totale contradiction avec le droit international et la propension croissante à réprimer les crimes internationaux, conduit les Nations unies à préciser qu'elles ne reconnaissent pas l'amnistie.

Mais après la violation de l'accord de paix et la prise d'otages de près de 500 casques bleus par le RUF en mai 2000, les États-Unis et la Grande-Bretagne changent leur fusil d'épaule. L'arme judiciaire vient alors au secours d'une stratégie d'élimination politique du chef du RUF, visant à faire émerger une représentation rebelle alternative, plus conciliante. Le 14 août 2000, le Conseil de sécurité demande la création d'un tribunal spécial chargé de sanctionner les crimes contre l'humanité, les crimes de guerre et certains crimes de droit commun définis par la législation sierra-léonaise (résolution 1315).

Le processus de paix s'enlise rapidement. Seules les forces progouvernementales acceptent d'être démobilisées... pour être réintégrées dans la nouvelle armée nationale. Dans un climat tendu et malgré son déficit opérationnel, la Minusil entreprend en mai 2000 de se déployer dans les zones diamantifères tenues par le RUF et les anciens militaires putschistes. Cette opération provoque de nouvelles offensives rebelles. Sept casques bleus sont tués et 500 pris en otage. Alarmées par des rumeurs évoquant l'imminence d'une attaque rebelle sur Freetown, les Nations unies incitent les organisations humanitaires à évacuer la capitale. Face au vent de panique et à la déroute de la Minusil, le Royaume-Uni dépêche un corps expéditionnaire de 650

Officiellement établi le 16 janvier 2002 par un accord entre le gouvernement de Freetown et les Nations unies, le tribunal spécial pour la Sierra Leone est une juridiction *ad hoc* comme les tribunaux internationaux pour l'ex-Yougoslavie et le Rwanda. Il s'en distingue par sa composition associant juges nationaux et internationaux. De plus, il n'a pas été imposé, mais négocié avec le gouvernement. Sa compétence porte sur les crimes commis en Sierra Leone depuis le 30 novembre 1996, date du premier accord de paix entre le gouvernement de Freetown et le RUF.

En raison de ses origines très politiques, de son fonctionnement rendu périlleux par une assise financière et organisationnelle fragile, le tribunal aura fort à faire pour établir sa crédibilité et prouver son indépendance à l'égard des États-Unis et de la Grande-Bretagne. Pour l'heure, son procureur, David Crane, ancien directeur de la sécurité nationale au Pentagone, n'a pas totalement œuvré en ce sens. Considérant qu'il est chargé d'instruire une « affaire criminelle internationale » ayant pour « principal enjeu » le trafic de diamants, il a inculpé Charles Taylor le 5 juin 2003, l'obligeant à abandonner les négociations de paix qu'il avait entamées le jour même avec ses principaux opposants. « Les négociations peuvent se poursuivre, mais sans implication de cet inculpé », a déclaré à la presse David Crane, alors même que Monrovia plongeait dans le chaos...

hommes pour soutenir la nouvelle armée gouvernementale (sur une base bilatérale). Les commandos britanniques sécurisent Freetown puis permettent aux casques bleus de libérer leurs otages et de poursuivre leur mission.

Confronté à cette nouvelle donne militaire, le RUF, en proie à des divisions croissantes, adopte une attitude plus pacifique. Il y est d'autant plus poussé que son parrain libérien, Charles Taylor, est l'objet d'une vindicte internationale pour le soutien qu'il n'a cessé d'apporter à la rébellion depuis 1991. En juillet 2000, le Conseil de sécurité décrète un embargo sur l'exportation de diamants sierra-léonais, puis l'année suivante place le Liberia en quarantaine. Un ultime accord de cessez-le-feu est signé entre le gouvernement et les rebelles en novembre 2000. À la fin 2001, l'armée gouvernementale, toujours épaulée par des militaires britanniques et suivie de la Minusil (dont les effectifs sont portés à 17 500 hommes), se déploie sur l'ensemble du territoire. Malgré de fréquentes échauffourées entre Kamajors et hommes du RUF, la Minusil annonce la démobilisation de quelque 45 000 combattants en janvier 2002, ce qui permet à Kabbah de déclarer la guerre officiellement terminée.

L'apaisement est cependant relatif. Si la majeure partie du territoire sierra-léonais est aujourd'hui sécurisée, les régions frontalières de la Guinée et du Liberia sont toujours victimes d'incursions d'éléments armés non identifiés opérant pillages et recrutement forcé dans le district de Kailahun. Surtout, le conflit se poursuit en territoire libérien. Soutenues par la Guinée et le Royaume-Uni, des factions anti-Taylor multiplient les incursions dans la région du Lofa où les soldats du RUF viennent prêter main-forte à Charles Taylor. De fait, la pacification de la Sierra Leone repose sur le transfert des combattants les plus irréductibles au Liberia et dans le reste de la région : RUF, anciens militaires putschistes, Kamajors trouvent à s'employer de part et d'autre des lignes de front où le président libérien affronte les insurgés qui menacent son régime. En 2002-2003, des combattants sierra-léonais ont gagné l'ouest de la Côte d'Ivoire où les insurgés ivoiriens semblent en mesure de les rémunérer.

Logique de la terreur

Contrairement à une idée très répandue, le RUF n'est pas un conglomérat de combattants avinés et drogués donnant libre cours à leurs pulsions morbides. Il dispose d'une chaîne de commandement beaucoup plus structurée que celle de ses homologues libériens (et même gouvernementaux). Elle est contrôlée par les deux ou trois commandants en chef (comme Sam Bockarie) qui, selon les époques, maîtrisent les circuits de commercialisation des diamants et d'approvisionnement en armes – autrement dit, sont connectés de près ou de loin à Charles Taylor.

Adossée à l'extraction minière et aux ressources fournies par le président libérien, l'économie de guerre du RUF peut se passer de tout soutien populaire. La terreur joue un rôle de premier plan dans l'organisation des zones rebelles. Celles-ci sont peuplées de villageois n'ayant pu fuir l'avancée du RUF, des familles élargies des combattants – dont les femmes ont souvent été enlevées ou mariées de force – et de captifs ramenés des zones gouvernementales à l'occasion de raids armés. Ces derniers constituent une main-d'œuvre servile, exploitée dans les zones d'extraction minière ou comme personnel domestique – voire technique – dans les bases rebelles. Le RUF manque en effet de cadres compétents susceptibles de faire fonctionner, comme dans le district de Kailahun, son atelier de maintenance mécanique, la clinique réservée aux officiers et les quelques écoles qu'il s'emploie à maintenir. Médecins, infirmiers, enseignants, mécaniciens qualifiés – tous enlevés en zone gouvernementale – bénéficient d'un statut sensiblement plus avantageux que les autres captifs et les résidents, exposés à l'arbitraire des combattants. Ceux-ci peuvent s'avérer extrêmement cruels. Nombreux sont les soldats enrôlés de force dès leur très jeune âge et soumis à un processus brutal de socialisation guerrière, éprouvant leur résistance ainsi que leur capacité à faire souffrir et à donner la mort.

Le RUF vit en situation de quasi-autarcie, se contentant

de piller en zone gouvernementale les ressources qu'il ne peut se procurer auprès de Taylor. Curieusement, les infrastructures publiques en territoire rebelle n'ont pas été démantelées pour être éventuellement revendues : elles ont fait l'objet d'une destruction méticuleuse et presque psychotique. Comme pour signifier leur rancœur envers les symboles d'une modernité qui les exclut, les combattants ont pulvérisé les chateaux d'eau au lance-roquette, saccagé les bâtiments administratifs et les structures de santé, méthodiquement détruit les circuits de distribution électrique, etc. Civils et combattants vivent dans un paysage de dévastation totale parsemé de débris militaires, où pénurie alimentaire et absence de soins relèvent de la normalité. Les conditions sanitaires y sont déplorables, y compris pour les soldats blessés ou malades. Seuls les officiers peuvent bénéficier d'un minimum de soins.

Le comportement du RUF à l'égard des populations vivant en zone gouvernementale est tout aussi violent mais sa brutalité est d'une autre nature : incendies de villages, attaques de camps de populations déplacées, amputations, viols, assassinats d'hommes, de femmes et d'enfants, enlèvements, pillages visent à chasser les populations rurales vivant aux confins des bastions de la rébellion afin de créer un *no man's land* protecteur. Plus avant en zone gouvernementale, on cherche par ces pratiques à miner la confiance des Sierra-Léonais dans un pouvoir qui est incapable d'assurer leur sécurité.

Pour autant, le RUF n'a pas l'exclusivité de la terreur, loin s'en faut. Les *sobels*, reconvertis après le putsch de 1997 en faction alliée à la rébellion, ont adopté un mode de fonctionnement sensiblement similaire. De leur côté, les Kamajors recourent également au recrutement d'enfants-soldats et utilisent les mêmes techniques que leurs adversaires. Ils incendient les villages, tuent, blessent, mutilent les civils soupçonnés de connexions avec le RUF. Moins installés dans l'économie du diamant que les autres factions, ils ont une propension plus grande à se livrer à l'extorsion et au pillage, notamment à l'encontre des personnes déplacées. Bien que les mutilations soient traditionnellement imputées au RUF, un nombre significatif d'entre elles sont le fait des forces progouvernementales. Enfin, après sa cuisante défaite de 1998-1999, l'Ecomog a fait preuve d'une violence débridée contre les non-combattants lors de la reprise de Freetown : exécutions de rebelles blessés sur leur lit d'hôpital, tortures et assassinats d'adolescents systématiquement suspectés d'être des insurgés, bombardements indiscriminés de quartiers peuplés de civils. Comme au Liberia, l'Ecomog est également impliquée dans le trafic de diamants.

Cernés par la violence

Près d'un demi-million d'habitants ont abandonné leur foyer pendant la guerre en se réfugiant principalement en Guinée et au Liberia ou en se déplaçant à l'intérieur du pays. La plupart d'entre eux proviennent des territoires contrôlés par les rebelles ou des zones de combat. En février 2002, les Nations unies recensaient 140 000 déplacés internes hébergés dans des camps. Plusieurs milliers d'autres sont restés cachés dans les forêts pour échapper aux combattants ou ont trouvé asile dans des villages en zone gouvernementale. Théoriquement mandaté pour garantir le droit à la protection et à l'assistance des déplacés, le Bureau de coordination des affaires humanitaires des Nations unies (OCHA) s'en remet à une administration étatique : la National Commission for Reconstruction, Resettlement and Rehabilitation (NCRRR). Cette commission confie la gestion des camps à des organisations humanitaires dont le professionnalisme est parfois discutable. De plus, la bureaucratisation croissante du travail humanitaire tend à cantonner les travailleurs humanitaires étrangers à des tâches de supervision qui les éloignent des populations qu'ils sont censés aider. Leur seul lien avec les personnes déplacées se résume souvent à des contacts plus ou moins réguliers avec le « président » et le « comité » des camps, désignés dans des conditions opaques et dont la représentativité est sujette à caution.

Chargés de l'enregistrement des déplacés et de l'octroi des cartes de distribution qui donnent accès aux denrées alimentaires et autres secours matériels (abris, ustensiles de cuisine, couvertures...), les comités et leur président se comportent régulièrement en potentats locaux, détournant allègrement les secours humanitaires au profit de leur clientèle. Ainsi, bien que les chiffres de bénéficiaires soient systématiquement hypertrophiés, nombreux sont ceux qui ne reçoivent pas l'assistance à laquelle ils ont droit, sauf à se procurer une carte de distribution en se pliant aux diverses exigences des « *big men* ». L'octroi de faveurs sexuelles et la soumission à tous types de travaux forcés s'avèrent, pour les plus pauvres, un moyen courant d'acheter leur survie.

Exposées à la violence sociale des camps, les personnes déplacées n'échappent pas non plus à la violence physique des combattants. À plusieurs reprises, les camps ont fait l'objet d'offensives de la part des rebelles. Et ils restent perméables aux infiltrations d'hommes en armes (Kamajors, *sobels*, etc.) se livrant à toutes les formes d'extorsion et de brutalité. La dernière échappatoire devient alors la fuite à l'étranger.

En août 2000, le HCR estimait que 330 000 réfugiés sierra-léonais résidaient en Guinée, principalement dans les districts de Guékédou et de Forrecariah. Installés à proximité de la frontière, ils sont régulièrement harcelés par le RUF. Qui plus est, le soutien apporté par les autorités guinéennes à des groupes hostiles au président libérien (comme le LURD : voir « Liberia : un chaos orchestré », p. 175) transforme la région en zone de combats. Dès 1998, des éléments armés en provenance de la Sierra Leone et du Liberia lancent plusieurs offensives contre les camps et les forces guinéennes. Les affrontements culminent en septembre 2000 avec l'attaque de Macenta par une coalition regroupant des opposants guinéens, des membres du RUF et des combattants libériens. Le président guinéen accuse alors les réfugiés d'être responsables de l'insécurité, de la contrebande et de la propagation du sida. Il encourage ses concitoyens et les forces de l'ordre à débusquer les « criminels » qui se cachent parmi eux. Des milices attaquent les camps (plusieurs sont brûlés et abandonnés par leurs résidents) et s'en prennent violemment aux Sierra-Léonais, systématiquement accusés de sympathie pour un RUF qu'ils ont pourtant fui avec l'énergie qui leur restait... De septembre 2000 à mi-2001, les 100 000 à 250 000 réfugiés de la « langue de Guékédou » demeurent largement inaccessibles aux organisations humanitaires. Aux entraves des forces guinéennes engagées dans des opérations contre-insurrectionnelles au Liberia et en Sierra Leone s'ajoute l'insécurité créée par les factions pro-Taylor qui ciblent le HCR et les ONG pour leur soutien indirect aux dissidents du LURD (de fait, ces derniers utilisent les camps de réfugiés libériens comme sanctuaire). Quant aux réfugiés installés en ville, à Conakry ou Nzérékoré, ils sont victimes de campagnes de ratissage qui tournent au pogrom.

L'attitude du HCR en Guinée reflète les priorités de ses bailleurs de fonds : éviter l'extension du conflit à la Guinée et conforter le régime du président guinéen Lansana Conté. Confronté à d'énormes difficultés de financement, le HCR délègue l'essentiel de son mandat d'assistance à des ONG locales, moins coûteuses, et censées garantir la « pérennité » (*sustainability*) de ses investissements en « renforçant la capacité d'intervention » (*capacity building*) de ses partenaires locaux. Cette politique a deux conséquences : éloigner les ONG internationales et favoriser la mise en place d'un jeu clientéliste générateur de corruption – la plupart des ONG guinéennes étant patronnées par des politiciens locaux en quête de ressources. Comme dans les camps de déplacés, travaux forcés et prostitution s'avèrent pour les plus pauvres les ultimes moyens d'obtenir des secours vitaux. La faillite du HCR est encore plus grande au regard de son mandat de protection. Faute de pression internationale sur la Guinée et de financements adéquats, l'agence onusienne n'est jamais réellement parvenue, avant la fin 2001, à transférer les réfugiés dans des camps éloignés de la frontière, susceptibles de les mettre à l'abri des incursions du RUF et des combats. La seule option sérieusement envisagée pour garantir leur sécurité a été de les renvoyer en Sierra Leone...

Or, la politique de rapatriement du HCR a moins été dictée par l'évolution des conditions de sécurité dans le pays que par la politique de pacification envisagée par les différents intervenants extérieurs. En 1998, le HCR encourage le retour de « Sierra-Léonais diplômés » afin de réinstaller le gouvernement Kabbah suite à l'éviction de la junte associée au RUF. Peu après la signature des accords de Lomé en juillet 1999, il interrompt la première tentative d'envergure pour transférer les réfugiés loin de la frontière. Malgré la grave instabilité qui continue de menacer la Sierra Leone, le HCR lance un programme de rapatriement dont le calendrier est calqué sur celui du processus de paix. À ses yeux, « le retour des réfugiés constitue une part vitale du processus de paix » et mérite à ce titre d'être encouragé... Peu importe que les réfugiés soient renvoyés dans les bras du RUF ou qu'ils soient rapatriés à proximité des lignes de front où ils auront à subir les ultimes soubresauts du conflit.

Les programmes de rapatriement et de réinstallation des personnes déplacées et réfugiées initiés après la signature des derniers accords de paix en novembre 2000 n'échappent pas à cette logique. Conduits de façon expéditive afin d'être achevés à la date des élections en 2002, ils ont fait l'économie d'une information préalable des personnes concernées sur les conditions matérielles et sécuritaires qui les attendent sur leur lieu d'origine. Les déplacés et réfugiés ont été renvoyés dans des villages anéantis, dépourvus d'accès à l'eau potable ou de structures de santé, et parfois en butte à une insécurité résiduelle. Leur retour a été provoqué par des suspensions soudaines des distributions alimentaires et la fermeture brutale de certains camps. En outre, les personnes ont été transportées dans des conditions désastreuses avant d'être déposées, parfois à plusieurs jours de marche de leur destination finale.

Le parti-pris de la communauté internationale

La gestion par les instances internationales des personnes réfugiées et déplacées est emblématique de la façon dont les considérations humanitaires ont été écartées par les « faiseurs de paix » au nom de la supériorité morale de leur objectif : la lutte contre la « barbarie » rebelle. En 1997-1998, la mise en quarantaine de la junte associée au RUF a en effet impliqué l'imposition d'un embargo s'étendant *de facto* à l'aide humanitaire, privant ainsi pendant plusieurs mois les populations sierra-léonaises de distributions alimentaires vitales. De même, le déploiement des secours d'urgence dans les bastions rebelles a été utilisé par les Nations unies comme outil de négociation dès la fin de l'année 1998. Bailleurs de fonds et agences onusiennes ont poussé le RUF à se conformer aux différents accords de paix en soumettant la mise en œuvre des programmes d'assistance vitaux au désarmement des combattants rebelles. Les très rares organisations à avoir apporté des secours rudimentaires en territoire RUF après 1998 ont dû contourner les manœuvres vindicatives de la « communauté humanitaire » qui s'opposait à leur intervention au nom du « bon déroulement du processus de paix ».

Il est certes légitime de s'interroger sur le sens d'une action de secours dans l'ordre de terreur instauré par les rebelles. La question : « Est-il possible de secourir les populations des zones RUF sans renforcer significativement le système de domination qui les opprime ? » est absolument essentielle. Elle doit impérativement être débattue compte tenu des succès et échecs rencontrés dans la négociation d'un espace humanitaire avec la rébellion. Mais il s'agit là d'un raisonnement tout autre que celui qui refuse *a priori* d'assister les populations des zones RUF par peur de compromettre un processus de paix incertain. La paix est certes un projet hautement défendable d'un point de vue politique. Mais il ne saurait en tant que tel imposer aux organisations de secours de discriminer entre les Sierra-Léonais méritant d'être sauvés et ceux qu'il est possible, voire souhaitable, de sacrifier dans l'espoir d'aboutir à une paix future. L'aide humanitaire ne peut se plier à de tels arbitrages politiques sans remettre en cause le principe élémentaire d'impartialité qui fonde sa raison d'être.

L'embrigadement des organismes de secours dans le règlement politique du conflit a été massif. Il a été facilité par leur adhésion à la lecture binaire de la crise véhiculée par Kabbah et l'ensemble des intervenants extérieurs. Pour ces derniers, l'ancien fonctionnaire des Nations unies, élu par 25 % de l'électorat en pleine guerre civile – et dont l'administration territoriale repose sur un archipel de concessions minières et le pouvoir de coercition sur le bon vouloir de ses partenaires étrangers –, représente « le gouvernement démocratique et légitime » de la Sierra Leone et mérite à ce titre d'être soutenu ; quant au déferlement de violence, il puise ses origines dans la « barbarie » du RUF, simple ramassis de bandits psychopathes inféodés à Taylor et avec lesquels il est impossible de négocier. Dans cette perspective, la violence est unilatéralement imputable à la rébellion, comme le suggère la mise en scène des « atrocités du RUF » dans le camp de Murray Town à Freetown. Rassemblant quelques centaines d'amputés – qui ne sont pas tous des victimes du RUF –, ce camp est le passage obligé de toute la presse internationale et des délégations diplomatiques. Cette exhibition organisée de la douleur laisse un sentiment de malaise lié à l'usage propagandiste qui en est fait.

Reste que l'ample écho médiatique donné à cette lecture manichéenne du conflit a eu deux conséquences positives. D'une part, il a poussé les Nations unies à abandonner la pusillanimité qui les avait amenées à déléguer la gestion de la crise à une force d'interposition régionale, sans pour autant lui donner de moyens logistiques et financiers, ni même un cadre d'intervention légal. L'indignation internationale soulevée par la violence des combats autour de Freetown en janvier 1999 a contraint les Nations unies à réagir à l'éventualité d'un retrait de l'Ecomog. Le Conseil de sécurité pouvait difficilement abandonner « le gouvernement démocratiquement élu de la

Sierra Leone » à la « barbarie » du RUF sans, une fois de plus, porter atteinte à sa crédibilité. D'autant qu'après l'échec de ses interventions en Somalie et en Angola et sa démission lors du génocide au Rwanda, le Conseil de sécurité cherchait une opportunité pour réaffirmer son engagement en Afrique : ce fut le déploiement de la Minusil, la plus grosse opération de maintien de paix des Nations unies à ce jour.

D'autre part, la couverture médiatique des « atrocités du RUF » a encouragé le Royaume-Uni à s'impliquer de façon décisive dans son ancienne colonie. Le gouvernement travailliste, arrivé au pouvoir en mai 1997, s'était en effet engagé à rompre avec la politique étrangère de son prédécesseur, en donnant – selon les termes du ministre des Affaires étrangères d'alors, Robin Cook – une « dimension éthique » à son action sur la scène internationale. Or, la traduction diplomatique de la « troisième voie » promue par le New Labour pouvait difficilement s'exercer par une révision à la baisse des exportations d'armement, un changement d'attitude radical à l'égard de la Chine ou de la Russie ou un abandon du credo néolibéral défendu en matière d'aide au développement... En revanche, la défense du « gouvernement démocratiquement élu » de la Sierra Leone face aux « hordes barbares du RUF » était l'occasion d'incarner en actes la « diplomatie éthique » revendiquée par Robin Cook. En dépêchant un corps expéditionnaire en soutien au gouvernement Kabbah alors que la Minusil s'enlisait dangereusement, la diplomatie britannique a fait d'une pierre deux coups : elle a donné corps à la « dimension éthique » de la politique étrangère du New Labour, tout en permettant aux Nations unies de sauver la face et de mener à bien leur mission.

Incontestablement, la très nette amélioration des conditions de sécurité en Sierra Leone a été rendue possible par l'action décisive du gouvernement britannique et le déploiement de la Minusil. Aujourd'hui, l'ordre règne sur la majeure partie du territoire. La quasi-totalité des camps de déplacés internes sont désormais fermés. Nombres de Sierra-Léonais ont regagné leur lieu d'origine, à l'exception de 50 000 à 70 000 personnes réfugiées en Guinée, d'une partie des déplacés installés dans des villages où ils ont reconstruit leur existence et de certains habitants des zones frontalières de la Guinée et du Liberia qui craignent de regagner leur région, toujours en proie à des incursions armées transfrontalières. Soutenu par une aide internationale très importante, le gouvernement civil se remet progressivement en place, épaulé par des coopérants de la Minusil présents dans chaque ministère. Reste que les forces de sécurité sierra-léonaises sont extrêmement dépendantes d'une assistance extérieure. La police est chapeautée par un officier britannique. Quant à la nouvelle armée nationale formée par la Grande-Bretagne, elle se montre incapable d'offrir à elle seule une quelconque résistance aux miliciens qui traversent la frontière dans le district de Kailahun. Le retrait annoncé des casques bleus de la Minusil, dont l'effectif devrait être réduit de 16 000 à 2 000 hommes d'ici la fin de l'année 2003, laisse craindre une détérioration sensible des conditions de sécurité. D'autant plus que la mainmise hégémonique de Kabbah et de son parti sur la nouvelle administration suscite la rancœur des autres forces politiques sierra-léonaises dont certaines pourraient reprendre les armes pour faire valoir leur demande de participation politique.

Enfin, quel que soit le bien-fondé des interventions britannique et onusienne, il est regrettable que la « guerre juste » déclarée au RUF ait conduit à passer sous silence les exactions imputables aux différentes forces progouvernementales. Il est tout aussi regrettable qu'elle ait impliqué l'assujettissement des opérations de secours à la stratégie internationale de règlement du conflit. Le sort réservé aux réfugiés sierra-léonais de Guinée, aux personnes déplacées et aux populations des zones RUF est, à cet égard, révoltant. En définitive, on peut se demander si le « succès » de la communauté internationale en Sierra Leone ne repose pas sur la déstabilisation des pays voisins, comme la Côte d'Ivoire ou surtout le Liberia, transformé en arène où les civils sont livrés aux combattants les plus irréductibles de toute la région ouest-africaine.

Fabrice WEISSMAN

Références bibliographiques

R. Abrahmsen et P. Williams, « Ethics and foreign policy : the antinomies of New Labour's "third way" in Sub-Saharan Africa », *Political Studies*, vol. 49, 2001, p. 249-264.

W. Reno, *Corruption and State Politics in Sierra Leone*, Cambridge University Press, 1995.

P. Richards, *Fighting for The Rain Forest : War, Youth and Resources in Sierra Leone*, Oxford, Currey, 1996.

P. Williams, « Fighting for Freetown : British military intervention in Sierra Leone », *Contemporary Security Policy*, 2001, vol. 22, nᵒ 3, décembre 2001, p. 140-167.

CHAPITRE 3

Afghanistan : des talibans aux soldats missionnaires

Du départ des troupes soviétiques (début 1989) à l'arrivée des forces américaines, douze ans se sont écoulés pendant lesquels la guerre a continué de faire rage en Afghanistan. Le désintérêt de la communauté internationale pour une région ayant perdu en 1989 une grande partie de son intérêt stratégique a permis aux États voisins d'y étendre leur influence. Jouant des rivalités entre « seigneurs de guerre » locaux, ils ont alimenté une guerre civile particulièrement meurtrière pour les non-combattants.

L'arrivée à Kaboul des talibans en septembre 1996 a apporté un semblant de répit aux populations. Mais le rétablissement de l'ordre public par les « moines-soldats » s'est accompagné de l'imposition d'un ordre moral ultra-rigoriste, particulièrement oppressif pour les femmes. En outre, le conflit s'est progressivement réorganisé sur des bases politiques à référent ethnique ou religieux. La recrudescence des violences identitaires couplée à l'aggravation des problèmes alimentaires a entraîné le déplacement massif de plusieurs millions d'Afghans, à l'intérieur et hors des frontières.

Ce n'est qu'après les attentats du 11 septembre 2001 que les puissances occidentales se sont engagées en Afghanistan au-delà d'une condamnation symbolique de l'« obscurantis-

me » des étudiants en religion, célébrant implicitement la supériorité morale de l'Occident. La riposte américaine aux attaques terroristes impliquant le renversement d'un régime oppresseur, une vaste « coalition du Bien » s'est mise en place, sommant les organisations humanitaires de se ranger à ses côtés – sans pour autant se montrer particulièrement respectueuse du droit international humanitaire. Si la destitution des talibans a redonné espoir à une grande majorité d'Afghans, cette nouvelle guerre internationale a éclipsé le conflit local sans y avoir mis un terme. En dehors de Kaboul, le vide laissé par le pouvoir taliban a vite été réoccupé par les « seigneurs de guerre », qui ont retrouvé leurs anciens fiefs et leurs rivalités prédatrices.

Des seigneurs de guerre
aux « moines-soldats »

En février 1989, après onze années de guerre, les dernières unités soviétiques quittent l'Afghanistan. Un million d'Afghans ont perdu la vie, un tiers de la population a fui à l'étranger (principalement au Pakistan et en Iran), des centaines de milliers de paysans ont quitté leurs villages pour se réfugier aux abords des villes. L'Armée rouge laisse derrière elle un pays en ruine, une société désintégrée. Dans ce paysage de décombres, l'islamisme radical a pris racine et gagne rapidement du terrain. Produit de la violence démesurée de la guerre soviétique, le fondamentalisme a trouvé auprès du Pakistan, de l'Arabie Saoudite et des États-Unis les ressources lui permettant de s'affirmer comme une force politique majeure. Loin d'entraîner la cessation des hostilités, le départ des Soviétiques accentue la compétition entre partis et commandants locaux ainsi que les luttes d'influence entre puissances régionales. Décimés par le régime communiste, les notables traditionnels (oulémas, propriétaires fonciers, aristocraties tribales) voient leur autorité contestée par de jeunes commandants dont le pouvoir repose sur les armes et l'habilité à nouer des liens avec l'étranger. À la tête de réseaux de solidarité politico-militaires, ils se livrent des combats incessants dont l'enjeu ne semble pas la conquête de l'État mais le maintien ou l'extension de leur pouvoir à l'échelle locale.

Jouant de ces logiques segmentaires, le régime communiste de Najibullah parvient à se maintenir au pouvoir jusqu'en mars 1992. Il est alors renversé par une coalition de résistants tadjiks, ouzbeks et hazaras qui s'emparent de Kaboul. Les leaders pachtounes se trouvent ainsi exclus du pouvoir central qu'ils avaient monopolisé de façon quasi continue pendant près de trois cents ans. Certains s'allient au parti Hezb-e Islami de Hekmatyiar, à majorité pachtoune, qui tente de déloger le nouveau gouvernement de Rabbani et Massoud, à base tadjike. Les troupes ouzbèkes de Rachid Dostom et les partis hazaras participent aux combats au gré de leurs alliances aussi complexes que volatiles. De 1992 à 1995, Kaboul et ses environs sont ainsi le théâtre de violents affrontements qui font plus de 30 000 victimes civiles dans la capitale, jusqu'alors épargnée par la guerre.

Le conflit est largement alimenté par les États voisins. Profitant du désintérêt de l'Occident pour un pays ayant perdu en 1989 une grande partie de son intérêt stratégique, le Pakistan, l'Iran et l'Ouzbékistan cherchent à y étendre leur influence par parti local interposé (pachtoune pour Islamabad, hazara chiite pour Téhéran et ouzbek pour Tachkent). Si l'Iran et l'Ouzbékistan se contentent de soutenir leurs protégés à Kaboul et dans leurs régions d'origine, le Pakistan s'implique plus directement aux côtés du Hezb-e Islami. Mais ce dernier s'avère incapable de s'emparer d'Herat et de Kaboul. Au milieu des années 1990, Islamabad change de cavalier et entreprend de soutenir le mouvement émergeant des talibans. Les « étudiants en religion » sont de jeunes Afghans déracinés, souvent orphelins, ayant grandi dans les camps de réfugiés pakistanais et fait leur éducation dans des écoles coraniques fondamentalistes. Ils sont rejoints et encadrés par des commandants-mollahs pachtounes au passé de résistants et d'anciens membres de la faction procommuniste Khalq.

Les talibans s'emparent des zones pachtounes avec une relative facilité (Kandahar tombe le 5 novembre 1994), puis progressent dans le reste du pays grâce à l'important soutien que leur apportent les services secrets et des militaires pakistanais. Herat est pris le 5 septembre 1995 et Kaboul un an plus tard. Chassés de la capitale, les anciens maîtres de Kaboul se regroupent dans le nord du pays où ils forment l'Alliance du Nord. Les partis tadjik, hazara et ouzbek, qui se sont longtemps affrontés, doivent réapprendre à combattre ensemble. Rivalités et mésalliances les empêchent de contenir l'avancée des talibans, qui dès 1998 contrôlent 90 % du territoire. Seules des parties de l'Hazarajat, le Panshir et le Badakhshan résistent, sur fond d'aggravation des violences identitaires.

L'aggravation des violences identitaires

Au fil du conflit et de l'extension des combats aux zones non pachtounes, les pratiques prédatrices des belligérants se sont transformées en violence de masse contre des populations entières, stigmatisées en raison de leur appartenance ethnique ou de leur pratique religieuse. De gré ou de force, de larges composantes de la société afghane ont été aspirées dans l'effort de guerre de l'une ou l'autre des factions armées, et exposées aux représailles collectives de la partie adverse.

Pendant l'hiver suivant la retraite de Kaboul par les forces de Massoud en 1996, les habitants de la plaine de Shamali, l'une des plus fertiles et les plus peuplées d'Afghanistan, sont ainsi la cible d'une politique de la terre brûlée conduite par les talibans : violences contre les civils, destruction des systèmes d'irrigation et des villages, minage des maisons, et enfin déportation de dizaines de milliers de villageois vers la capitale. La première défaite majeure des talibans en mai 1997 à Mazar-e Sharif marque une étape supplémentaire dans l'ethnicisation de la violence. Quelques jours après la prise de la ville par les troupes des talibans, les forces ouzbèkes et hazaras locales qui avaient été soudoyées par les autorités de Kaboul se rebellent soudainement. Plusieurs centaines de talibans sont tués dans les rues de la ville et 2 000 prisonniers de guerre exécutés. Durant l'été 1998, les talibans lancent une nouvelle offensive dans le nord du pays, appuyée par des milliers de combattants pakistanais. La reconquête de Mazar-e Sharif, le 8 août, est suivie de massacres d'une grande ampleur : plusieurs milliers de civils, principalement des chiites hazaras, sont assassinés en quelques jours. Cette furie exterminatrice rappelle les méthodes utilisées un siècle auparavant par l'émir pachtoune Abdur Rahman dans la soumission des populations hazaras et fait directement écho aux discours de haine sectaire régulièrement proférés dans certaines mosquées intégristes pakistanaises à l'encontre des musulmans chiites.

Les batailles de l'Hazarajat obéissent au même schéma de

violences. Bamyan tombe aux mains des talibans une première fois en octobre 1998, contraignant la résistance hazara à se réfugier dans les vallées isolées de Yakaolang à l'ouest, d'où elles continuent à harceler les forces des mollahs. La résistance s'ancre dans la population qui est mise à contribution pour fournir des vivres et des combattants. Incapables de consolider leurs positions, les talibans multiplient les violences contre les civils. À partir de 1999, le district de Bamyan, qui compte alors près de 80 000 âmes, est vidé à plusieurs reprises de ses habitants. Les villageois qui échappent aux tueries fuient massivement dans les montagnes, parfois au cœur de l'hiver, où ils trouvent refuge dans des abris de fortune ou des villages isolés. Ils y restent confinés pendant des mois en dépit du manque de nourriture et de soins. Dans les provinces s'étendant au nord entre Herat et Taloqan, des villages entiers – ouzbeks ou pachtounes selon les envahisseurs du moment – connaissent des violences similaires.

Le régime du fouet et de la faim

En dehors de ces zones de résistance, la capacité des talibans à mettre un terme à la violence arbitraire des « seigneurs de guerre » et à restaurer un minimum d'ordre leur confère, à l'origine, une aura presque messianique. Mais celle-ci s'estompe progressivement : cherchant à imposer un ordre moral ultra-rigoriste, les « moines-soldats » s'aliènent une part croissante de la population, soumise aux rigueurs du « ministère de la Promotion de la vertu et de la Suppression du vice » qui veille sur les mœurs publiques et privées. Ces dernières sont fermement encadrées par une série de décrets inspirés d'une relecture du Coran et de certaines traditions locales, principalement pachtounes. Entre autres mesures, les femmes sont contraintes de porter le fameux *tchadri* et privées du droit de travailler, comme de sortir de leur maison sans être accompagnées d'un homme de leur famille.

Si la charia des talibans est appliquée avec rigueur à Kaboul – considérée comme une « Babylone dépravée » qu'il convient de « purifier » –, son imposition est plus lâche dans les zones rurales. À la différence des villes ayant connu la révolution communiste, le nouvel ordre moral n'y bouleverse généralement pas le statut des femmes ni les règles sociales préexistantes. Pour autant, la plupart des Afghans ressentent comme une humiliation l'intrusion de l'État dans une sphère privée traditionnellement régie par la famille ou la proche communauté. D'autant plus que le pouvoir manifeste par ailleurs un profond désintérêt pour les souffrances du peuple, victime de la persistance du conflit et d'une misère croissante.

Considérant que « le destin des hommes repose avant tout entre les mains de Dieu », le régime se préoccupe peu des conditions de vie matérielles de la population. Le système de santé est tenu à bout de bras par les agences de secours internationales. La situation alimentaire est très précaire. Les prélèvements de nourriture systématiques opérés par toutes les forces en présence, la destruction des biens ou des réserves alimentaires, le recrutement forcé des hommes en âge de travailler, le minage des champs et l'anéantissement des systèmes d'irrigation, ainsi que le blocus exercé à l'encontre de villages ou de régions « ennemis » déclenchent de multiples disettes. Beaucoup de familles se nourrissent de pain et de thé à longueur d'année et la malnutrition chronique est très fréquente parmi les enfants. La sécheresse qui apparaît en 1998 et se prolonge trois années durant aggrave cette situation, entraînant l'apparition inhabituelle d'une épidémie de scorbut parmi les populations déplacées au nord du pays en 2001. Le Programme alimentaire mondial estimait alors que 5,5 millions d'Afghans avaient besoin d'une aide alimentaire d'urgence.

La fermeture des frontières

La faim et les violences ont poussé des centaines de milliers d'Afghans à se déplacer vers les grandes villes, comme Herat, Kaboul, Kandahar, ou Mazar-e Sharif. En 2001, on évaluait à 800 000 le nombre de déplacés internes. Mais la majeure partie des Afghans en quête de refuge a tenté de gagner l'étranger. En 2001, ils étaient, selon le Haut-Commissariat pour les réfugiés, 2,2 millions au Pakistan et 1,4 million en Iran – chiffres largement sous-estimés mais qui font néanmoins des Afghans la première nationalité de réfugiés au monde. Or Islamabad et Téhéran tolèrent de moins en moins la présence de ces indésirables, accusés – comme en Occident – d'alimenter la criminalité et de saturer le marché du travail. Dès le milieu des années 1990, l'« encouragement » des retours vers l'Afghanistan devient une priorité : fermeture des frontières aux nouveaux arrivants, déportation des anciens réfugiés, réduction des opérations d'assistance, remise en cause croissante du droit d'asile, et même, lancement en 2000 d'un programme de rapatriement soutenu par le HCR, alors que la situation sécuritaire et alimentaire dans les provinces afghanes ne cesse de se détériorer. Les quelques évaluations illustrant les conditions dramatiques dans lesquelles les retours sont réalisés (arrestation des hommes à leur arrivée, manque de ressources des familles rapatriées, poursuite des persécutions ethniques et religieuses à leur encontre, nouveaux déplacements, etc.) n'altèrent pas le cours de cette politique.

De fait, le HCR est écartelé entre son obligation légale de garantir le droit de fuite des Afghans et le refus des États frontaliers de les accueillir – refus cautionné par les bailleurs de fonds internationaux. À la fin des années 1990, les Afghans représentent la première nationalité de demandeurs d'asile en Europe. Les pays de l'Organisation de coopération et de développement économiques (OCDE) n'hésitent pas non plus à les refouler, à leur refuser le droit d'asile ou à les parquer dans des camps de détention sous surveillance militaire, comme en

Australie. Dans ces conditions, les puissances occidentales peuvent difficilement demander aux pays d'Asie centrale d'accepter de nouveaux arrivants, d'autant qu'elles refusent de répondre aux appels du Pakistan et de l'Iran réclamant une assistance financière pour prendre en charge les réfugiés. La « fatigue » des donateurs, dont l'apport se restreint à des aides d'urgence à l'intérieur de l'Afghanistan, et l'absence d'alternative envisagée au régime taliban sont autant d'arguments qui poussent à installer les Afghans en fuite dans des camps à l'intérieur de leur pays en guerre. Face au renforcement du contrôle aux frontières, les Afghans en sont réduits à confier leur vie à des passeurs clandestins qui, contre le peu d'argent qui leur reste, leur font gagner l'étranger, quitte à garder en otage un membre de la famille dans l'attente du remboursement des dettes contractées.

Humanitaire
et aspirations totalitaires

Le refoulement des réfugiés est d'autant plus préoccupant que durant toute la période taliban les populations afghanes ne peuvent bénéficier d'une assistance matérielle à la hauteur de la crise qu'elles éprouvent. Certes, les agences de secours peuvent assister avec une relative facilité les victimes du conflit dans les zones tenues par l'Alliance du Nord. Mais sur les 90 % du territoire contrôlés par le régime des mollahs, elles éprouvent de grandes difficultés à porter secours aux populations situées à proximité des lignes de front ou dans les zones de répression intensive – comme l'Hazarajat, région soumise à un blocus alimentaire et médical. Outre les refus officiels et récurrents d'autoriser les déplacements des équipes d'assistance, les talibans entretiennent dans ces régions un climat d'insécurité – notamment par l'intermédiaire de combattants étrangers formés par les réseaux ben Laden – contraignant les organisations humanitaires à évacuer régulièrement.

Dans le reste du pays, les talibans ne cessent de faire pression sur les organismes de secours afin qu'ils inscrivent leur action dans le projet taliban de « purification » de la société afghane. Alors que les mesures discriminatoires à l'encontre des femmes empêchent déjà celles-ci de se faire soigner librement, le régime tente en septembre 1997 d'interdire aux agences médicales de recevoir leurs patientes dans des structures de santé mixtes. La forte mobilisation du Comité international de la Croix-Rouge et des ONG médicales parvient à faire revenir les autorités sur cette décision qui, si elle avait été appliquée, aurait privé la quasi-totalité des Afghanes de Kaboul d'accès aux soins. Le régime cherche également à priver les volontaires humanitaires de tout contact avec les Afghans. Les habitants de Kaboul sont exposés à des mesures de représailles s'ils s'aventurent à avoir des relations autres que strictement professionnelles avec le personnel étranger. Si les autorités réussissent à restreindre de façon draconienne les échanges entre la population et les volontaires humanitaires, le personnel soignant des ONG parvient néanmoins à maintenir une réelle proximité avec les patients et les patientes reçus en consultation. Dans les hôpitaux et cliniques soutenus par des organisations médicales, le personnel féminin afghan travaille aux côtés du personnel international : les patientes y sont plus nombreuses que les patients.

De fait, les mollahs n'ont pas les moyens de leurs ambitions totalitaires. Contrairement à leurs vœux, ils ne peuvent évincer les organismes de secours occidentaux au profit d'ONG islamiques, plus proches de la conception qu'ils se font de la solidarité, mais faiblement pourvues en ressources. Jouant des faiblesses du régime, les organisations humanitaires parviennent au prix de multiples crises à préserver un espace de travail minimal plus ou moins respectueux du principe d'impartialité selon les époques, et régulièrement remis en cause. Il permettra notamment au PAM de distribuer, laborieusement, une aide alimentaire vitale à des centaines de milliers d'Afghans.

La posture morale
de la communauté internationale

Le travail des organisations de secours s'avère d'autant plus difficile qu'elles sont *de facto* assimilées à une « communauté internationale » dont les relations avec les talibans se détériorent assez vite. Si, fin 1996, l'administration américaine affirme n'avoir « rien à objecter aux déclarations de politique intérieure du nouveau gouvernement [afghan][1] », elle doit rapidement faire machine arrière. À l'instar de ses homologues occidentales, elle est confrontée à une mobilisation de l'opinion publique et des lobbies féministes, indignés par le zèle des « moines-soldats » qui, devant les caméras de télévision, exécutent, lapident, mutilent, fouettent ceux et celles qui enfreignent la charia. Alors que les talibans cherchent désespérément à faire reconnaître leur régime, les principaux représentants de la communauté internationale refusent d'admettre parmi eux un régime dont ils condamnent l'« obscurantisme » et les « pratiques moyenâgeuses » à l'égard des femmes. Seuls le Pakistan, les Émirats arabes unis et l'Arabie Saoudite reconnaissent l'Émirat islamique d'Afghanistan, sommé par le reste de la communauté internationale de faire montre de plus de respect pour les droits humains.

Dénuées de portée concrète – notamment en matière d'aide aux réfugiés qui tentent de fuir ce régime tant décrié –, ces remontrances se heurtent à l'incompréhension des autorités de Kaboul. Sous-prolétariat de la guerre et des camps de réfugiés, les talibans maîtrisent mal les codes en vigueur sur la scène diplomatique. Ils ne tolèrent aucun compromis avec une loi et une opinion internationales en conflit avec leur interprétation de l'islam. Élevés dans une société strictement masculine, où l'oppression des femmes était vécue comme un signe de virilité et d'engagement en faveur du jihad, les talibans ont fait du statut de la femme une question de principe, la pierre angu-

1. *Voice of America (VOA)*, 27 septembre 1996.

laire de leur radicalisme islamique, l'expression de leur volonté de « purifier » la société afghane[1].

La mission des Nations unies dépêchée à Kaboul – sans réels moyens – « pour faire avancer la paix » se heurte d'emblée à l'irritation des talibans à l'égard des condamnations rituelles qui les frappent et à leur ferme volonté de voir leur gouvernement internationalement reconnu. Dépourvue de stratégie politique pour mener à bien sa mission, l'ONU cherche à renforcer son contrôle sur les organisations humanitaires : elle espère marchander l'aide contre un espace de dialogue avec les autorités, quitte à accepter leurs exigences léonines en matière de distribution des secours. C'est ainsi qu'en avril 1998 le bureau des affaires humanitaires de l'ONU signe un mémorandum avec le gouvernement entérinant sa politique d'apartheid envers les femmes et renforçant la mainmise des autorités sur les ONG. La tutelle des Nations unies s'avère d'autant plus délétère pour les agences humanitaires que l'ONU est perçue par les talibans comme éminemment partiale, pour avoir protégé l'ancien président communiste Najibullah, puis voté en 1999 et 2000 des sanctions unilatérales à leur encontre.

La radicalisation
et la chute du pouvoir taliban

Prisonniers de leur défiance vis-à-vis d'un Occident qui refuse de reconnaître leur gouvernement et même d'engager des relations économiques (y compris pour la construction d'un gazoduc reliant les gisements de gaz turkmènes à la côte pakistanaise de l'océan Indien), les talibans se sont progressivement rapprochés d'Oussama ben Laden. Après son expulsion du Soudan en 1996, celui-ci a trouvé asile en Afghanistan par l'entremise des services pakistanais. Les talibans lui ont permis

1. A. Rashid, *L'Ombre des talibans*, Paris, Autrement, 2001, p. 140-153.

d'ouvrir des camps d'entraînement dans le sud du pays pour ses jeunes recrues jihadistes venues du monde entier et plus particulièrement du Pakistan, de l'Asie centrale et du Moyen-Orient. Les « brigades internationales islamistes » participent aux offensives militaires contre l'Alliance du Nord ou prêtent main-forte aux séparatistes cachemiris.

C'est la mise en cause des réseaux ben Laden dans les attentats de Nairobi et de Dar-es-Salaam en août 1998 qui consacre la rupture des puissances occidentales avec le régime taliban. Face au refus des mollahs de livrer l'ancien protégé de la CIA, les États-Unis bombardent le sud-ouest de l'Afghanistan en 1998 puis imposent en juillet 1999 un embargo commercial et financier contre le régime ainsi que le gel des avoirs talibans aux États-Unis. Le Conseil de sécurité des Nations unies généralise et renforce ces sanctions en novembre 1999 et décembre 2000, en y incluant un embargo sur les armes à destination des autorités de Kaboul. Celles-ci sont enjointes d'extrader ben Laden et de se conformer à plusieurs obligations internationales, allant du respect des droits humains à la réduction des cultures d'opium.

En août 2000, les talibans cherchent à se montrer conciliants en interdisant la culture du pavot qui avait presque doublé entre 1995 et 1999, faisant de l'Afghanistan le premier producteur mondial d'opium. Mais cette mesure n'entraîne ni l'assèchement du marché de l'opium (en raison des stocks constitués), ni la reconnaissance du régime. L'influence des réseaux de ben Laden se renforce alors. Mesures de répression et provocations contre les « infidèles » se succèdent comme une fuite en avant : destruction des bouddhas géants de Bamyan en février 2001, imposition du port d'une marque jaune aux membres de la communauté religieuse hindouiste en mars, emprisonnement du personnel d'une ONG occidentale accusée de prosélytisme chrétien en août, etc. Les efforts de modération du régime par Islamabad restent sans effet, ce qui démontre que les mollahs se sont affranchis de leurs soutiens antérieurs.

Le 9 septembre 2001, l'assassinat du commandant Massoud laisse penser que le dernier rempart à l'emprise des talibans sur l'ensemble du pays est rompu. Deux jours plus tard, les attentats meurtriers de New York et Washington changent radicalement la donne. Le Conseil de sécurité condamne unanimement les attaques terroristes et déclare les États-Unis en état d'exercer leur droit à la légitime défense. La responsabilité des attentats est rapidement attribuée au réseau al-Qaïda. En un ultime geste de défiance, les talibans refusent de livrer leurs hôtes, rendant inévitable l'engagement militaire américain.

Les organisations humanitaires sont contraintes d'évacuer le pays, les talibans se déclarant incapables de garantir leur sécurité face aux combattants étrangers des réseaux ben Laden. Les opérations de secours alimentaires et médicales se poursuivent néanmoins à un rythme réduit grâce au personnel local et au maintien des convois de ravitaillement. Quant au HCR, il multiplie les appels de fonds catastrophistes en prévision d'un afflux potentiel de réfugiés. Mais, comble du cynisme, rien n'est fait pour garantir le passage des Afghans qui se pressent déjà aux frontières et dont certains se font tirer à vue en essayant de les franchir.

Déclenchés le 7 octobre 2001, les bombardements aériens de l'opération « Liberté immuable », associés aux offensives des combattants de l'Alliance du Nord dopée par ses nouveaux partenaires occidentaux, viennent à bout du régime taliban en un peu plus d'un mois. Kaboul tombe le 13 novembre mais les combats se poursuivent dans le sud-est du pays au-delà de la chute de Kandahar le 7 décembre. Les forces talibans se fragmentent et trouvent refuge dans les régions montagneuses du Sud-Est, ouvertes sur les zones tribales du Pakistan où elles disposent d'une base sociale et de protections leur permettant de se réorganiser.

Du pain et des bombes

Dès son déclenchement, l'opération « Liberté immuable » introduit une confusion délétère entre l'exercice du droit à la légitime défense des États-Unis – qui implique incidemment la mise à bas d'un système de domination oppressif – et l'action humanitaire indépendante et impartiale des organismes d'aide. Les premiers bombardements américains sont accompagnés du largage à haute altitude de rations alimentaires individuelles accompagnées de tracts promettant une récompense à quiconque permettrait de capturer ben Laden, et demandant aux Afghans de ne pas quitter le territoire (« *Stay where you are, we will feed you* »). D'après le président George W. Bush, il s'agit de « montrer au peuple opprimé d'Afghanistan la générosité de l'Amérique et de ses alliés[1] ». Les stratèges américains ajoutent que cette opération de guerre psychologique a pour but d'éviter un afflux massif de réfugiés au Pakistan et de convaincre la population – ainsi que les musulmans du monde entier – que la guerre n'est pas dirigée à leur encontre mais seulement contre les talibans et leurs hôtes terroristes.

Or ces largages sont présentés comme une vaste opération « humanitaire », destinée, selon les propos de l'administrateur de l'agence publique américaine d'aide (USAID), à éviter une famine « dans des régions qui connaissent une grave crise alimentaire, très isolées et difficiles à atteindre par voie terrestre ». Outre que leur intention première n'est pas de porter secours en toute impartialité à la population afghane – parallèlement, les entrepôts de nourriture du CICR à Kaboul, clairement identifiés, sont bombardés à deux reprises à la veille de distributions alimentaires –, leur impact sur la situation alimentaire en Afghanistan est extrêmement marginal. En un mois de largage, l'aviation américaine achemine de quoi nourrir un million de personnes... pendant une journée ; de nombreux colis atterrissent sur des terrains minés, leur forme et leur couleur sont similaires à celles des bombes à fragmentation larguées concomitamment, entraînant un certain nombre de confusions mortelles. Par ailleurs, les organisations humanitaires sont appelées à abandonner toute neutralité et à s'associer aux forces armées occidentales pour former, comme le Premier ministre

1. Presidential Adress to the Nation, 7 octobre 2001.

britannique les y invite, une « coalition militaro-humanitaire ». Le secrétaire d'État américain est tout aussi explicite : il voit dans les ONG humanitaires un moyen d'envoyer « un message puissant sur l'Amérique et [son] système de valeur », un « multiplicateur de force [...], une part importante de [son] équipe de combat[1] ».

D'ores et déjà considérées par nombre d'acteurs militaires afghans – en particulier talibans – comme des auxiliaires politiques des puissances occidentales, les organisations humanitaires sont appelées à se transformer en auxiliaires militaires, compromettant un peu plus leur aptitude à faire valoir leur impartialité et par conséquent leur capacité à porter secours à toutes les victimes du conflit. Cette confusion se poursuivra lors de la progression des troupes au sol, certaines forces spéciales américaines se déplaçant en civil, allant jusqu'à se présenter comme des « volontaires humanitaires ». Ces forces dispensent une aide directe aux autorités locales – sécurité, soutien militaire, réhabilitation de bâtiments publics, assistance aux populations – et manifestent, au fur et à mesure du retour des organisations humanitaires, leur velléité d'en contrôler les opérations. Il s'agit de justifier la présence militaire internationale en lui donnant une image plus amicale, de pratiquer l'îlotage et d'éviter d'être perçu comme une simple force d'occupation.

Pour autant, les forces coalisées ne s'encombrent pas toujours du droit international humanitaire. Après la chute de Kunduz le 24 novembre 2001, le transfert de prisonniers de guerre vers les geôles ouzbèkes de Shebergan sous la surveillance des forces spéciales américaines s'opère dans des conditions effroyables entraînant la mort de plusieurs milliers de détenus. Aucune investigation internationale permettant d'identifier les responsables de ces crimes de guerre n'a été lancée à ce jour. Quant à la rébellion des prisonniers talibans du fort de Qalai

---

1. Colin L. Powell, « Remarks to the national foreign policy conference for leaders of nongovernmental organizations », Washington, 26 octobre 2001.

Janghi près de Mazar-e Sharif quelques jours plus tard, elle est réprimée par des bombardements aériens provoquant des centaines de morts parmi les détenus encerclés. Enfin, les prisonniers sélectionnés par les États-Unis pour leurs liens particuliers avec les talibans ou le réseau al-Qaïda sont extradés vers la base militaire américaine de Guantanamo à Cuba. Washington leur refuse le statut de prisonnier de guerre sans pour autant leur octroyer les garanties du droit pénal américain susceptibles de leur assurer un jugement équitable. Le territoire de Guantanamo n'étant pas sous la juridiction des tribunaux pénaux des États-Unis, les prisonniers sont soumis à un régime d'exception qui ne leur offre d'autres droits que ceux concédés de façon discrétionnaire par l'administration américaine.

En attendant la paix

Toujours est-il que l'effondrement du « régime du fouet » constitue un immense soulagement pour la grande majorité de la population afghane. À Kaboul et dans d'autres villes du pays, les femmes ont progressivement repris le travail. Dans les structures de soins, les infirmières se réjouissent de pouvoir à nouveau collaborer librement avec leurs collègues masculins et d'accueillir sans crainte les patientes. Dépassant les prévisions des Nations unies, 1,7 million de réfugiés afghans rentrent spontanément dans leur pays avant la fin d'octobre 2002. Près de 1 million étaient attendus en 2003. Une grande partie d'entre eux rejoint les villes et leurs alentours, où les conditions générales d'habitation se dégradent. On assiste à l'installation d'une population en transit, souvent paupérisée, dans des abris précaires en périphérie de la capitale, détruite à 60 %. Sans réelle perspective d'insertion dans l'économie de la ville ni de retour dans leurs régions d'origine, ces déracinés alimentent une croissance urbaine sauvage génératrice de tensions sociales. La concentration de l'aide internationale dans les villes et leurs environs constitue un facteur d'attraction. Les organismes de secours peinent à pénétrer dans les campagnes où le manque de ressources est toujours patent et l'insécurité à nouveau lancinante.

En effet, l'autorité du gouvernement intérimaire d'Hamid Karzaï, formé avec le soutien de la communauté internationale à l'issue de la convocation d'une « assemblée tribale traditionnelle » en juin 2002, se limite principalement à Kaboul et sa périphérie où 4 000 soldats d'une force internationale de sécurité (ISAF) sont déployés. Des centaines d'ONG internationales et afghanes s'y sont concentrées, limitant leurs mouvements hors de Kaboul et des principaux centres urbains du pays pour des raisons de sécurité. La frustration de la population est à son comble et les critiques devant le peu d'assistance reçue sont chaque jour plus fortes. Les promesses de reconstruction faites à Tokyo en janvier 2002 n'ont à ce stade pas été tenues. Quant aux 500 millions de dollars consacrés à l'aide d'urgence, ils ne représentent qu'un modeste palliatif. Dans le reste du pays, le vide laissé par le pouvoir taliban a vite été réoccupé par les anciens « seigneurs de guerre », qui ont retrouvé leurs fiefs régionaux et leurs rivalités prédatrices à peine contenues par les subsides et la dissuasion des bombardiers de leurs nouveaux alliés occidentaux. Chacun joue le jeu d'une participation à un gouvernement central à la légitimité et au futur encore incertains, tout en continuant à défendre farouchement les prérogatives tirées de son autonomie locale. Les violences identitaires avivées par la confrontation avec les talibans se répercutent de façon inquiétante dans le nord du pays contre certaines populations pachtounes, assombrissant pour longtemps les relations entre communautés.

Qui plus est, contrairement aux affirmations du ministère de la Défense américain pour qui « l'Afghanistan a cessé d'être une zone de combat pour entrer dans une période de stabilité, de stabilisation et de reconstruction » (Kaboul, 1er mai 2003), la guerre aux talibans et al-Qaïda n'est pas encore terminée. Deux ans après leur débarquement, les forces de la coalition continuent à traquer les combattants armés dans le sud-est de l'Afghanistan, en bordure des zones tribales pakistanaises et dans les provinces qui entourent Kandahar. La présence militaire étrangère alimente en retour la radicalisation de groupes armés islamistes et une insécurité croissante dans tout le sud du pays ainsi qu'à Kaboul. Celle-ci n'épargne ni la population, ni les organismes de secours qui tentent de lui venir en aide. Depuis le premier semestre 2003, les attaques contre le personnel humanitaire se sont multipliées, contraignant la majorité des ONG à évacuer le sud du pays. Le 27 mars 2003, un délégué du CICR a été froidement exécuté dans la province de l'Oruzgan par un groupe « non identifié », visiblement conscient de s'en prendre à un membre d'une organisation humanitaire et non à un militaire américain. Le personnel afghan travaillant avec les « Occidentaux » est menacé de mort par des combattants peu nombreux mais extrêmement déterminés qui assimilent délibérément les travailleurs humanitaires aux soldats de la coalition anti-talibans. Prenant acte de cette détérioration des conditions de sécurité, l'ONU a décidé courant mai de suspendre toutes ses activités dans le sud de l'Afghanistan, où la seule présence occidentale tend à se limiter aux forces armées.

Après avoir été abandonnées pendant plus de douze ans, les populations afghanes ont bénéficié, du fait des attentats du 11 septembre, d'une attention internationale renouvelée. Certes, l'Afghanistan n'avait pas été complètement oublié, l'oppression des femmes sous le régime taliban ayant été abondamment décrite et dénoncée dans les États occidentaux à partir de 1996. Mais la condamnation rituelle de « l'obscurantisme des mollahs » a surtout pris la forme d'une autocélébration de la « supériorité morale » de l'Occident accompagnée d'actes symboliques (telle l'initiative de l'ancienne commissaire européenne aux affaires humanitaires Emma Bonino : « Une fleur pour les femmes de Kaboul ») dénués de toute portée concrète. Alors que la communauté internationale s'indignait de la destruction des bouddhas de Bamyan et du port obligatoire du *tchadri*, elle s'accommodait parfaitement des violences de masse perpétrées sans distinction de sexe contre certaines communautés ethniques, du refoulement des réfugiés et de la fermeture des frontières occidentales aux Afghans fuyant la faim, la guerre et l'oppression.

Quant à l'intervention occidentale déclenchée en riposte aux attentats du 11 septembre, elle a marqué une étape supplémentaire dans la remise en cause d'un espace d'intervention humanitaire indépendant des forces politiques et militaires. Plus que jamais assimilés aux armées occidentales, les acteurs des secours sont aujourd'hui victimes de la recrudescence des attaques et des attentats dirigés contre la présence internationale. Le rétrécissement de l'espace d'intervention des organisations humanitaires est d'autant plus préoccupant que la guerre est loin d'être terminée. L'espoir soulevé en Afghanistan par la mise à bas du régime taliban est aujourd'hui terni par le retour des « seigneurs de guerre » et de leurs rivalités destructrices. Or c'est sur ces derniers que la communauté internationale a choisi de s'appuyer pour tenter de construire un État dans cette société segmentaire, profondément déstabilisée par plus de vingt années de guerre. Après avoir enrôlé certaines factions afghanes dans la « guerre au terrorisme », les forces étrangères risquent à leur tour d'être happées par une guerre civile – et régionalisée – dont la dynamique n'a pas été cassée par le renversement des talibans. L'ordre et la sécurité semblent aujourd'hui dépendre de la présence de forces armées étrangères, dont l'implantation sur la durée apparaît comme un nouveau facteur d'instabilité.

François CALAS et Pierre SALIGNON

Références bibliographiques

W. Maley (dir.), *Fundamentalism Reborn ? Afghanistan and The Taliban*, New York, New York University Press, 1998 ; *The Foreign Policy of The Taliban*, New York, Council on Foreign Relations, 2000.

Médecins sans frontières, *Médecins sans frontières' Report on New Afghan Refugees' Situation in Gulshar Town, Iran (october 2000-january 2001)*, Paris, MSF, 2001.

A. Rashid, *L'Ombre des Talibans*, Paris, Autrement, 2001.

O. Roy, « L'humanitaire en Afghanistan : entre illusions, grands desseins politiques et bricolage », CEMOTI, n° 29, janvier-juin 2000.

II
L'implication

CHAPITRE 4

Corée du Nord : nourrir le totalitarisme

Un demi-siècle après la signature de l'armistice qui a mis fin à la guerre de Corée (1950-1953), la péninsule coréenne est toujours divisée. Quelque 37 000 soldats américains sont stationnés en Corée du Sud, pour empêcher toute tentative de réunification par la force, et 700 000 soldats nord-coréens sont mobilisés en permanence contre l'éventualité d'une « agression impérialiste ». Les citoyens de Corée du Nord, dernier bastion du stalinisme, figurent parmi les populations les plus opprimées de la planète. Les libertés les plus essentielles leur sont refusées et ils doivent se plier au culte de la personnalité grotesque de feu le « grand leader » Kim Il Sung et de son fils, le « cher leader » Kim Jong Il. On évalue entre 150 000 et 200 000 le nombre de personnes croupissant dans les goulags nord-coréens pour avoir commis un « crime contre l'État » – à savoir, un acte de défi ou d'irrespect, aussi insignifiant soit-il, à l'égard des autorités. Au cours des dix dernières années, la famine s'est ajoutée aux souffrances de la population nord-coréenne. Les témoignages recueillis auprès de Nord-Coréens réfugiés en Chine laissent supposer que 3 millions de leurs compatriotes sont morts de faim et de maladies pour la seule période 1995-1998. Les agences des Nations unies et les ONG humanitaires ont réagi face à la crise, mais elles ont rapidement atteint les limites propres à une action d'assistance dans un État totalitaire. Certaines ont bruyamment quitté le pays,

Corée du Nord

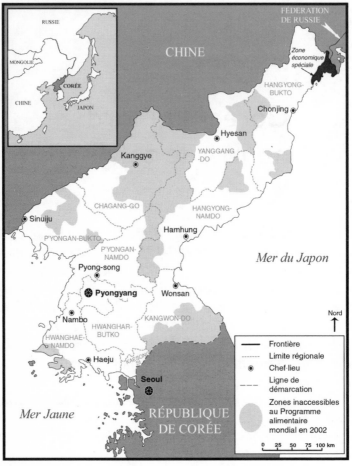

d'autres ont choisi de rester bien que leur action se résume à alimenter les circuits de distribution gouvernementaux qui récompensent les citoyens « loyaux » vis-à-vis du régime et privent d'une aide vitale les parties de la population jugées « hostiles » à l'État. Ainsi, malgré le déploiement, depuis 1996, d'un des plus importants programmes d'assistance alimentaire de l'histoire des Nations unies, les Nord-Coréens continuent à souffrir de la faim. À bien des égards, ce pays est le théâtre de la plus grande manipulation de l'aide alimentaire jamais réalisée avec la participation active des organisations d'assistance.

La faillite alimentaire
de l'idéologie du *Juche*

Bien qu'il soit extrêmement difficile de savoir ce qui se déroule à l'abri des frontières d'un pays aussi opaque que la République démocratique et populaire de Corée (RDPC), dénomination officielle de la Corée du Nord, on estime que les premières pénuries alimentaires ont frappé le pays au début des années 1990 et qu'elles se sont transformées, en l'espace de quelques années, en véritable famine. Les Nord-Coréens réfugiés en Chine situent généralement le début de la famine à la mort de Kim Il Sung, en juillet 1994. Les sources officielles chinoises font également état de la « pire crise alimentaire jamais constatée » en Corée du Nord dès la mi-1994. Mais ce n'est qu'en 1995, avec les fortes inondations qui dévastent les régions productrices de riz, que le régime lance un appel sans précédent à l'aide internationale. Cette « catastrophe naturelle » est une véritable aubaine pour les autorités de Pyongyang. Elle leur permet d'imputer la crise aux intempéries plutôt qu'aux politiques agricoles du gouvernement et de n'ouvrir ses frontières que de façon très limitée aux observateurs étrangers. Bâti sur le culte de Kim Il Sung et Kim Jong Il, le régime ne saurait reconnaître la moindre responsabilité de ses leaders dans le désastre. Néanmoins, tout porte à croire que les inondations n'ont fait qu'aggraver la situation d'un secteur agricole déjà très mal en point.

Loin d'avoir des causes strictement naturelles, la famine et les constantes pénuries alimentaires qui frappent le pays sont avant tout le résultat d'une crise économique aiguë provoquée par une combinaison de choix politiques intérieurs et d'événements internationaux. Ironiquement, c'est la quête obstinée d'une complète autosuffisance nationale – pierre angulaire de la philosophie du *Juche* de Kim Il Sung – qui a conduit à la crise économique et à l'incapacité de la République démocratique et populaire de Corée de nourrir sa population. Afin de

maximiser la production agricole de ce pays rude et monta-
gneux, le gouvernement nord-coréen a lancé au cours des
années 1960 d'ambitieuses réformes agraires et agricoles.
L'agriculture a été collectivisée, des quotas de production ont
été imposés, les terres d'altitude ont été mises en exploitation.
Dans le même temps, la population et les ressources furent
mobilisées en vue d'une révolution technologique censée décu-
pler la productivité des terres grâce au recours à un système
d'irrigation électrifié, à la mécanisation des techniques agricoles et à l'utilisation massive d'engrais chimiques. Alors que
la production chancelante des années 1960 faisait place à des
récoltes régulières dans les années 1970 et 1980, la dégradation
de l'environnement provoquée par les réformes ainsi que la
forte dépendance du secteur agricole en intrants industriels et
en énergie préparaient le terrain de la crise alimentaire des
années 1990.

L'industrie nord-coréenne ne pouvait en effet fonctionner
que grâce au charbon et au pétrole fournis par l'Union soviétique à des conditions très avantageuses. Or les accords
commerciaux préférentiels liant Moscou à Pyongyang sont
abrogés fin 1991, du fait de la disparition de l'Union soviétique. La Corée du Nord doit alors s'approvisionner aux tarifs
internationaux en vigueur et régler ses achats en devises étrangères. Ayant failli au remboursement de sa dette internationale
dans les années 1970, la RDPC ne peut compter sur des financements extérieurs. La pénurie de devises entraîne une baisse
générale des échanges commerciaux, en particulier avec l'ex-
Union soviétique dont les transactions avec la Corée du Nord
passent de 3,2 milliards de dollars en 1990 à 360 millions en
1991. De même, les importations de pétrole chutent de 506 000
à 30 000 tonnes par an entre 1989 et 1992[1], provoquant une
baisse considérable de la capacité de production des secteurs
industriel et agricole. La Corée du Nord s'enferme dans un
cercle vicieux, où le manque de devises étrangères restreint

1. Voir Hy-Sang Lee, « Supply and demand grains in North Korea »,
Korea and World Affairs, vol. 18, n° 3, 1994, p. 509-552.

l'achat de combustibles et d'autres produits d'importation nécessaires à la fabrication de biens d'exportation susceptibles de générer des devises.

La totalité du programme agricole est ébranlée par la pénurie d'énergie, d'engrais, de produits chimiques et de pièces détachées. Alors que la production agricole décline rapidement, le déficit alimentaire s'accroît en 1994 avec la réduction massive des « céréales de l'amitié » fournies par la Chine, qui connaît cette année-là de mauvaises récoltes. Dès le milieu des années 1990, la Corée du Nord est confrontée à de fortes pénuries alimentaires et la population commence à souffrir de la faim. Comme pour toutes les famines, les différentes composantes de la population ne sont pas affectées de la même façon : en l'occurrence, elles le sont en fonction des « droits d'accès à la nourriture » (*food entitlement*) dont elles disposent, et qui varient selon leur fidélité au régime (laquelle est tout d'abord déterminée par leur histoire familiale). Alors que les membres de la classe « loyale » occupent des fonctions gouvernementales et ont une vie privilégiée à Pyongyang comme dans le reste du pays, ceux de la classe « hostile » sont destinés à une dure vie de travail manuel dans les régions les plus pauvres, loin de la capitale. En réponse aux pénuries alimentaires du milieu des années 1990, Kim Jong Il se contente donc de sacrifier les éléments « hostiles » de la société en réduisant drastiquement – ou en supprimant – les rations alimentaires dispensées par le système de distribution publique (PDS, Public Distribution System) dans les régions qui concentrent le plus de citoyens « hostiles ». Les Nord-Coréens réfugiés en Chine, qui pour la plupart proviennent de la province de Hamkyong au nord du pays, ont déclaré que les seules rations reçues après 1994 se limitaient à quelques kilos de maïs distribués à l'occasion de dates importantes, comme l'anniversaire de Kim Il Sung ou celui de Kim Jong Il. En revanche, les employés d'usines « utiles », comme celles qui produisent des engrais, auraient reçu de la nourriture périodiquement, le reste de la population devant se débrouiller par ses propres moyens.

Ceux qui réussirent à survivre durent récolter des aliments

sauvages, fouiller dans les poubelles et voler sur les marchés parallèles qui firent alors leur apparition. D'autres préférèrent franchir la frontière avec la Chine pour y travailler clandestinement ou y mendier de quoi nourrir leur famille. Des extrapolations réalisées à partir des témoignages de ces mêmes réfugiés suggèrent qu'environ 3 millions de personnes sont mortes au cours des pires années de famine (1995-1998)[1], malgré le déclenchement de l'aide internationale. La malnutrition, aggravée par le manque de chauffage et de médicaments, continue aujourd'hui encore à faire de nombreuses victimes.

Bien que les organisations d'assistance toujours présentes en RDPC fassent état d'une amélioration sensible de la situation alimentaire au cours des cinq dernières années, de nombreux Nord-Coréens continuent à risquer leur vie pour aller chercher de l'aide en Chine. Ceux qui parviennent à déjouer la vigilance des gardes-frontières doivent faire face à de nombreux périls, comme le risque d'être vendus par des contrebandiers chinois et nord-coréens pour servir d'esclaves sexuels ou domestiques en Chine. Depuis le début de l'année 2001, le durcissement de Pékin vis-à-vis de ces « immigrants illégaux » intensifie les dangers : ceux qui sont arrêtés (plusieurs milliers l'ont déjà été) sont généralement livrés aux services de sécurité de Pyongyang. Considérés comme « traîtres » par le régime, ils subissent interrogatoires, séances de rééducation, emprisonnement et travaux forcés. La répression de Pékin vise également les réseaux clandestins chinois d'origine coréenne ou étrangers, principalement religieux, qui offrent une assistance aux réfugiés sous forme de nourriture, d'abri ou d'emploi. Affiches et

1. Voir Korean Buddhist Sharing Movement, *The Food Crisis of North Korea Witnessed by 472 Food Refugees*, Séoul, KBSM, 18 février 1998 ; W. Courtland Robinson, Myung Ken Lee, Kenneth Hill et Gilbert M. Burnham, « Mortality in North Korean migrant households : a retrospective study », *The Lancet*, n° 345, juillet 1999, p. 291-295 ; W. Courtland Robinson et Gilbert Burnham, *Famine, Mortality and Migration : A Study of North Korean Migrants in China*, Washington, Workshop on Mortality Patterns in Complex Emergencies, National Research Council, 18 novembre 1999.

banderoles, qui rappellent la Révolution culturelle, incitent la population chinoise à dénoncer quiconque abrite des « éléments criminels ». Les perquisitions réalisées maison par maison et les barrages routiers referment la nasse sur des milliers de Nord-Coréens en fuite. Dans ces conditions, escalader les murs des ambassades et des consulats étrangers pour y demander asile devient l'ultime recours. En 2002, une centaine de réfugiés ont ainsi réussi à atteindre la Corée du Sud, en grande partie grâce au soutien d'une importante couverture médiatique. Mais, pour chaque tentative réussie, des dizaines se soldent par un échec sans faire les titres de la presse internationale. Même les réussites sont teintées d'amertume : les exilés savent que leur famille, restée en Corée du Nord, paie le prix de l'humiliation publique que leur fuite inflige au régime nord-coréen.

L'optimisme qui a accompagné la récente décision de Pyongyang d'entamer des réformes économiques (création d'une zone économique spéciale au nord du pays – « sur le modèle d'un capitalisme complet », à en croire les autorités de Pyongyang[1] –, libéralisation partielle des échanges) semble prématuré, tout du moins au vu de ses conséquences à court terme pour la frange la plus pauvre de la société. L'abolition du système de distribution publique (PDS) en juillet 2002 a enterré l'un des dispositifs de contrôle social les plus oppressifs qui aient été aux mains du gouvernement. Mais la brusque libéralisation de la circulation des biens a entraîné une énorme inflation : le prix du riz serait trente fois plus élevé qu'auparavant sur les marchés parallèles – alors qu'il était déjà hors de portée pour la plupart des ménages. Les salaires, pour ceux qui ont la chance d'avoir un emploi, n'ont pas augmenté au même rythme que le prix des marchandises et sont payés de façon irrégulière, en particulier dans les usines dont la production est suspendue en raison de la pénurie énergétique.

1. Située dans la région de Sinuiju, la deuxième ville la plus importante du pays, cette zone serait, selon les médias nord-coréens, modelée sur Hong-Kong et dotée d'un régime législatif, judiciaire, administratif et économique spécial.

La complicité des organisations humanitaires

La mort par inanition de 3 millions de personnes dans le plus grand secret au cours des dernières années du XXe siècle est en soi un scandale. Mais que cela se soit produit alors que

---

Criminalisation de l'assistance en Chine

Le durcissement du gouvernement chinois sur la frontière sino-coréenne a considérablement réduit les maigres possibilités d'assistance aux Nord-Coréens qui fuient la faim et les persécutions. Depuis 2002, les autorités ciblent non seulement les réfugiés eux-mêmes, mais aussi ceux qui les aident : l'assistance est désormais un crime. Une stricte application de cette mesure a sonné le glas de nombreux réseaux souterrains de missionnaires et de travailleurs humanitaires laïcs qui fournissaient aux réfugiés la nourriture et l'hébergement indispensables à leur survie. Plusieurs bénévoles chinois ont été arrêtés et condamnés à payer des amendes représentant des mois de salaire. En mai, la police des frontières, guidée par un délateur, a fait une descente dans une école et procédé à l'arrestation de six orphelins nord-coréens vivant en Chine, dont certains depuis déjà cinq ans. Dès le lendemain, ils étaient déportés de l'autre côté de la frontière.

Des travailleurs humanitaires internationaux ont également été arrêtés. Le 30 octobre 2002, Hiroshi Kato, leader de l'ONG japonaise Life Funds for North Korean Refugees, a disparu alors qu'il apportait de l'argent, de la nourriture et des vêtements à des bénévoles locaux à la frontière sino-coréenne. Les services de la sûreté l'ont relâché après une semaine d'interrogatoires physiquement épuisants, assortis de menaces d'extradition vers la Corée du Nord s'il refusait de coopérer. Par chance, son cas ayant attiré

---

les Nations unies avaient mis en place la plus vaste opération d'aide alimentaire de leur histoire (entre 500 000 et 1 million de tonnes par an depuis 1996) est particulièrement choquant. Pour l'ex-directrice du Programme alimentaire mondial, Catherine Bertini, les activités de secours alimentaire en Corée du Nord ont été « une réussite totale[1] », en dépit des témoignages des réfugiés nord-coréens en Chine qui affirment n'avoir jamais

l'attention du public japonais, le ministre des Affaires étrangères s'est inquiété de sa disparition auprès des autorités chinoises. D'autres travailleurs humanitaires n'ont pas bénéficié du même soutien de la part de leur gouvernement. Kim Hee Tae, un travailleur humanitaire sud-coréen, a été arrêté le 31 août 2002 dans la province de Jilin, en compagnie de douze réfugiés nord-coréens qui se rendaient à Pékin pour y demander asile. Il risque une peine d'emprisonnement de sept ans. Un autre Sud-Coréen, Choi Bong Il, a été arrêté en avril et gardé au secret pendant des mois. Il aidait les réfugiés installés dans la région autonome de Yanbian. John Choi, un citoyen américain, est en prison depuis plus de six mois pour avoir dirigé un petit orphelinat pour enfants nord-coréens.

Il semble que la plupart des gouvernements étrangers préfèrent ignorer le sort des réfugiés nord-coréens et de ceux qui les aident plutôt que de prendre le risque de compromettre leurs relations avec la Chine. Les intérêts nationaux et la nécessité d'assurer la stabilité de la péninsule étouffent dans l'œuf toute crise des réfugiés. Si les diplomates de divers pays cherchent à obtenir des informations auprès des travailleurs humanitaires sur la situation frontalière, ils ne sont cependant pas prêts à remettre en cause activement la politique chinoise. En outre, l'organisme responsable de la protection des réfugiés, le Haut-Commissariat pour les réfugiés, n'est pas parvenu à établir un dialogue constructif avec les autorités chinoises pour leur rappeler les obligations internationales envers les réfugiés.

1. Voir D. Struck, « UN says aid averted North Korean famine », *The Washington Post*, 24 août 2001.

rien reçu. Ceux-ci sont pourtant originaires des provinces du Nord, apparemment les plus touchées par la famine, où le PAM concentre son action. Certains en ont entendu parler, d'autres ont vu des aliments vendus au marché noir, mais aucun, pas même parmi les enfants, n'en a bénéficié. Quoi qu'en dise le PAM, il n'existe aucun moyen de savoir si la nourriture distribuée parvient aux personnes qui meurent de faim, ni même qui sont ces personnes. Le régime nord-coréen surveille étroitement les mouvements des étrangers dans le pays et ne permet pas aux organisations humanitaires de mener des évaluations indépendantes. Toutes les enquêtes sont effectuées en collaboration avec le gouvernement, dans des lieux définis au préalable avec les autorités. Les travailleurs humanitaires sont en permanence accompagnés d'interprètes et de « gardes du corps » dont la mission est d'empêcher tout contact direct avec la population. L'ONU n'est pas même autorisée à faire entrer dans le pays des personnes parlant le coréen.

Le PAM prétend assister les Nord-Coréens « les plus vulnérables ». Mais en l'absence d'évaluation indépendante, il n'est pas en mesure de déterminer qui sont ces personnes et doit se rabattre sur les catégories standard : « enfants, femmes enceintes et allaitantes, et personnes âgées ». Or dans un système qui opère une discrimination entre classes « loyales » et classes « hostiles » au régime, la vulnérabilité est bien plus une question de statut politique que d'âge ou de sexe. Comme l'indique l'origine sociale et géographique des réfugiés, les hommes appartenant à la classe « hostile », voués à une vie de mineur dans la province nord de Hamkyong, ont évidemment besoin d'une aide alimentaire plus que n'en ont besoin les enfants de la classe dirigeante.

À supposer que le PAM puisse identifier ceux dont les besoins sont les plus criants, il n'a aucune garantie que la nourriture qu'il fournit parvienne à ses destinataires. Dès leur arrivée dans le pays, les stocks alimentaires sont confiés aux autorités qui prennent en charge toutes les opérations de manutention, de stockage, de transport et de distribution. La nourriture est censée être dispensée via les « Centres de distribution publique » gouvernementaux (et ce, même depuis l'abolition du PDS, selon le bulletin mensuel du PAM de septembre 2002). Les « bénéficiaires » sont soit des individus « ciblés » par l'agence (les fameuses « catégories vulnérables » ou les participants aux programmes « Nourriture contre travail » – Food for work [1]), soit des institutions telles que les hôpitaux pédiatriques, les jardins d'enfants ou les écoles, supposées redistribuer les rations alimentaires aux enfants qu'elles accueillent. Le personnel du PAM n'accompagne pas la nourriture jusqu'à sa destination finale, mais « contrôle » son utilisation par le biais des récépissés de transport fournis par les autorités et de visites de « *monitoring* ». Ces dernières sont étroitement surveillées par le régime. Elles ne peuvent s'effectuer qu'avec l'approbation des autorités et dans des endroits spécifiés quatre à sept jours à l'avance. Le PAM n'a jamais reçu la liste complète des institutions auxquelles il fournit de la nourriture. Et il ne peut visiter à l'improviste aucune école ni aucun « bénéficiaire » des projets « Nourriture contre travail ».

Malgré tout, les représentants des Nations unies prétendent « contrôler, avoir accès et savoir où va l'aide ». S'appuyant sur un nombre impressionnant de statistiques, sur un jargon technique et des anecdotes faisant état de la santé « déplorable » ou « considérablement améliorée » des orphelins et des écoliers, les Nations unies peuvent, selon les circonstances, prévenir qu'une famine est imminente quand elles lancent un appel à l'aide internationale ou démontrer que l'aide alimentaire a permis d'éviter la famine chaque fois qu'il s'agit de rassurer les donateurs ou le public. Même les plus hauts responsables du PAM reviennent de visites guidées en affirmant savoir que l'aide est correctement distribuée, car la santé des enfants s'est « visiblement » améliorée. De leur côté, les réfugiés déclarent que ces « visites » sont en grande partie une mise en scène orchestrée par le régime à l'intention des inspecteurs internationaux. Un homme originaire de Musan dans la province nord de

---

1. Il s'agit de l'un des modes opératoires standard du Programme alimentaire mondial, qui consiste à distribuer la nourriture en échange de travaux dits d'intérêt général.

Hamkyong raconte ainsi avoir transporté des sacs de nourriture d'un entrepôt militaire à une école maternelle juste avant une visite de l'Organisation des Nations unies, tandis qu'un autre explique comment il a été mobilisé avec ses compatriotes pour aggraver les « dégâts dus aux inondations » avant l'arrivée d'une équipe d'évaluation. Les personnels de Médecins sans frontières et d'Action contre la faim (ACF) citent des expériences semblables [1] : des enfants malades dans des chambres immaculées, les épaules recouvertes d'une couverture neuve, et des cuisines inutilisées censées produire des repas pour des dizaines d'enfants souffrant de malnutrition.

MSF et ACF ont quitté la Corée du Nord à la fin des années 1990, quand il est devenu évident que leurs efforts pour négocier un espace opérationnel acceptable se heurteraient longtemps encore à un refus catégorique des autorités. Dans les centres nutritionnels où ces deux ONG opéraient, les taux de malnutrition étaient relativement bas pour un pays en proie à la famine. En revanche, il arrivait fréquemment aux expatriés d'apercevoir, à l'extérieur des institutions qu'on leur présentait, des enfants sous-alimentés, sales, vêtus d'oripeaux, en train de glaner des céréales tombées entre les voies de chemin de fer, ou d'autres, dissimulés à la vue des étrangers, dans des orphelinats d'État aux conditions sanitaires déplorables. Les demandes déposées auprès des autorités pour aider ces laissés-pour-compte ont toutes été rejetées au motif que ceux-ci n'existaient pas. Ainsi, refusant de collaborer avec Kim Jong Il au processus de sélection entre Nord-Coréens dignes de vivre et Nord-Coréens voués à la mort par inanition, MSF et ACF ont été contraintes de se retirer du pays.

D'autres organisations de secours ont cependant choisi de rester en Corée du Nord. Incapables d'obtenir les conditions opérationnelles nécessaires à la défense du caractère humani-

---

1. Voir Action contre la Faim, « The inadequacies of food aid in North Korea », Paris, février 2000, et S. Brunel, « Corée du Nord : l'absence d'espace humanitaire, une famine masquée », in S. Brunel (dir.), *Géopolitique de la faim*, Paris, Action contre la faim/PUF, 2000, p. 131-169.

taire de leur action, elles justifient leur présence au nom de leur participation au « processus de paix ». L'opinion exprimée par Erich Weingartner (un vétéran des opérations de secours en RDPC) lors d'une conférence sur « l'aide humanitaire en Corée du Nord », à Tokyo en l'an 2000, est exemplaire : « Le défi posé aux ONG n'est pas de se retirer, de peur de se salir les mains, mais plutôt d'aider à façonner l'issue des relations géopolitiques. En d'autres termes, réduire les tensions, accroître la confiance, faciliter un débat rationnel et influencer les gouvernements afin qu'ils prennent des décisions qui permettront de faire avancer nos objectifs humanitaires. » Il préconise ainsi la poursuite des opérations de secours en Corée du Nord « sans établir de conditions qui puissent menacer ou affaiblir le régime politique de la RDPC ». De même, la Fédération internationale des sociétés de la Croix-Rouge et du Croissant-Rouge (IFRCRC) considère que le « dialogue humanitaire » contribue à prévenir un bouleversement politique majeur qui pourrait avoir des « conséquences humanitaires » désastreuses. Dans le *World Disasters Report* pour l'année 2000 de la Fédération, Margareta Wahlström, sous-secrétaire générale chargée de la réponse aux catastrophes naturelles et de la coordination des opérations, déclarait :

> « Il se peut que le système [de l'aide] soit utilisé, mais je pense que c'est à des fins positives, car il est impossible d'arriver à une certaine stabilité dans cette région du monde sans jeter un pont [entre les parties]. Les agences humanitaires, qu'il s'agisse de l'ONU, de la Croix-Rouge ou des ONG [...] ont apporté une incroyable contribution à la construction de ce pont, parce qu'elles ont assuré une présence de façon quasi inconditionnelle. Les conditions que nous avons imposées appartiennent à l'agenda humanitaire. Mais nous n'avons jamais dit que nous demandions quelque chose en échange de dons alimentaires. Je suis persuadée que notre présence a grandement contribué à faciliter la poursuite d'un dialogue [1]. »

1. International Federation of Red Cross and Red Crescent Societies, *World Disasters Report 2000*, Genève, IFRCRC, p. 85.

Ainsi, ces représentants officiels renoncent ouvertement à la défense d'un espace humanitaire permettant d'assister les victimes de la famine, dans l'espoir que leur collaboration avec le régime favorise le dialogue entre la Corée du Nord et le monde extérieur – ce qui pourrait aboutir, tôt ou tard, à la paix et donc améliorer la situation humanitaire dans la région. Pendant ce temps et depuis sept ans, les exclus du régime souffrent et meurent. Le rôle des organisations humanitaires n'est pas d'aider le processus de paix, même si cela peut éventuellement – mais pas nécessairement – améliorer *à terme* les conditions de vie des Nord-Coréens. En choisissant de poursuivre cet objectif, les organisations humanitaires délaissent leur responsabilité première, qui est d'aider les Nord-Coréens frappés par la famine, pour se transformer en diplomates plus ou moins avisés.

Face à un programme aussi controversé, le manque de discussions ou de débats parmi les acteurs de l'aide est surprenant. De toute évidence, les controverses sont peu appréciées par les organisations opérant en Corée du Nord. L'idée que les opérations alimentaires puissent ne pas être une « réussite totale », selon l'affirmation de Mme Bertini, est réfutée avec acrimonie. Lorsque Jean Ziegler, rapporteur spécial pour les Nations unies sur les droits à l'alimentation, a écrit dans un rapport que l'aide alimentaire envoyée en RDPC n'était pas distribuée aux populations ciblées, Mme Bertini a demandé que les paragraphes en question soient supprimés. Dans une lettre adressée à Jean Ziegler, elle a ainsi expliqué sa crainte : « Ces informations erronées amoindrissent la volonté politique de nos donateurs. Cette volonté est essentielle pour nourrir plus de 8 millions de femmes, d'enfants et d'hommes affamés en RDPC[1]. » Mais les gouvernements donateurs ne sont pas tout à fait aussi naïfs que le suggère Mme Bertini. Ils connaissent parfaitement les restrictions opérationnelles auxquelles sont soumises les agences humanitaires et l'absence de garanties concernant la

1. « World food program official denies report on North Korean aid », Genève, AFP, 6 juillet 2001.

capacité de l'aide à nourrir en priorité les affamés. Leur « volonté politique » n'en est pas pour autant affaiblie. En effet, l'objectif principal des trois plus grands pays donateurs que sont les États-Unis, le Japon et la Corée du Sud n'est pas de soulager les souffrances des Nord-Coréens, mais de faciliter les négociations politiques avec Pyongyang. Les raisons qui les amènent à financer les opérations de secours en RDPC ne sont pas d'ordre humanitaire, mais politique.

Diplomatie humanitaire

Le souci primordial des bailleurs de fonds n'est pas la famine en soi, mais les conséquences qu'elle pourrait avoir sur la stabilité de la péninsule coréenne. Un bouleversement politique interne se soldant par un afflux de réfugiés vers la Chine ou à travers la zone démilitarisée séparant les deux Corées, laisserait entrevoir un éventail de scénarios redoutables, impliquant une armée nord-coréenne nerveuse et dotée d'armes de destruction massive. Affirmant posséder un programme d'armement nucléaire et disposant de la technologie nécessaire au lancement de missiles capables d'atteindre ses voisins, la Corée du Nord est considérée comme une menace potentielle par les États-Unis et ses alliés dans la région. D'autant que le gouvernement de la RDPC est pour le moins imprévisible. Afin de diminuer le risque d'un effondrement brutal du régime, et d'ouvrir la voie à des négociations diplomatiques pouvant éventuellement déboucher sur un traité de paix, les gouvernements donateurs ont fait le choix d'une stratégie de « *soft landing* » (« atterrissage en douceur ») utilisant le canal de l'aide humanitaire.

En plus de leur intérêt commun à la stabilité de la péninsule, le Japon, la Corée du Sud et les États-Unis ont chacun des objectifs spécifiques. Les dons en nourriture et en engrais représentent une part importante de la « politique d'ouverture »

(« *sunshine policy* ») initiée par l'ancien président sud-coréen Kim Dae-Jung. L'assistance fournie par Séoul entend inciter les autorités nord-coréennes à ouvrir des négociations sur la réduction des tensions militaires entre les deux pays, la réunion des familles séparées de part et d'autre de la zone démilitarisée, et le retour des prisonniers de guerre. Elle accompagne également les efforts visant au rétablissement de liens économiques et commerciaux et de communications ferroviaires entre les deux Corées. L'aide apportée à la Corée du Nord est un enjeu politique de grande importance à Séoul. Alors que certains cercles sont en faveur d'un apaisement des relations avec Pyongyang susceptible de faciliter, avant qu'il ne soit trop tard, la réunification de familles séparées par la guerre, d'autres prônent la suspension de toute aide en l'absence de progrès diplomatiques majeurs.

De même, au Japon, l'assistance alimentaire octroyée à Pyongyang est étroitement liée aux enjeux politiques intérieurs. Tokyo souhaite vivement normaliser ses relations avec la RDPC afin d'améliorer sa sécurité. Mais les autorités nippones doivent auparavant régler un certain nombre de problèmes épineux, comme la question de la réparation du passé colonial japonais dans la péninsule coréenne (1905-1945) ou celle des citoyens japonais enlevés par Pyongyang. En septembre 2002, la reconnaissance officielle par la Corée du Nord du kidnapping de onze ressortissants japonais dans les années 1970-1980 a levé un obstacle de longue date à la normalisation des relations diplomatiques entre les deux pays. Mais le comportement belliqueux de la RDPC sur la question de ses programmes nucléaire et balistique a mis fin aux discussions avant même leur démarrage. Octroi ou suspension de l'aide alimentaire jouent le rôle de la « carotte et du bâton » destinés à inciter Pyongyang à s'asseoir à la table des négociations. En mars 2000, par exemple, le gouvernement japonais a fait don de 100 000 tonnes de riz à la Corée du Nord, tout en précisant qu'il ne donnerait rien de plus tant que le problème des Japonais enlevés ne serait pas résolu. La menace s'avérant inefficace, le gouvernement a offert en octobre 2000 une énorme « carotte » de 500 000 tonnes de riz, soit une quantité dépassant largement les 195 000 tonnes réclamées alors par le PAM pour terminer l'année. Ce don généreux s'étant soldé par un échec diplomatique, Tokyo a eu recours une fois de plus au bâton. En décembre 2001, le Japon a suspendu son aide après avoir envoyé par le fond un navire nord-coréen suspecté d'être un bateau espion. Malgré les demandes pressantes du PAM, annonçant une réduction considérable de son programme alimentaire au cas où il ne recevrait pas les contributions nécessaires, Tokyo a continué d'exiger des concessions politiques de Pyongyang en échange de son aide « humanitaire ».

L'octroi de l'aide alimentaire américaine est également étroitement liée au calendrier des négociations sur des sujets de préoccupation communs avec Pyongyang – comme la normalisation des relations diplomatiques entre la RDPC, le Japon et la Corée du Sud, ou l'inspection internationale des installations nucléaires nord-coréennes et l'exportation de technologies balistiques vers des pays comme l'Iran. Ainsi, lorsque la Corée du Nord a réclamé une compensation de trois milliards de dollars pour stopper le développement de son programme de missiles longue-portée, les États-Unis ont refusé toute contribution financière mais se sont déclarés prêts à « envisager une aide humanitaire directe ou indirecte ». Plus récemment, l'inscription par Washington de la Corée du Nord sur « l'axe du Mal » a conduit à une réduction significative des donations alimentaires américaines à Pyongyang : 150 000 tonnes en 2002 (contre 250 000 en 2001) et aucun engagement à ce jour pour 2003. Depuis que la Corée du Nord a officiellement déclaré, en décembre 2002, poursuivre un programme d'armement nucléaire – expulsant au passage les inspecteurs de l'Agence internationale de l'énergie atomique (AIEA) et annonçant son retrait du traité de non-prolifération nucléaire –, Washington semble s'éloigner résolument de la stratégie de *soft landing* de ses alliés asiatiques, au profit d'une politique d'« isolement sur mesure » tablant sur une asphyxie progressive du régime et un renversement consécutif de Kim Jong Il. Mais si le président George W. Bush affirme aujourd'hui que le leader nord-coréen

« affame son peuple », il n'entend pas forcer Pyongyang à laisser les organisations humanitaires porter secours aux victimes de la famine. En revanche, il laisse entendre que Washington pourrait reprendre ses livraisons de nourriture (et de pétrole) en cas d'abandon par la Corée du Nord de son programme nucléaire militaire.

Par définition, toute aide conditionnée au respect d'exigences d'ordre politique, religieux ou économique ne peut être considérée comme humanitaire : la seule condition qui peut – et doit – accompagner un programme d'assistance humanitaire porte sur l'octroi d'un espace d'intervention garantissant que les secours d'urgence parviendront à leurs destinataires légitimes. Néanmoins, le label « humanitaire » s'avère utile aux donateurs du fait des connotations morales qu'il véhicule. L'octroi d'une aide à un pays ennemi aussi belliqueux que la Corée du Nord suscite une forte opposition sur la scène politique intérieure des pays donateurs. Or ces objections s'estompent lorsque l'assistance est présentée comme une réponse à l'injonction morale de nourrir une population en proie à la famine. Aux États-Unis, le label « humanitaire » permet également de contourner les restrictions législatives imposées aux échanges internationaux avec des États désignés comme « sponsors du terrorisme ». Teintée de neutralité, l'action humanitaire est dépeinte comme étant au-dessus des considérations politiques. Ainsi, lorsque Kim Dae-Jung annonce publiquement son intention de fournir 600 000 tonnes de céréales à la Corée du Nord en septembre 2000, il invoque des raisons humanitaires : « Tant que la Corée du Nord souffre de pénurie alimentaire et demande de l'aide, la Corée du Sud poursuivra son aide pour des raisons humanitaires et fraternelles[1]. »

Les trois principaux donateurs ont d'importants problèmes politiques et diplomatiques à résoudre avec la Corée du Nord, ce qui nécessite une forme d'engagement avec Pyongyang. En tant que processus politique, la *sunshine policy* menée par la Corée du Sud et la stratégie de *soft landing* ou d'« isolement sur mesu-

---

1. *Chosen Ilbo*, Séoul, 30 septembre 2000.

re » sont peut-être des approches raisonnables, susceptibles de faire sortir le régime de Pyongyang de son isolement et de l'aider sur la voie des réformes, pour le plus grand bénéfice, qui sait, des Nord-Coréens et de leurs voisins. Mais l'utilisation de la nourriture comme monnaie d'échange dans un pays affligé par la famine est pour le moins critiquable. Surtout lorsque les gouvernements justifient leur aide au nom de l'impératif moral de sauver des populations affamées, alors qu'ils savent pertinemment que l'assistance qu'ils fournissent n'a aucune chance de parvenir effectivement à ceux qui en ont un besoin vital. Le but de l'action humanitaire est de sauver des vies, mais canalisée par un gouvernement responsable des souffrances endurées par sa population, elle devient un élément du système d'oppression.

Fiona TERRY

Références bibliographiques

J. Becker, *La Famine en Corée du Nord : aujourd'hui, un peuple meurt*, Paris, Esprit frappeur, 1998.

S. Brunel, « Corée du Nord : l'absence d'espace humanitaire, une famine masquée », in S. Brunel (dir.), *Géopolitique de la faim*, Paris, Action contre la faim/PUF, 2000, p. 131-169.

N. Eberstadt, *The End of North Korea*, Washington, AEI Press, 1999.

International Federation of Red Cross and Red Crescent Societies, *World Disasters Report, Focus on Public Health*, Genève, IFRCRC, 2000.

F. Jean, « Corée du Nord : un régime de famine », *Esprit*, n° 2, février 1999, p. 5-27.

M. Noland, *Avoiding The Apocalypse : The Future of The Two Korea*, Washington, Institute of International Economics, 2000.

H. Smith, « The food economy : catalyst for collapse ? », in M. Noland (dir.), *Economic Integration of The Korean Peninsula*, Washington, Institute for International Economics, 1998.

E. Weingartner, « Appropriateness *vs* inevitability », Paper presented to International Nongovernmental Organizations' Conference on Humanitarian Assistance to the Democratic People's Republic of Korea, Toyko, 30 juin-1er juillet 2000.

CHAPITRE 5

Angola :
malheur aux vaincus !

La guerre en Angola est finie. Exception faite de l'enclave de Cabinda, le mémorandum d'accord signé le 4 avril 2002 entre la rébellion de l'Union nationale pour l'indépendance totale de l'Angola (Unita) et le gouvernement du Mouvement populaire pour la libération de l'Angola (MPLA) a mis un terme au long cycle de conflits engagé avant même l'indépendance de 1975. La paix constitue un bien très précieux pour ce pays ravagé, dont les infrastructures ont été détruites, la population brutalisée, la société désintégrée. Les morts n'ont jamais été dénombrés – le compteur s'est arrêté pour eux pendant la guerre de 1992-1994 à « plus de 500 000 ». Quand la paix fut signée, un tiers de la population avait été déplacée (soit 4 millions de personnes), un demi-million d'Angolais avaient fui le pays. Les victimes des mines se comptaient par dizaines de milliers, celles des maladies et de la sous-nutrition étaient innombrables.

Le dernier épisode de cette guerre (1998-2002) a été mené sans quartier pour les civils, par l'un et l'autre camps. Pourtant l'Angola n'est pas une contrée reculée. Deuxième puissance pétrolière africaine, l'État angolais est fortement inséré dans les relations internationales ; le conflit qui s'y est déroulé n'a jamais été « oublié » ; de surcroît, la paix a été recherchée depuis la fin de la guerre froide ; et dans les hauts comme les bas des processus de paix, l'Organisation des Nations unies s'est fortement engagée dans l'aide humanitaire. Pourtant,

Angola

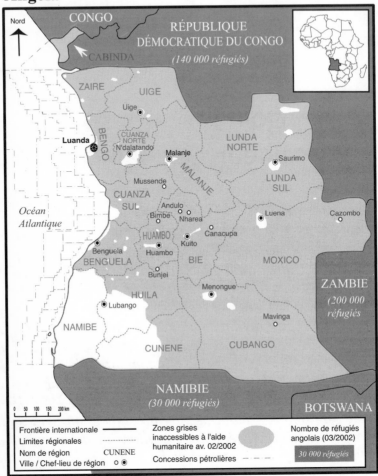

celle-ci a toujours été insuffisante, et le coût humain de l'affrontement dramatiquement « excessif ». Non par défaut d'implication de l'ONU, mais par la singularité de son engagement dans ce qu'elle persiste à appeler des « efforts de paix » : en pratique, ceux-ci consistent en un soutien direct et indirect à l'option militaire du gouvernement, couplé à la réparation limitée et sélective des dégâts causés par les pratiques de plus en plus meurtrières des deux belligérants.

Racines du conflit et engrenage
de la guerre de 1998

La guerre de 1998 vient de loin : elle est un prolongement de la division du nationalisme angolais qui, prise dans la guerre froide, éclate à l'indépendance, en 1975, en un conflit civil et international. Les enjeux stratégiques régionaux et internationaux et la richesse pétrolière de l'Angola vont alimenter l'affrontement opposant l'Union nationale pour l'indépendance totale de l'Angola (Unita) au gouvernement du Mouvement populaire pour la libération de l'Angola (MPLA) jusqu'à la fin des années 1980. L'Unita est alors une puissante guérilla et un pouvoir armé totalitaire soutenu par les États-Unis et leurs alliés régionaux (notamment l'Afrique du Sud) ; le MPLA, appuyé par Cuba et l'URSS, un parti-État marxiste-léniniste répressif qui s'est tôt engagé dans l'appropriation privative massive du bien public. Riches de leurs soutiens extérieurs, les deux camps dépendent peu de la population angolaise qui, épuisée, aspire à la paix.

Celle-ci est signée en 1991 sous l'impulsion des parrains de la guerre froide – URSS et États-Unis – et de l'ancienne puissance coloniale, le Portugal. L'ONU n'est appelée qu'en chemin. Reflétant le rapport de force très favorable à la rébellion et à son allié américain, le processus de paix est surtout conçu pour accompagner l'arrivée au pouvoir par les urnes de l'Unita. Mais la mise en œuvre irresponsable et partiale des accords enclenche une logique d'affrontement[1]. Le rejet par beaucoup d'Angolais du leader de l'Unita, Jonas Savimbi, et la force que donne au MPLA son contrôle préservé sur l'État permettent au parti au pouvoir de remporter les législatives tandis que Savimbi est devancé au premier tour de la présidentielle. L'accord explose alors dans une guerre à la violence

---

1. Voir C. Messiant, « Angola : le retour à la guerre ou l'inavouable faillite d'une intervention internationale », *L'Afrique politique 1994*, Paris, Karthala, 1994, p. 199-229.

inégalée : l'Unita n'accepte pas sa défaite, et le MPLA refuse de partager le pouvoir total que viennent de lui redonner les élections.

Le passage au multipartisme sous la direction maintenue de l'ancien parti unique amène à un réalignement des partenaires internationaux de l'Angola : la nouvelle légitimité du gouvernement se conjugue, dans ce reflux des affrontements stratégiques, à un intérêt croissant pour le pétrole, dont les gisements *off-shore*, à l'abri de la guerre, sont exploités depuis longtemps par des compagnies multinationales en partenariat avec Luanda. Le retournement des anciens alliés de l'Unita, initié par les États-Unis, amène l'ONU à voter en 1993 des sanctions contre la rébellion. Isolée, en grande infériorité militaire, celle-ci doit signer le protocole de Lusaka en novembre 1994. Il exige sa démilitarisation unilatérale et la remise des territoires qu'elle contrôle en préalable à son association au gouvernement. Prime supplémentaire à la légalité de Luanda, les sanctions censées contraindre la rébellion à négocier ne sont pas levées.

Malgré le déploiement de forces de paix internationales décentes, l'application du protocole souffre d'une impasse quasi structurelle : la rébellion refuse de désarmer sans accéder à la réalité d'un pouvoir que le gouvernement n'entend pas partager si ce n'est de manière purement formelle. L'ONU (représentée par l'Unavem III [1] puis la Monua [2]) va de nouveau faillir à son rôle : elle laisse les deux camps violer impunément l'accord (« l'Unita le jour, le gouvernement la nuit [3] ») ainsi que les droits des citoyens. Préférant ne rien voir, ne rien dire, elle avance dans un « processus de paix » miné par le caractère fictif des « progrès » enregistrés : l'Unita n'a pas démilitarisé, le « Gouvernement d'unité et de réconciliation nationale » (GURN) ne l'est que de nom. Fort de sa légitimité, Luanda

---

1. Unavem : United Nations Angola Verification Mission (Mission de vérification des Nations unies en Angola).
2. Monua : Mission de l'Organisation des Nations unies en Angola.
3. Selon la formule très juste du – fugace – représentant spécial du secrétaire général de l'ONU, Issa Dialo.

se réarme massivement, presque ouvertement ; l'Unita le fait secrètement grâce à la vente illicite des diamants extraits des zones qu'elle contrôle.

Alors que l'impasse qui se cristallise en 1997-1998 ne peut être dénouée que par une révision de l'application des accords ou par les armes, l'ONU se range plus nettement du côté du gouvernement. Elle ne condamne pas les actions militaires de ce dernier en République démocratique du Congo et au Congo-Brazzaville, destinées à priver l'Unita de ses bases arrière. En outre, le Conseil de sécurité vote de nouvelles sanctions – étendues au commerce de diamants en juin 1998 – à l'encontre de la rébellion qui retarde encore la remise de ses territoires. Le gouvernement se sent alors assez fort et soutenu pour lancer une « guerre pour en finir avec la guerre ». L'Unita ayant « découragé la patience de la communauté internationale », les États membres de l'ONU acquiescent à un affaiblissement militaire de la rébellion afin de la contraindre à désarmer. C'est bien une guerre pour le pouvoir qui est à nouveau engagée, entre une rébellion « illégitime » qui ne croit qu'à la force des armes et exploite les diamants pour soutenir son effort militaire et imposer ses exigences politiques (et non dans une logique de prédation propre à une organisation en voie de criminalisation qui n'aurait plus d'autre raison d'être que d'enrichir ses membres grâce à la guerre, comme cela a été analysé à l'envi) et un gouvernement « légal » qui choisit d'imposer par la force le désarmement prévu par des voies politiques.

Mais ce gouvernement est aussi un parti-État dont le contrôle hégémonique et la dérive affairiste ont été renforcés depuis la guerre de 1992-1994, provoquant une misère et un mécontentement social que l'existence de « l'ennemi » Unita permet difficilement de contenir. Le régime a d'autres ambitions que le désarmement de son principal opposant politique : comme le président angolais l'affirmera publiquement le 5 décembre 1998 devant le congrès de son parti, il vise l'« annihilation militaire *et politique* » de la rébellion. Il exclut « à jamais » toute négociation avec « l'Unita belliciste ». Pour le MPLA, il s'agit d'assurer par une victoire militaire le maintien de son hégémonie et de son impunité. Cela implique que l'ONU renonce à la résolution pacifique du conflit et abandonne son rôle de médiation.

Intransigeances gouvernementales, concessions et soutiens internationaux

Le gouvernement prépare le terrain politique de son offensive par la création d'une Unita dite « rénovée » en septembre 1998, ainsi que par la multiplication d'actions visant à prendre l'ONU de court ou à faire pression sur elle. Dénonçant toujours plus la passivité de la Monua à l'égard de l'Unita, il interdit au nouveau représentant spécial de Kofi Annan de prendre contact avec Savimbi et à tout vol de l'ONU, même à caractère humanitaire, de se rendre en territoire rebelle. L'ONU cède. Lorsque le président angolais déclare la guerre et en assume le commandement, le 5 décembre 1998, il exige le départ de la Monua dès la fin de son mandat. L'offensive des Forces armées angolaises (FAA) vient d'être lancée, immédiatement suivie d'une contre-offensive de l'Unita.

Tablant sur la supériorité considérable de leurs moyens militaires (incluant une puissante aviation), les autorités ont conçu la guerre de sorte qu'elle soit brève. Mais les deux premières offensives (fin 1998, début 1999) échouent à déloger la rébellion de ses bastions. Afin de s'assurer un soutien international durable, le gouvernement reformule ses buts de guerre en des termes conformes au protocole de Lusaka. Mais il exclut toujours de négocier avec « l'Unita belliciste » – ne reconnaissant que sa dissidence « rénovée » –, et il ordonne derechef à la Monua de quitter le territoire angolais.

Après son retrait en février 1999, l'ONU entreprend de se faire à nouveau admettre par le gouvernement dans l'espoir de ne pas devoir signer son échec définitif en Angola. Elle va déployer l'ensemble des moyens à sa disposition pour tempérer l'hostilité du régime à son égard et en définitive le soutenir. Certes, elle ne peut déclarer « juste » la guerre menée par Luanda, ni reconnaître une « Unita rénovée » tenue à bout de bras par le gouvernement. Mais l'ONU n'est pas non plus en position de fixer les limites de son engagement ne serait-ce qu'au respect du droit international humanitaire. Elle n'en a ni l'autorité, ni la volonté politique.

En effet, la quasi-totalité des États qui ont une influence au sein de l'ONU se trouvent désormais du même « bon » côté : celui du gouvernement « légal », et plus précisément celui du président qui, verrouillant la rente pétrolière, décide de tout. De nombreux États soutiennent Luanda de façon quasi inconditionnelle (Russie et ancien « bloc socialiste », Brésil, Portugal, Israël, Espagne, alliés africains des guerres régionales...). D'autres sont a priori favorables à une issue politique au conflit. Mais à l'instar des États-Unis – qui voient dans l'Angola, à l'origine de 7 % de leurs approvisionnements pétroliers et bientôt du double, un « partenaire stratégique » –, ils savent que la concurrence est rude même pour de grandes puissances. Le président angolais ne peut-il pas menacer de rétorsion les intérêts pétroliers français après l'éclatement judiciaire de l'« Angolagate » en février 2001, et le gouvernement mettre en garde les compagnies pétrolières qui voudraient rendre publics les versements effectués au profit de « l'Angola » ? En appui à leurs multinationales et en défense de leur influence dans la région, les États qui comptent à l'ONU sont prêts à soutenir sinon directement la guerre, du moins le gouvernement « légal » qui l'a choisie. Celui-ci trouvera chez nombre de ses partenaires des moyens économiques et même militaires pour la mener.

Traversée par les intérêts de ses membres et soucieuse de se réinscrire coûte que coûte dans un futur processus de paix, l'ONU prendra le parti de ne voir dans les autorités de Luanda qu'un gouvernement internationalement reconnu dont la légalité est d'autant plus incontestable que son adversaire fait l'objet de sanctions internationales. Elle choisira de ne pas entendre le but de guerre des autorités, d'occulter leur refus catégorique de négocier avec l'Unita et de désigner la rébellion comme « principale responsable de l'échec du processus de paix ». Elle fera référence à la reprise du conflit comme à un phénomène sans cause. Alors que le gouvernement, surtout après ses offensives victorieuses de l'automne 1999 et de 2000, prédit de manière récurrente la fin imminente du conflit et réduit celui-ci aux « atrocités de l'Unita », l'ONU ne mentionne bientôt que les crimes ou même les actes de guerre de la rébellion.

Fidèle aux attentes du gouvernement, l'ONU, jusqu'à la fin de la guerre, va consacrer tous ses efforts à renforcer l'application des sanctions décrétées contre l'Unita. Elle y est encouragée par un climat international propice à la « moralisation des relations internationales ». De fait, de nombreuses ONG se sont mobilisées contre les « diamants du conflit » grâce auxquels la rébellion nourrit son effort de guerre (mobilisation qui n'est pas pour déplaire aux concurrents de la De Beers, alors engagés dans de grandes manœuvres pour tenter de briser le quasi-monopole de la compagnie sud-africaine sur le marché du diamant). Le Comité de sanctions de l'ONU va être soutenu et actif. Il ne va pas se préoccuper de la prédation illicite des diamants du côté gouvernemental, ni faire usage des exemptions pourtant explicitement prévues par son mandat pour assurer une aide aux populations civiles des zones rebelles. Au contraire, l'ONU et ses États membres, sous prétexte des sanctions, justifieront leur refus de prendre contact avec l'Unita, y compris pour négocier le passage de l'aide humanitaire. Ainsi conçues, les sanctions sont non seulement un apport considérable de légitimité pour le gouvernement, mais également un élément essentiel dans sa stratégie d'isolement politique de l'ennemi. À côté de l'aide discrète de plusieurs pays, les sanctions vont aussi peser directement dans l'issue proprement militaire : appliquées pour la première fois à une rébellion (et non à un État), elles sont exceptionnellement efficaces, au point de couper progressivement l'Unita de ses approvisionnements extérieurs. La privation d'aides aux populations sous contrôle rebelle, devenues la seule « ressource » de l'Unita, va elle aussi affaiblir sa capacité à mener la guerre et même à subsister.

Pour prix de ces efforts insignes, le gouvernement va finalement (en septembre 2000) autoriser l'ONU à revenir dans le cadre d'une mission, l'ONUA (Organisation des Nations unies en Angola), mais seulement à ses conditions : avec trente membres, et sans mandat de médiation ni pouvoir. Ainsi l'ONU s'est-elle laissé aspirer dans un soutien sans faille aux autorités, au point de violer sa propre légalité, au détriment des civils pris dans la guerre.

En « zone grise » : une guerre sans témoins, sans quartier

La démission de l'ONU face à ses obligations humanitaires laisse les populations des zones de combats et celles contrôlées par la rébellion sans la moindre assistance ni protection. Sans témoins, la guerre se déploiera à loisir dans toute la violence requise ou autorisée des deux côtés. Quelque 80 à 90 % du territoire situé au-delà des « périmètres de sécurité » de 5 à 30 kilomètres entourant les villes et communes contrôlées par les autorités va rester hors de portée des organisations humanitaires. Outre de multiples obstacles pratiques (combats, mines, ponts détruits, routes impraticables), les organismes d'aide sont cantonnés aux zones sécurisées pour deux raisons surdéterminantes : la volonté inflexible du gouvernement de parfaire le blocus de l'Unita et l'assentiment de l'ONU. Après avoir mis fin dès octobre 1999 aux contacts avec l'Unita pour négocier des « couloirs humanitaires », les Nations unies vont renoncer à demander au gouvernement d'autoriser l'accès aux populations situées en « zone grise » sans pour autant envisager d'alternative (pont aérien ou opérations à partir des pays voisins). Politiquement, le Conseil de sécurité cessera de rappeler que les belligérants ont l'obligation de faciliter l'accès des organisations humanitaires à toutes les populations frappées par le conflit. Ayant abandonné les Angolais déclarés « inaccessibles », il ne parlera plus qu'à mots couverts de leur existence, minimisant leur nombre et leurs besoins.

De son côté, l'Unita ne donnera pas suite aux contacts des très rares organisations – le Comité international de la Croix-Rouge et Médecins sans frontières – ayant cherché à apporter une aide à « ses » populations. Jusqu'aux premières offensives victorieuses des FAA (septembre 1999), ce refus de fait est révélateur de la subordination des préoccupations humanitaires de l'Unita à son objectif de reconnaissance politique. Or celui-ci ne peut venir que de l'ONU. Compte tenu de la dégradation ultérieure de ses positions militaires, il est difficile de savoir jusqu'à quand la rébellion aurait pu garantir la sécurité d'opérations de secours devenues précieuses y compris pour la survie de ses proches. Reste que ce refus n'est pour rien dans le renoncement de l'ONU à négocier un accès humanitaire hors zone gouvernementale.

Pendant plus de trois ans, de fin 1998 à début 2002, des millions d'Angolais vont être privés de tout recours et secours : plus de 3 millions sont estimés hors d'atteinte en 1999, encore 1 million environ le seront au moment du cessez-le-feu. La guerre a été menée sans témoins, mais il existe des témoignages : recueillis auprès de rescapés de tous bords, ils ne donnent pas un tableau exhaustif de la situation dans les zones de guerre – la lutte ayant pris des formes, des rythmes et une ampleur distinctes dans les nombreuses provinces où elle sévit. Mais d'où qu'ils viennent, ils permettent de dégager des traits communs et des différences dans les pratiques des deux armées. Ils font aussi apparaître une nette intensification de la violence au cours des deux dernières années du conflit.

L'Unita a toujours eu recours à la terreur comme moyen de domination. Elle s'est systématiquement attaquée aux conditions de survie des civils, notamment par l'utilisation de mines. Dans cette guerre, elle doit en outre, et de plus en plus, « compter sur ses propres forces », c'est-à-dire sur les populations qu'elle contrôle et sur les autres. Ses méthodes se radicalisent : s'intensifient l'enrôlement forcé d'hommes et d'enfants, le niveau des actes d'extorsion et de pillage, l'exploitation de ceux et celles qui l'accompagnent de gré ou de force (comme soldats, porteurs, domestiques, manœuvres, épouses...). Sa violence se durcit : si les soldats de l'Unita ont toujours battu, humilié, voire tué pour imposer l'obéissance, ils n'étaient pas communément des coupeurs d'oreilles ou de bras ; des témoignages font désormais état de telles pratiques et plus généralement d'une aggravation de la cruauté des combattants.

L'armée gouvernementale n'a pas la même tradition ni la même position. Mais jusqu'à la fin, son aviation et son artillerie restent meurtrières pour les civils. Dans les zones de combats, hommes et adolescents sont enrôlés. Sauf exception, les troupes – FAA, mais aussi défense civile et police impliquées dans certaines opérations – sont mal payées et mal approvisionnées. Bénéficiant d'une impunité presque totale, elles aussi vivent sur le dos de la population, dépouillée par les *batidas* – pratique courante consistant à confisquer les biens d'un village et à obliger des habitants à les transporter jusqu'à la base. Nouveauté dans cette guerre, les viols sont désormais fréquents. Néanmoins, la plus grande violence n'est pas celle marquée du sceau de la cruauté ou de l'humiliation, mais celle liée à la stratégie de contre-guérilla qui, dès l'année 2000, vise à « vider l'eau » (la population) qui permet au « poisson » (la guérilla) de survivre. Cette politique donne lieu à des déplacements forcés massifs qui touchent des dizaines de milliers de personnes – qu'on prive de leurs moyens de subsistance par l'incendie des villages, quand on ne les tue pas en cas de refus d'obéissance, ou tellement atteintes déjà dans leurs moyens de survie qu'elles se soumettent, parfois volontiers, dans l'espoir de trouver de l'aide. Les autorités civiles ou militaires vont ainsi périodiquement annoncer aux organisations humanitaires l'arrivée de nouveaux « déplacés », produits non par des combats mais par des « nettoyages » (*limpezas*), et amenés parfois par camion, voire par hélicoptère.

Dans ce que les témoignages font apparaître, dès 2000 parfois et surtout en 2001, comme une deuxième phase de la dernière guerre – celle qu'ils évoquent par un : « trop de souffrances » –, on peut distinguer trois types d'existence dans ce qui est appelé les « zones grises ».

Les territoires qui ne sont contrôlés en permanence par aucun camp sont l'objet d'attaques et de contre-attaques incessantes. Celles-ci s'accompagnent de plus en plus souvent du pillage de tous les biens (jusqu'aux ustensiles de cuisine, aux vêtements) et de représailles, fût-ce pour être resté sur les lieux : de la part de l'Unita, de plus en plus aux abois, de la part des FAA, attachés à « nettoyer » (*limpar*) le terrain des civils afin de resserrer la traque de l'Unita. Dans ces zones, où les témoignages parlent souvent de « *a tropa* » (les soldats) – confondant dans leur violence les troupes de l'un et l'autre camps, qui pareillement pillent, tuent, violent, et brûlent les villages –, c'est la fuite

---

Bunjei, ville-cimetière

À la fin de 2001, les équipes de Médecins sans frontières basées à Caala, dans la province de Huambo, commencent à recevoir un nombre croissant d'enfants victimes de malnutrition sévère, ramenés par les forces gouvernementales du poste militaire avancé de Bunjei. Situé à quatre heures de route, le village abritant un campement des FAA est alors considéré en « zone grise », c'est-à-dire inaccessible aux organismes de secours.

Quinze jours après que le gouvernement a déclaré un cessez-le-feu unilatéral, les autorités militaires de Caala autorisent MSF à mener une mission exploratoire à Bunjei, le 29 mars 2002. La situation qu'elle découvre est terrifiante. L'ancien village a été transformé en un vaste camp de déplacés où s'entassent et s'étalent à perte de vue des centaines de huttes faites de branchages et de feuilles. « Quand nous sommes arrivés, les gens étaient assis, devant leur maison de paille, si faibles que certains ne pouvaient plus bouger ; ils attendaient la mort », constate un médecin de MSF. Une évaluation rapide permet d'estimer à 30 % la proportion d'enfants frappés de malnutrition aiguë et à 14 le taux de décès quotidiens. Trois nouveaux cimetières ont été créés à

d'abord temporaire, puis l'impossibilité de revenir au village, de cultiver, la famine, la maladie, « beaucoup de morts ».

Pour les populations qui accompagnent, de plus en plus souvent de force, les colonnes de l'Unita, c'est l'accélération des déplacements de base en base, parfois en abandonnant tout, la privation prolongée de sel et de médicaments, bientôt de vêtements ; c'est la peur et une répression plus forte encore envers ceux qui veulent fuir, ou ceux qui, blessés ou malades, pourraient simplement « renseigner l'ennemi ». Dans certaines régions sur lesquelles le cercle des FAA se referme, ce sont des mois de subsistance réduite à ce que l'on trouve – miel, champignons, racines –, la mort des plus faibles, l'affaiblissement de tous (y compris des hauts dirigeants de l'Unita).

l'entrée du village. On y compte plus de 1 050 tombes fraîchement creusées.

Les 14 000 personnes déplacées à Bunjei font partie de ces Angolais « nettoyés » par les forces gouvernementales au fil de leur offensive contre l'Unita. Certaines sont là depuis septembre 2001. Les FAA leur interdisent de quitter le camp. Seuls de petits groupes escortés par des militaires peuvent partir à la recherche de baies sauvages ou de quelques racines de manioc.

Médecins sans frontières prendra en charge les enfants sévèrement malnutris dans son centre nutritionnel thérapeutique de Caala et lancera un programme d'alimentation pour les enfants de moins de cinq ans. Quant aux distributions alimentaires générales, elles ne débuteront que six semaines plus tard, après que le Programme alimentaire mondial en aura reçu l'autorisation du Bureau de coordination des affaires humanitaires des Nations unies (OCHA) – c'est-à-dire, en définitive, du gouvernement.

Une étude de mortalité rétrospective estimera qu'entre le 1er janvier et le 22 juin 2002 le taux quotidien de mortalité des enfants de moins de cinq ans s'est élevé à 9,9 pour 10 000 : c'est dix fois le seuil d'alerte qualifiant les situations d'extrême d'urgence.

Mais les derniers mois de la guerre vont aussi voir la création d'un troisième type de « zone grise », à l'abri des combats mais qui restera non accessible aux organisations humanitaires bien qu'elle le soit aux FAA : des dizaines de milliers d'Angolais resteront « stockés » là où l'armée les aura rassemblés en l'absence de tout soutien, et d'où elle leur interdira souvent de partir. Au départ, les « déplacés » peuvent encore trouver de la nourriture, et ils sont même soulagés d'être, enfin, « tranquilles », mais bientôt ils manqueront de tout : alors, comme le raconteront les témoins, « [ils ont] commencé à mourir » (voir encadré p. 130-131). Silencieusement, des dizaines de milliers d'Angolais s'éteindront avant la fin de la guerre dans ces camps transformés en véritables mouroirs, sans que l'alerte soit donnée par l'armée, sans que l'ONU, qui pourtant connaît cette situation, s'en préoccupe publiquement...

« Hors zone », le salut : l'aide aux populations accessibles

Depuis le début des combats, le salut réside dans la fuite à l'étranger ou vers les « périmètres de sécurité » où arrivent les déplacés. La guerre va en produire des nombres affolants : ils étaient 1,6 million avant que le conflit ne reprenne, il y en aura 1 million de plus en juin 2000, au terme des offensives victorieuses des FAA. Chaque mois, ils continueront à arriver, dans presque tout le pays, par milliers ou dizaines de milliers, rescapés parvenus individuellement ou en petits groupes à s'exfiltrer du « gris », de l'Unita ou des mouroirs, ou « nettoyés » ramassés par les FAA. Dès la mi-2001, un total de 4 millions de déplacés est dénombré par les Nations unies – soit un tiers de la population.

Le Conseil de sécurité ne se réunira pourtant pas pour traiter des questions humanitaires pendant plus d'un an – jusqu'à la toute fin du conflit. Les agences de secours onusiennes et les quelque trois cents ONG nationales et internationales qui agissent presque toutes sous la tutelle de l'organisme de coordination humanitaire de l'ONU, OCHA, vont travailler dans les limites fixées par les instances politiques de l'ONU, rester elles-mêmes plus que discrètes sur la situation des populations des zones grises, et concentrer leur activité et leurs appels sur celles politiquement et matériellement accessibles, dans et autour des villes tenues par le gouvernement.

La réponse humanitaire, très importante (en 2001, la crise angolaise a bénéficié du troisième volume d'assistance après la Corée du Nord et le Soudan), est pourtant toujours insuffisante. Elle l'est en raison du coût du transport aérien nécessaire pour la majorité des opérations étant donné l'insécurité sur les routes. Elle l'est surtout du fait que ce ne sont pas seulement les victimes de guerre qui sont secourues. En effet, l'aide humanitaire vient partiellement compenser les dégâts de la « gouvernance » du MPLA. Habitué à consacrer les revenus non détournés de l'État à la guerre et aux privilèges de l'élite, le gouvernement angolais ne prévoit que des budgets minuscules pour l'éducation et la santé, ne verse que des salaires insignifiants. Il a depuis longtemps abandonné la population marginalisée et déshéritée aux Églises et à l'aide internationale. Dans sa stratégie politico-militaire « intégrée [1] », l'aide humanitaire est la dernière roue du carrosse. Face à la grave crise sanitaire et alimentaire qui frappe les centaines de milliers de déplacés réunis dans des camps, ceux qui ont afflué dans les villes et un nombre croissant de résidents, l'assistance internationale est bienvenue pour le régime, et nécessaire vu l'indifférence et le mépris des dirigeants à l'égard de leur peuple. Mais l'aide aux victimes reste fatalement insuffisante.

Compte tenu de sa position, l'ONU ne sera même pas en mesure de faire respecter les droits minimaux des civils en zone gouvernementale. Des « évaluations rapides » menées en avril

---

1. En référence aux approches « intégrées » des Nations unies, qui entendent mettre l'aide humanitaire au service d'une stratégie politique.

2000 ont mis au jour les conditions généralement effroyables dans lesquelles le regroupement des déplacés a été réalisé, souvent sans accès à des terres cultivables, dans des camps dépourvus d'eau ou d'abris, et parfois même hors des périmètres de sécurité, sur des terrains minés. Les personnels de l'OCHA s'efforceront d'obtenir du gouvernement qu'il mette fin à ces situations et applique des normes d'installation minimales. Sept mois plus tard, un rapport constate que, hormis l'éradication des situations les plus intolérables, très peu a été fait. Il n'en met pas moins en exergue « des développements positifs incontestables ». De même loue-t-il le gouvernement pour avoir finalement accepté les normes discutées, même si elles ne sont pas respectées. Elles ne le seront généralement pas jusqu'à la fin du conflit : ni dans les camps d'origine, ni dans les lieux où, dès le milieu de l'année 2000, les autorités entreprennent de « réinstaller » les déplacés.

Alors que la « guerre pour la paix » s'intensifie, le gouvernement vise à dire et montrer que la « normalisation » est en marche en fermant un certain nombre de camps de déplacés dont les habitants sont parfois transférés de force, ou à l'aide de fausses promesses, hors de leur zone d'origine. Les agences de secours collaboreront dans leur grande majorité à cet autre « développement positif », ce « progrès de la pacification » : les conditions de départ sont mauvaises, voire abominables, et il ne saurait être question d'abandonner ces populations qui ont besoin d'une aide vitale. Sans avoir été associé aux décisions, l'OCHA avalisera cette politique, par ailleurs conforme au discours du gouvernement et de l'ONU minimisant la guerre et ses dommages.

Confronté à la « fatigue » de donateurs qui rechignent de plus en plus à financer une aide humanitaire apparemment sans fin au profit d'un pays qui ne manque pas de ressources, le régime prend quelques mesures pour manifester un souci plus résolu de sa population. Sur un budget annuel de 3 à 5 milliards de dollars, il finit par consacrer fin 2000 une cinquantaine de millions aux tâches d'assistance. Il revendique alors la position de « plus grand donateur d'aide humanitaire en Angola », ce qui en dit long sur la relation qu'il se reconnaît avec son peuple...

Malaises et intensification de la guerre : vers la victoire

Au fur et à mesure que la guerre perdure et que l'arrivée incessante de déplacés rend difficile d'ignorer la politique de terre brûlée menée dans les zones grises, la position des Nations unies devient inconfortable. D'autant que pour la première fois, en 2001, un mouvement d'opposition à la guerre s'est formé. Il dénonce, par la voix des évêques d'une Église catholique majoritaire et respectée, une guerre « injuste » et « criminelle » des deux côtés. Rassemblé autour d'un Comité interecclésial pour la paix (Coiepa), ce mouvement réclame l'ouverture de couloirs humanitaires ; il demande aussi des négociations avec l'Unita et Savimbi pour parvenir à une véritable solution politique au conflit associant des parties civiles.

Par ailleurs, les révélations se multiplient de l'extérieur sur la prédation des revenus du pétrole par l'« oiligarchie » présidentielle et sur les détournements de fonds publics, estimés à près d'un milliard de dollars par an. Cela vient miner l'image d'un gouvernement exigeant un soutien politique au nom de sa légitimité démocratique et une assistance humanitaire sous le prétexte de son manque de moyens. D'autres facteurs plus prosaïques font vaciller certains appuis du régime : plusieurs États se demandent si une issue politique ne garantirait pas un climat propice à de plus amples investissements. L'ONU et certaines puissances sont depuis peu impliquées en République démocratique du Congo dans la recherche de la paix par des voies plus « dialoguantes » qu'en Angola, et la poursuite indéfinie du conflit pourrait obérer leurs initiatives. Quelques États commencent à mettre en question la pertinence des sanctions contre l'Unita.

Face au risque de voir la communauté internationale prendre ses distances avec le radicalisme militaire du régime, les FAA intensifient leur offensive dans le but d'éliminer Savimbi et de porter l'estocade à la rébellion. L'Unita affaiblie recherche l'ouverture de négociations, la Communauté San Egidio y travaille, le Coiepa finit par être entendu à l'étranger (en décembre 2001, le Parlement européen attribue à son président le prix Sakharov pour la paix). Mais le Conseil de sécurité mettra longtemps à « saluer » l'action du Coiepa et restera sourd à ses appels. Cette mobilisation est pourtant issue de la « société civile », dont l'ONU dit soutenir le « développement vibrant », et qui milite réellement pour une « paix juste et durable » – celle que la communauté internationale dit précisément rechercher. L'ONU, qui ne peut que constater (officieusement) que le gouvernement ne veut pas négocier, ne prendra aucune initiative qui pourrait incommoder Luanda. Ni politiquement, ni au plan humanitaire : le rapport du secrétaire général d'octobre 2001 montre qu'elle sait la situation désespérée dans les zones « non accessibles » ; pour autant, il n'y est pas question de « couloirs humanitaires » dont certaines chancelleries et le Parlement européen défendent désormais la nécessité. Sous la pression de pays amis du gouvernement, l'ONU appelle... au renforcement des sanctions contre la rébellion.

Quand, à la mi-décembre 2001, la victoire apparaît bel et bien au bout du fusil, le président angolais donne enfin à l'ONU l'autorisation de contacter l'Unita et appelle à la mobilisation de secours humanitaires. L'ONU réagit alors, mais sans grande précipitation : la mort de Savimbi, le 22 février 2002, survient avant que l'autorisation octroyée par José Eduardo dos Santos n'ait eu de conséquence politique. Et la tragédie humaine des derniers mois de guerre n'est en rien atténuée dans les zones toujours « inaccessibles ».

La tragédie d'après

La paix ayant été conquise, contre les augures, par la force des armes, le gouvernement est à même d'en dicter les termes aux dirigeants survivants de l'Unita. Ceux-ci acceptent l'accord que Luanda leur propose, en brousse et dans l'opacité, et qui se résume pour l'essentiel au désarmement de la rébellion. En deux mois à peine, l'Unita envoie plus de 80 000 soldats et leurs familles (plus de 250 000 personnes) dans des camps de cantonnement. À cet égard, la capacité d'une direction rebelle très affaiblie à faire marcher ses troupes et sa volonté de s'engager dans cette voie invalident la thèse, devenue dominante, de la dérive prédatrice de l'Unita.

La victoire permet d'inscrire cette reddition sous le chef du protocole de Lusaka, une requalification très souhaitable pour l'ONU : pour réintégrer cette paix « exemplaire » (parce que « l'œuvre des seuls Angolais ») dans « les succès de l'ONU », il convient que le protocole soit réactivé et que les Nations unies y retrouvent leur place. Or, au terme d'une guerre qui visait précisément à ne plus négocier avec quiconque l'avenir du pays, le gouvernement n'entend laisser personne s'immiscer dans son plan de paix ou entraver la poursuite de ses objectifs, politiques et autres.

Alors que le déroulement des opérations militaires n'est plus en cause, les populations vont encore payer le prix des relations de subordination qui se sont établies entre le gouvernement angolais et l'ONU. Tandis que la fin des hostilités est fêtée en grande pompe à Luanda, rien n'est dit des populations civiles des zones grises, pas même de celles « stockées » par l'armée sans aucune assistance, et qui continuent à mourir en masse. Il faudra qu'une organisation humanitaire indépendante, Médecins sans frontières, entendant les rescapés exsangues du haut plateau, s'aventure après le cessez-le-feu au-delà des périmètres de sécurité pour donner publiquement l'alerte : dans les mouroirs qu'elle découvre à Bunjei, Chilembo, Chitendo, Chipindo, le taux de malnutrition aiguë sévère chez les enfants de moins de cinq ans dépasse les 10 %, celui de mortalité est trois à dix fois supérieur au seuil qualifiant les situations d'extrême d'urgence (voir encadré p. 130-131). Brutalement la catastrophe pressentie mais pieusement dissimulée est entrevue dans sa gravité et son ampleur : on estime bientôt à quelque 500 000 les rescapés des zones grises.

Il faudra également les appels individuels d'administrateurs ou de militaires des FAA et des dénonciations ouvertes pour qu'on commence à parler publiquement de l'état souvent catastrophique des soldats et civils rassemblés dans les zones de cantonnement de l'Unita, où les taux de malnutrition et de mortalité sont parfois proches de ceux observés dans les mouroirs civils. Les autorités veulent bien sûr éviter qu'une crise alimentaire ne remette en cause la démilitarisation des rebelles et font appel à l'assistance internationale. Mais elles veulent aussi marginaliser les Nations unies dans un processus de paix qui reste à définir et qu'elles comptent bien réduire à sa plus simple expression. Elles n'entendent pas laisser l'ONU interférer dans la gestion des zones de cantonnement qu'elles confient aux FAA : que les Nations unies mobilisent l'aide, le gouvernement la distribuera. Luanda n'est pas non plus disposée à se priver des profits liés à l'approvisionnement en secours : la Maison militaire du président en est chargée ; elle va traiter avec ses partenaires privilégiés, au Brésil, en dépit des délais, peu appropriés à l'état d'urgence, d'acheminement par bateau...

L'insuffisance criante de l'aide dans les zones de cantonnement et dans les camps de déplacés désormais « accessibles » conduit MSF, le 11 juin, à Luanda, à dénoncer publiquement l'inertie « scandaleuse » du gouvernement et de l'ONU. Cette dénonciation est très importante pour faire évoluer la situation, même si celle-ci est le fruit de deux attitudes différentes de la part de l'un et l'autre : après avoir cautionné l'embargo gouvernemental sur l'aide à destination des zones Unita, en violation flagrante du droit international humanitaire, l'OCHA a en effet cru possible d'engager un bras de fer souterrain avec le gouvernement – sans pour autant se démarquer publiquement des autorités angolaises. Puisque les autorités ne répondent pas elles-mêmes aux besoins du peuple, l'OCHA exige qu'elles laissent les agences de secours des Nations unies agir désormais selon leurs propres normes dans les zones de cantonnement de l'Unita. Il faudra le cumul de dénonciations publiques et de pressions discrètes mais insistantes pendant plus de deux mois avant que Luanda ne finisse par accepter que l'OCHA, et à sa suite les ONG travaillant sous son aile, puissent accéder aux familles des soldats et aux zones de regroupement forcé. Le gouvernement, au terme des démissions et silences de l'ONU, pourra même lui imputer publiquement une responsabilité qui lui incombe au premier chef : alors que l'OCHA se défend hautement des accusations d'inertie lancées par MSF, en minimisant la crise avant d'expliquer ses propres insuffisances par la soudaineté du problème et l'insuffisance de l'aide disponible, les autorités se saisissent de la polémique pour lancer soudainement un appel solennel et dramatique à l'aide internationale. Elles se retournent contre la communauté internationale, derechef accusée de ne pas apporter aux Angolais l'aide qu'elle leur doit.

Le sort des populations des camps de déplacés forcés de même que celui des combattants et leurs familles est alors suspendu aux négociations politico-militaires en cours entre l'ONU et le gouvernement. La quasi-totalité des ONG angolaises et étrangères, qui depuis le début du conflit travaillent surtout comme « partenaires opérationnels » des Nations unies, s'interdiront de porter directement secours en zones grises tant que l'ONU ne les y aura pas autorisées. Pendant les deux mois et demi suivant le cessez-le-feu, les agences humanitaires de l'ONU et leurs ONG partenaires ne vont répondre qu'aux besoins qui leur étaient déjà accessibles tout en cherchant à évaluer la situation dans les nouveaux territoires. Elles mettront du temps à identifier les groupes de populations en détresse et à s'organiser pour les secourir. Débordée par un afflux brutal dont elle s'était interdit de jauger les dimensions, la communauté humanitaire va jongler avec ses ressources, enlever aux uns pour parer aux urgences les plus vitales. En 2003, certaines poches isolées de population ne sont toujours pas secourues, tandis qu'apparaissent encore, sortis de la brousse, des gens gravement sous-nutris, malades, et ayant laissé de nombreux morts derrière eux.

L'OCHA et ses partenaires opérationnels « non gouvernementaux » se retrouveront à nouveau à la remorque des décisions prises unilatéralement par les autorités pour le retour des déplacés et la démobilisation des troupes (voir encadré p. 140).

Début 2003, plus de 1 million de personnes sont toujours en situation d'urgence. Encore incapables de produire de quoi vivre, des centaines de milliers d'Angolais risquent d'avoir de nouveau besoin d'aide. Avec les pluies, beaucoup seront hors de portée des organisations d'assistance – techniquement cette fois, ou en raison des mines.

Coût humain,
coût politique d'une démission

S'abritant derrière un argument légaliste, l'ONU et les partenaires internationaux de l'Angola se sont engagés dans un soutien politique au gouvernement qui s'est accompagné de la violation des principes élémentaires de neutralité et d'impartia-

---

Réintégration ou dispersion ?

À peine la communauté humanitaire s'est-elle organisée pour apporter des secours rudimentaires et partiels dans les zones de cantonnement, que le gouvernement met en œuvre ce qu'il n'appelle bientôt plus la « réintégration dans la société civile et sur le marché du travail » (!) des soldats de l'Unita – comme cela a été désigné mais nullement planifié et financé –, mais l'« évacuation » et la « dispersion » desdits soldats. À la fin de 2002, l'OCHA en est une fois de plus réduite à essayer de « réguler », retarder et humaniser une « dispersion » qui se soucie peu des conditions de vie dans les zones de retour et qui va rendre de nouveau inaccessibles ces gens qui n'ont quasiment rien pour « recommencer ».

C'est en partie selon d'autres voies que s'effectue la réinstallation des déplacés et des réfugiés : sur plus de 4 millions de déplacés internes, environ 1 million de personnes sont rentrées spontanément

---

lité en matière de secours humanitaires. En ce sens, ils ont bien collaboré à « la paix », remportée par une victoire d'abord militaire qui ne s'est pas jouée seulement sur le champ de bataille. Ils ont également créé les conditions qui ont rendu possible une guerre sans quartier des deux côtés, et la guerre totale des derniers mois. La paix a ainsi été acquise au prix de dommages humains considérables. L'ONU et la communauté internationale ont sans conteste apporté une aide précieuse à des centaines de milliers de personnes. Mais elles ont aussi contribué à produire des victimes et à interdire de leur porter secours.

Le coût humain de la guerre a été excessivement élevé pendant le conflit, il l'est resté après la signature du cessez-le-feu, quand a « éclaté » la tragédie que l'ONU et le gouvernement avaient laissée se développer et qu'ils s'étaient communément ingéniés à masquer. Il risque de le rester longtemps. En effet, le gouvernement se retrouve après sa victoire en position de force par rapport non seulement à l'Unita mais à « tous les autres »

àvant la fin 2002, de même qu'un quart du demi-million de réfugiés. C'est le signe de l'immense soulagement que représente une paix à laquelle tous croient enfin. Mais ce retour spontané veut aussi dire qu'ils rentrent en majorité sans pécule ni aide, et souvent sans trouver les conditions minimales de vie, ou même de sécurité, pour se réinstaller.

Par ailleurs le gouvernement s'emploie à « évacuer » les déplacés de certains camps ou villes où ils sont surnuméraires. Jouant sur les conditions de misère dans les lieux où ils résident, et sur des promesses quant à la situation qu'ils vont trouver, les autorités forcent le rythme des retours. L'ONU en est réduite à tenter de réparer les dégâts consécutifs à des décisions politiques prises par le seul gouvernement et sans considération pour leurs conséquences humaines. En novembre 2002, le responsable de l'OCHA remarqua publiquement que seuls 15 % des retours avaient été organisés. Parmi ceux-ci, à peine 30 % avaient été réalisés dans les conditions minimales requises (sécurité alimentaire, déminage, accès, moyens de produire).

(ONU et Mouvement pour la paix notamment). La marginalisation de l'ONU dans un « processus de paix » *ad hoc* et son discrédit général en Angola (aux yeux de tous) signifient qu'aucune solution politique véritable n'a été apportée à la crise angolaise. La paix ayant rempli pour le gouvernement les promesses de l'option militaire, le retour à la « normalité » – sans « réconciliation » ou « transition » et sans plus d'ONU sinon pour l'assistance technique et humanitaire – le laisse en position d'hégémonie renforcée. Il est désormais en état de contrôler encore mieux la vie politique jusqu'à des élections qui devraient légitimer son pouvoir, assurer son hégémonie et garantir son impunité.

Certes, les partenaires internationaux manifestent désormais plus de distance vis-à-vis des autorités. Ils les appellent à rendre compte des deniers de l'État, à « faire plus pour leur peuple ». En juillet 2002, l'ambassadeur britannique à l'ONU remarquait que les quelque 150 millions de dollars demandés à la communauté internationale pour financer les opérations de secours représentaient trois semaines de recettes pétrolières... Mais, pas plus que pendant la guerre, la communauté internationale ne peut exercer de chantage à l'aide : ni face à l'ampleur des besoins, ni face au risque que ferait peser sur la paix civile une démobilisation bâclée. En outre, étant donné l'étroitesse des liens tissés par tant de gouvernements étrangers et d'entreprises avec le sommet du pouvoir angolais, on peut craindre que les « batailles » engagées par la communauté internationale pour la démocratisation de l'Angola ne soient livrées sur d'autres terrains (privatisations, « gouvernance » nécessaire à la sécurité des contrats...) que « la réponse aux besoins du peuple ». Et l'on sait déjà, comme le président l'a annoncé quelques jours après l'élimination de Savimbi, que l'Angola est résolu à s'opposer à toute « ingérence » et à ce qu'il considère comme des « exigences policières ». Reste la mobilisation civique, sociale, politique des Angolais, qui a pris son essor pendant la guerre et sans aide internationale. À cet égard, la paix, même celle-là, est un bien précieux.

Christine MESSIANT

Références bibliographiques

Global Witness, *A Rough Trade : The Role of Companies and Governments in the Angolan Conflict*, Londres, Global Witness, décembre 1998 ; *All The President's Men. The Devastating Story of Oil and Banking in Angola's Privatised War,* Londres, Global Witness, mars 2002.

Human Rights Watch, *Angola Unravels : The Rise and Fall of The Lusaka Peace Process*, New York, HRW, septembre 1999 ; *The War Is Over : The Crisis of Angola's Internally Displaced Continues*, New York, HRW, juin 2002.

Médecins sans frontières, *Derrière les faux-semblants de « normalisation », manipulation et violences, une population abandonnée*, Luanda, MSF, 9 novembre 2000 ; *Angola, une population sacrifiée*, Paris, MSF, octobre 2002 ; *Angola, après la guerre, l'abandon*, Genève, MSF Suisse, août 2002.

C. Messiant, « La Fondation Eduardo dos Santos (FESA) : à propos de l'"investissement" de la société civile par le pouvoir angolais », *Politique africaine*, n° 73, mars 1999, p. 82-102 ; « Angola, une "victoire" sans fin ? Une "petite guerre" dans "l'endroit le plus excitant au monde" », *Politique africaine*, n° 81, mars 2001, p. 143-161 ; « Fin de la guerre en Angola. Vers quelle paix ? », *Politique africaine*, n° 86, juin 2002, p. 183-195 ; « Angola : des alliances de la guerre froide à la juridisation du conflit », *in* P. Hassner et R. Marchal (dir.), *La Guerre entre le global et le local*, Paris, L'Harmattan, 2003.

A. Richardson, *Negotiating Humanitarian Access in Angola : 1990-2000*, Haut-Commissariat des Nations unies pour les réfugiés, working paper n° 18, juin 2000 ; *Angola : Civil War and Humanitarian Crisis – Developments from Mid 1999 to End 2001*, Haut-Commissariat des Nations unies pour les réfugiés, janvier 2002.

CHAPITRE 6

Soudan : à qui profite l'aide humanitaire ?

Depuis 1983, la guerre civile qui ravage le Soudan a fait des centaines de milliers de morts, déclenché plusieurs famines et contraint des millions de Soudanais à s'exiler dans leur propre pays ou à trouver refuge à l'étranger. L'imposante opération de secours (OLS, Operation Lifeline Sudan) lancée en 1988 par les Nations unies avec la participation de nombreuses ONG a montré ses limites. Les belligérants ont développé un véritable savoir-faire en matière de contrôle et de captation des ressources humanitaires, lesquelles en arrivent à jouer ainsi un rôle clé dans l'économie politique du conflit. De leur côté, les États occidentaux utilisent l'aide comme un instrument de pression politique, sans se préoccuper du sort des victimes de la guerre. En conséquence, les opérations d'assistance sont d'une efficacité limitée pour les populations civiles, souvent sacrifiées aux objectifs politiques et militaires des différents acteurs du conflit. Soucieuses dans leur grande majorité de maintenir une présence à n'importe quel prix ou presque, les organisations d'assistance portent une lourde responsabilité dans ce dévoiement.

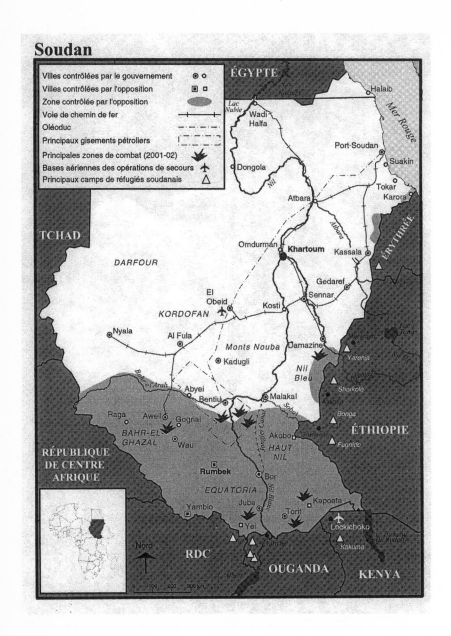

Soudan

Villes contrôlées par le gouvernement ◉ ○
Villes contrôlées par l'opposition ▣ ▢
Zone contrôlée par l'opposition
Voie de chemin de fer
Oléoduc
Principaux gisements pétroliers
Principales zones de combat (2001-02)
Bases aériennes des opérations de secours
Principaux camps de réfugiés soudanais △

Guerre froide et milices tribales

Depuis son accession à l'indépendance en 1956, le Soudan a connu à peine dix années de paix. Le long conflit interne traduit, en grande partie, la difficulté à concevoir un État soudanais susceptible d'associer sur un pied d'égalité toutes les composantes ethniques et religieuses de l'ancien condominium anglo-égyptien (1899-1956). Plus grand pays d'Afrique, le Soudan compte 31 millions d'habitants, plus de 500 ethnonymes et une centaine de langues. Il est caractérisé par une grande diversité religieuse de même que par une pluralité des pratiques au sein de chaque religion (musulmane, chrétienne et animiste). Dans cette mosaïque, la culture arabo-musulmane est largement dominante. Sa suprématie est à la fois numérique – 70 % de la population a l'arabe pour langue maternelle ou l'islam pour religion – et symbolique, les populations chrétiennes-animistes originaires du Sud-Soudan étant l'objet de représentations dévalorisantes dans la culture dominante. Avant même l'indépendance, les clés du pouvoir central ont été remises aux tribus du nord de la vallée du Nil qui se considèrent comme les maîtres légitimes du pays. Bien que l'essentiel des richesses naturelles (notamment pétrolières) soient au sud, c'est au Nord-Soudan qu'a été allouée la quasi-totalité des investissements publics et privés au cours des cinquante dernières années. L'ostracisme qui frappe les Sud-Soudanais – et dans une moindre mesure les populations musulmanes éloignées du pouvoir central (Furs à l'ouest, Bejas au nord-est, Funjs à l'est, etc.) – alimente, sous différentes formes et avec une intensité variable, le conflit qui traverse l'histoire du pays depuis 1955.

En mai 1983, la remise en cause d'un accord de paix conclu entre une première rébellion sudiste indépendantiste et le gouvernement central déclenche une nouvelle insurrection dans la cuvette du Haut-Nil, majoritairement peuplée de Nilotes (Nuers, Dinkas, Shilluks). Elle s'organise, sous l'égide d'un ancien colonel de l'armée gouvernementale, John Garang, en Armée et Mouvement de libération des peuples du Soudan (SPLA/M). Son objectif affiché n'est pas la sécession du Sud mais un partage équitable du pouvoir au sein d'un « nouveau Soudan », uni et laïque, garantissant l'égalité de tous les citoyens. Le conflit s'inscrit d'emblée dans le cadre de la guerre froide. Le SPLA bénéficie du soutien militaire du régime du Derg éthiopien, allié de l'URSS. Pour sa part, le gouvernement soudanais est appuyé par les monarchies du Golfe et les puissances occidentales cherchant à « endiguer le communisme » dans la Corne de l'Afrique.

Le SPLA s'empare en quelques années de la quasi-totalité du territoire du Sud, à l'exception des villes principales. Incapable de faire face à la menace rebelle, le gouvernement décide en 1986-1987 d'armer des milices tribales, recrutées dans les rangs des tribus nomades arabisées et islamisées de l'Ouest. Les *murahilins*, hordes de cavaliers munis d'armes automatiques, sont lâchés contre la population civile du Sud. Ils rasent les villages et pillent le bétail, provoquant d'importants déplacements de population et une famine qui fait plus de 500 000 morts, essentiellement parmi les Dinkas. Sur le plan militaire, la politique des milices tribales ne donne pas les résultats escomptés et le SPLA poursuit sa progression face à une armée démunie et désorganisée. Alors que le gouvernement envisage d'entamer des négociations de paix, il est déposé par un coup d'État militaire qui porte le Front national islamique (FNI) au pouvoir, le 30 juin 1989.

Le « projet civilisationnel » d'un « État voyou »

Mêlant tradition locale et modernité islamiste, le FNI entend « ré-islamiser » la société soudanaise (notamment en imposant la charia sur l'ensemble du territoire) et faire du Soudan le leader d'un nouvel ordre islamique mondial, indépendant et populaire. Pour le nouveau régime, il n'y a d'autre issue au conflit intérieur que la victoire militaire et la soumission du Sud à son « projet civilisationnel ». La guerre est désormais auréolée du titre de « jihad ». Mais la fortune des armes ne tourne au profit des troupes gouvernementales qu'en 1991, à la suite du renversement du Derg éthiopien par les guérillas tigréenne et érythréenne, soutenues par Khartoum. Alors que les bases arrière de la rébellion sont expulsées d'Éthiopie, la disparition de l'aide extérieure sur laquelle John Garang s'appuyait pour contrôler le mouvement déclenche une série de scissions. Dénonçant l'autoritarisme de leur chef et le favoritisme dont bénéficient les officiers appartenant aux segments claniques dont il est originaire (les Dinkas-Bors), plusieurs dirigeants du SPLA font défection, avec armes et combattants. Parmi les factions dissidentes, le SSIM (Mouvement pour l'indépendance du Sud-Soudan, majoritairement composé de Nuers) s'affirme rapidement comme la plus puissante. Afin de résister aux troupes loyales au SPLA, le SSIM et les autres factions dissidentes acceptent une aide militaire et économique de Khartoum, jusqu'à devenir progressivement des forces supplétives de l'armée soudanaise. La guerre opposant le SPLA au régime se double ainsi d'un conflit interne entre mouvements sudistes, amplement manipulé par le pouvoir central.

Tandis que le gouvernement reçoit en 1992 une aide financière de l'Iran pour rééquiper ses troupes, John Garang se trouve rapidement de nouveaux parrains internationaux. En effet, la poursuite du programme politique du FNI à l'échelle internationale conduit Khartoum à soutenir des mouvements de guérilla hostiles aux régimes érythréen, éthiopien et ougandais, considérés comme autant d'obstacles à l'expansion de la révolution islamiste en Afrique. Au milieu des années 1990, ces trois pays rompent leurs relations diplomatiques avec le Soudan et entreprennent d'apporter un soutien décisif au SPLA. Ils y sont fortement encouragés par la nouvelle administration américaine, entrée en fonction en janvier 1993.

Pour Bill Clinton et son équipe, le Soudan n'est plus un allié de la guerre froide, mais un « État voyou » (*rogue state*), devenu « la Mecque du terrorisme international », et coupable de violations des droits humains à l'encontre des « populations chrétiennes du Sud-Soudan ». Le Soudan s'est aligné aux côtés de Saddam Hussein pendant la guerre du Golfe. De plus, il héberge une kyrielle d'organisations politiques transnationales, parfois terroristes, farouchement hostiles au « nouvel ordre mondial » promu par les États-Unis (en particulier dans la sphère arabe). Carlos, Oussama ben Laden, Cheikh Omar Abd el-Rahman (reconnu coupable des premiers attentats contre le World Trade Center en 1993), certains responsables du Hamas et du Jihad palestiniens figurent parmi les hôtes du régime soudanais. Outre le soutien qu'ils accordent aux États voisins appuyant le SPLA, les États-Unis encouragent les Nations unies à voter en 1996 une série de sanctions contre Khartoum qui refuse d'extrader des suspects impliqués dans une tentative d'assassinat contre le président égyptien Hosni Moubarak à Addis-Abeba en juin 1995. Après les attentats meurtriers contre les ambassades américaines de Nairobi et Dar es-Salam en 1998, les États-Unis bombardent une usine pharmaceutique de la banlieue de Khartoum, accusée – à tort, semble-t-il – de fabriquer des armements chimiques. Pour Washington, le Soudan du FNI et l'Afghanistan des talibans sont les principaux soutiens internationaux de ben Laden. Parmi les États occidentaux, seule la France conserve des relations cordiales avec Khartoum qui offre d'exfiltrer Carlos et de servir de canal de communication avec les islamistes algériens, en échange du soutien militaire, diplomatique et économique de Paris.

Le facteur pétrolier

De plus en plus isolé sur la scène internationale, le gouvernement soudanais signe en 1998 un protocole de paix (« la paix de l'intérieur ») avec le SSIM et cinq autres factions dissidentes du SPLA, principalement implantées dans la région du Haut-

Nil. Censé manifester le désir de paix des autorités soudanaises, l'accord permet surtout de sécuriser une région où d'importantes ressources pétrolières ont été découvertes dans les années 1970. Plusieurs compagnies occidentales et asiatiques (notamment chinoises) relancent la production d'anciennes concessions abandonnées en 1983 dans la région de Bentiu, puis achèvent, dès 1999, la construction d'un oléoduc reliant les zones d'exploitation au terminal pétrolier de Port-Soudan. La production d'hydrocarbures permet au gouvernement de doubler le budget de la Défense et de reconstituer ses réserves en devises. Khartoum peut ainsi intensifier son effort de guerre et résister plus efficacement aux pressions économiques internationales visant à entraver la consolidation du régime.

Cette nouvelle donne incite l'Union européenne à s'éloigner des positions de l'administration américaine et à s'orienter vers une politique d'« engagement constructif » avec les autorités soudanaises. Washington se retrouve dans l'embarras : si les lobbies ultra-conservateurs, le Black Caucus (lobby afroaméricain) et les militants des droits de l'homme rappellent avec force que le Soudan est un « État-voyou » coupable de soutien au terrorisme, de « génocide contre les chrétiens » ou de nombreuses violations des droits humains, les milieux d'affaires tentent d'infléchir la position du Département d'État vers plus de compréhension à l'égard d'un pays offrant des opportunités commerciales non négligeables (notamment dans le secteur pétrolier) en passe d'être saisies par des opérateurs asiatiques, européens et canadiens. De fait, l'administration américaine se montre de plus en plus divisée entre partisans d'un renforcement de la pression sur le Soudan et ceux qui pensent que la « menace soudanaise » est surestimée. Ces derniers estiment qu'en l'absence d'alternative crédible au régime actuel il convient de reprendre langue avec Khartoum avant que le régime ne consolide ses relations économiques et diplomatiques avec la Chine et d'autres pays asiatiques (Indonésie, Malaisie, à fortes populations islamistes, elles aussi) qui pourraient l'aider à résister aux pressions de Washington.

Dans ces conditions, la guerre s'intensifie dans la région

du Haut-Nil, le SPLA essayant d'interrompre par tous les moyens la production d'hydrocarbures. Le partage de la rente pétrolière avive également les rivalités entre factions progouvernementales dont certaines rejoignent le SPLA au terme de sanglantes luttes intestines particulièrement meurtrières pour les populations civiles.

Parallèlement, le gouvernement poursuit son offensive de charme sur la scène internationale. En 1999, le fondateur du FNI, Hassan el-Tourabi, considéré par les puissances occidentales comme l'idéologue du terrorisme islamiste, est évincé de son poste de président de l'Assemblée. Il sera placé deux ans plus tard en résidence surveillée. Bien que le gouvernement compte

---

Paix dans les monts Nouba ?

Les monts Nouba sont un ensemble de collines situées au centre du Soudan, dans une région à majorité arabo-musulmane. Leur population est composée d'une cinquantaine d'ethnies d'origine africaine dont la langue et la culture sont très diversifiées. L'islam, introduit anciennement, y est très répandu en dépit de l'activité de missionnaires chrétiens et d'une forte résistance de groupes attachés à leurs cultes animistes.

Victimes de discriminations raciales et de marginalisation économique, les jeunes intellectuels Noubas ont pris les armes au milieu des années 1980 et ont rejoint le SPLA. Les monts Nouba ont été exclus de la zone des opérations de l'OLS (voir p. 160-161) et soumis à un blocus de la part de Khartoum, tout en demeurant marginaux dans la stratégie du SPLA. La répression gouvernementale y a été dévastatrice. Armée régulière et milices locales ont rayé de la carte des dizaines de villages, massacrant la population ou la contraignant à l'exode vers les villes du Nord ou les *dar es salam* [1], situés en contrebas des collines.

Cette situation, fortement médiatisée en Occident où elle est perçue comme emblématique des persécutions de Khartoum à

---

1. « *Dar es salam* » : « villages de la paix ».

toujours de fervents militants de la révolution islamiste (comme le vice-président Ali Osman Mohamed Taha), le régime semble progressivement reléguer son « projet civilisationnel » au rang de slogan à usage politique interne. Le parti au pouvoir multiplie les signes de bonne volonté envers la communauté internationale dans l'espoir de bénéficier de financements et d'investissements qui consolideraient ses positions à la tête de l'État.

Si la répression politique tend à s'alléger de façon significative dans les villes du Nord, la guerre s'intensifie au Sud. Le rapport de force tourne début 2000 en faveur de Khartoum dans la région de Bentiu – et ce, malgré le revirement d'alliance du SSIM (rebaptisé SPDF, Front/Force démocratique des peuples du Sou-

---

l'encontre des « populations chrétiennes », a incité le sénateur américain John Danforth à inclure dans ses négociations avec le gouvernement et le SPLA un cessez-le-feu de six mois renouvelable pour la région. Signé en janvier 2002, celui-ci prévoit le désengagement des forces en présence, la fin des exactions, la liberté de mouvement de la population entre zones montagneuses tenues par les rebelles et plaines contrôlées par le gouvernement et l'ouverture de la région à l'aide humanitaire internationale. Son respect est assuré par une commission militaire composée de représentants des deux camps et d'observateurs internationaux. Depuis un an, le désengagement des forces a été réalisé, même si le désarmement des milices tribales reste à faire. L'aide alimentaire parvient désormais aux zones rebelles, mais le conflit entre la légitimité revendiquée par le SPLA et la souveraineté affirmée par Khartoum a empêché de juguler une épidémie meurtrière de rougeole durant l'été 2002.

Dans l'esprit du SPLA, ce cessez-le-feu n'est qu'une manifestation contrainte de bonne volonté à l'égard de la communauté internationale et non le prélude au règlement du problème des monts Nouba, dont le sort, quels que soient les vœux d'une population civile épuisée, reste suspendu au règlement global du conflit.

dan) qui regagne le giron du SPLA fin 2001. En outre, l'opposition armée subit le contrecoup de la guerre de 1998-2000 entre l'Éthiopie et l'Érythrée. Cherchant à limiter le nombre de fronts où elles sont engagées, les autorités d'Addis-Abeba et d'Asmara renouent des relations plus ou moins cordiales avec Khartoum. L'Éthiopie et l'Érythrée se montrent de plus en plus prudentes dans leur soutien aux rebelles soudanais qui conservent néanmoins une force de frappe conséquente dans leurs bastions traditionnels du Sud.

L'arrivée de George W. Bush à la Maison-Blanche en janvier 2001 est une bonne nouvelle pour le régime soudanais : proche des milieux d'affaires, cette administration laisse entrevoir une politique moins hostile envers le gouvernement. Cherchant à tirer parti de cette évolution – sans pour autant cesser de vilipender l'administration américaine dans son discours –, Khartoum invite la CIA à consulter les dossiers de ses services de renseignement sur les terroristes recherchés par les États-Unis. Après les attentats du 11 septembre, le Soudan proclame son innocence et affirme la rupture de toutes ses relations avec Oussama ben Laden depuis son départ en 1996. Malgré les pressions des lobbies conservateurs, le président Bush s'engage plus avant dans la recherche d'une solution pacifique à un conflit jugé déstabilisateur pour la région. La priorité n'est plus à l'isolement d'un régime coupable de « génocide contre les chrétiens », mais à la lutte contre le terrorisme à laquelle Khartoum propose de s'associer. Toujours méfiante, la Maison-Blanche nomme un envoyé spécial pour la région, John Danforth, chargé de jauger la sincérité des autorités soudanaises en les soumettant à un certain nombre de « tests » sur la question de la guerre au Sud-Soudan. Les efforts de l'administration américaine et de l'Union européenne permettront la signature d'un cessez-le-feu dans la région centrale des monts Nouba, enjeu hautement symbolique (voir encadré p. 152-153), et l'ouverture de nouvelles négociations de paix plus prometteuses à Machakos au Kenya.

La destruction des sociétés du Sud

La guerre est très meurtrière. Le SPLA est organisé comme une force quasi conventionnelle et dispose de blindés et d'artillerie lourde. Il mène une guerre de position ponctuée d'opérations de guérilla. Le gouvernement a recours à des hélicoptères d'attaque au sol extrêmement dévastateurs (les pilotes sont des mercenaires originaires de l'ex-URSS), des bombardiers encore peu précis et d'importantes unités mécanisées. Si les opérations militaires sont relativement localisées dans le temps et l'espace (elles se déroulent principalement à la saison sèche et dans la région du Nord-Bahr el-Ghazal, autour des villes de garnison de l'Équatoria, dans le sud du Nil Bleu et dans la province pétrolifère du Haut-Nil occidental), la menace que fait planer la guerre sur la vie quotidienne est omniprésente. Khartoum a la maîtrise totale du ciel et bombarde impunément l'ensemble du territoire. Les attaques des milices qui se forment et se défont continuellement sont aussi brutales qu'imprévisibles.

Quelles que soient les forces en présence, elles se livrent à des représailles massives contre les biens et les personnes des villages « ennemis » conquis au terme de violentes offensives. Exécutions sommaires, viols, enlèvements, incendie des habitations, pillage du bétail, destruction ou vol des réserves alimentaires, recrutement forcé, etc., suivent chaque victoire. Une étude rétrospective de mortalité réalisée par Médecins sans frontières a montré qu'à l'occasion d'un raid de *murahilins* (milices tribales) contre un village du Bahr el-Ghazal le 21 janvier 2001, près d'un quart des villageois ont été exécutés (13 % de la population initiale) ou enlevés (9 %). Destructions symboliques et exactions ont notamment pour but de faire fuir les populations afin de priver le camp adverse de soutien populaire et de ravitaillement. Côté gouvernemental, il s'agit aussi de protéger des installations stratégiques : la voie ferrée qui mène à Wau, l'oléoduc qui achemine le pétrole jusqu'à la mer Rouge ou les concessions pétrolières du Haut-Nil occidental. Il s'agit également de libérer des terrains pour les pasteurs arabisés alliés de Khartoum ou pour de grandes compagnies agricoles à capitaux arabo-musulmans (comme au sud de Damazine dans la région du Nil Bleu ou au Sud-Kordofan).

Au-delà de cette violence à visée stratégique, la guerre couvre désormais une multitude d'affrontements liés à la prolifération des milices. Les luttes intertribales, entre pasteurs du Sud et pasteurs islamisés formant les rangs des *murahilins* ou entre milices sudistes, sont bien différentes par leur ampleur et leur signification des conflits traditionnels pour l'accès aux pâturages ou aux points d'eau. Au fil du conflit, la diffusion massive d'armes à feu, les divisions interclaniques fomentées par le gouvernement ainsi que la mise en place d'une économie

---

Soldat et victime

Fin juillet 2001, une quarantaine de soldats du Mouvement de l'unité du Sud-Soudan (SSUM, milice pro-Khartoum) sont hospitalisés dans la clinique de Médecins sans frontières à Bentiu dans le Haut-Nil. Tous ont été recrutés de force cinq ou six mois auparavant. Le plus jeune, Simon, a douze ans : il pèse 32 kg pour 1,72 m. Tous présentent des signes de malnutrition sévère aggravés d'anémies, de diarrhées sanglantes, d'œdèmes ou de tuberculose. La plupart ne peuvent plus marcher et restent couchés toute la journée.

Le 21 août, cinq combattants hospitalisés profitent de la nuit pour s'évader. La réaction du SSUM est immédiate et brutale : des miliciens en armes investissent la clinique, avec ordre d'embarquer les trente-quatre soldats encore sous traitement. MSF négocie un compromis : l'officier du SSUM sera accompagné du médecin MSF pour juger de l'état de santé des malades. La négociation au cas par cas est difficile et cruelle. L'officier décide que vingt-quatre soldats sont « aptes » et les embarque aussitôt. L'un d'eux est incapable de marcher. Après plusieurs tentatives pour grimper dans le pick-up, il s'effondre sur le sol. Neuf combattants sont restés dans la clinique. La surprise d'être encore là se lit dans leurs yeux. Leurs regards,

de prédation associant négociants en bétail du Nord et chefs de factions ont brisé les institutions qui régulaient autrefois l'usage de la force. Alors que les conflits traditionnels se muent en guerres inexpiables, la diffusion d'armes modernes bouleverse les hiérarchies sociales et politiques au sein des sociétés affectées – ce qui rend d'autant plus problématique un éventuel retour à la paix sur la base de l'ancien ordre social.

Les institutions sur lesquelles les sociétés rurales fondaient leur équilibre sont ainsi balayées. Chez les pasteurs, les troupeaux qui échappent aux razzias ont difficilement accès aux herbages. Les itinéraires de transhumance sont coupés par l'insécurité, les pâturages sont parfois minés, et l'impossibilité de procéder aux vaccinations entraîne une recrudescence des épizooties. Quant aux

---

insondables et résignés, sont difficiles à soutenir. La nuit suivante, en dépit de leur état, deux d'entre eux parviendront à s'échapper.

Enrôlés de force parmi les populations Nuer locales ou émigrées dans les grandes villes du Nord, les miliciens sudistes progouvernementaux sont soumis à un régime d'une extrême brutalité, à base de mauvais traitements, d'entraînement intensif et de sous-alimentation, destiné à briser leur résistance. Certains prennent le risque de déserter sachant qu'ils encourent la mort en cas de capture. D'autres se vengent de leur existence misérable sur la population : à la nuit tombée, les déplacés de Bentiu se terrent, craignant de croiser la route de combattants imbibés d'alcool frelaté qui risqueraient de les bastonner, de les dépouiller de leurs maigres possessions, de les violer ou de les recruter. Les enrôlements n'ont fait que s'amplifier en 2002-2003. Si MSF est parvenu à faire libérer les membres de son personnel local et à exiger que les combattants malades ne soient pas tous réincorporés avant d'être guéris, l'organisation est souvent contrainte de remettre ces jeunes Nuers aux mains de leurs bourreaux. Tel est le prix effroyable à payer pour continuer à nourrir et soigner les quelque 50 000 civils réfugiés à Bentiu dans l'espoir d'échapper aux combats et à l'emprise des milices.

opérations agricoles, elles sont rendues très aléatoires par le déplacement continuel des lignes de front. En outre, les champs cultivés sont un objectif de guerre privilégié en période de récoltes. Les famines récurrentes qui frappent le Sud tiennent bien plus aux opérations militaires, au pillage des récoltes, au vol du bétail, au recrutement forcé des jeunes hommes et aux déplacements de population qu'aux aléas climatiques régulièrement mis en avant par la plupart des acteurs humanitaires.

Face aux attaques répétées des villages et à leur cortège de violences, la fuite devient la seule échappatoire : à l'étranger, vers l'Ouganda, le Kenya, l'Éthiopie ou la République centrafricaine, qui hébergent 490 000 réfugiés soudanais ; les camps qui les abritent sont le plus souvent des bases arrière du SPLA – et par conséquent des objectifs militaires susceptibles d'être attaqués, comme au Nord-Ouganda, par la rébellion de la Lord Resistance Army (LRA). Fuite aussi vers les grandes villes du Nord ou du Sud, fréquemment soumises à l'arbitraire des milices progouvernementales qui rançonnent et violentent impunément la population sudiste. Khartoum et les grandes agglomérations du Nord accueillent plus de 2 millions de personnes déplacées, selon les Nations unies. Elles se sont entassées dans de vastes extensions urbaines misérables, formées d'abris précaires, progressivement transformés en cases en dur. Plusieurs milliers d'entre elles ont été transférées de force dans des *dar es salam*, installés à plusieurs kilomètres de la capitale, aux portes du désert. Le gouvernement est partagé entre deux attitudes : tenir le maximum de gens du Sud éloignés de leurs terres, et les soumettre à un processus d'arabisation et d'islamisation ; ou expulser cette population difficile à assimiler, potentielle « cinquième colonne » qui véhicule des modes de vie contraires à ceux que les islamistes entendent imposer à la population du Nord. Après avoir tenté, en vain, de repousser les déplacés, le gouvernement a opté pour un contrôle sécuritaire très strict de ces derniers. Mais les quartiers « sudistes » autour de Khartoum demeurent des zones de misère, de chômage massif et de répression. La déstructuration des sociétés du Sud est cependant tempérée par des tentatives de recomposition : on assiste à une montée de l'adhésion au christianisme et à des formes nouvelles de solidarité qui transcendent les clivages ethniques pour prendre en compte la communauté de destin entre voisins.

Les conditions de vie dans les zones SPLA sont éminemment variables selon l'endroit et les populations considérés. En effet, le mouvement est dominé par les Dinkas dont les solidarités claniques s'exercent au détriment des autres groupes. En Équatoria, par exemple, pasteurs et guerriers Toposas de l'Est, montagnards Didingas du Centre ou agriculteurs Zandés de l'Ouest ont tous à souffrir du comportement prédateur de la soldatesque dominée par les Dinkas, et entrent fréquemment en révolte contre la férule du mouvement. En outre, malgré la tenue d'une « convention nationale » à Chukudum en 1994, censée initier un semblant d'ouverture démocratique, le SPLA est resté un mouvement strictement militaire, doté d'un impitoyable appareil de sécurité. Son aile civile, le SPLM, n'en constitue qu'un appendice, tout comme le SRRA (Association soudanaise de secours et de réhabilitation), branche « humanitaire » du mouvement, qui sert avant tout d'instrument de contrôle de la population et de captation de l'aide internationale. Le SPLA a été influencé par son passage par l'Éthiopie de Menguistu et ses cadres ont été formés à l'école soviétique : la lutte de libération est conçue comme un processus dans lequel les directives doivent venir du haut, sous forme autoritaire, et dans lequel la société civile doit être mise au service des combattants.

Les organisations humanitaires au service de la diplomatie

Depuis la famine de 1985 qui frappa les régions sahéliennes et plus encore celle de 1987-1988 qui fit 500 000 victimes, le Soudan est l'objet d'une attention humanitaire toute particulière. Son image de « pays maudit » se « vend bien », les opinions publiques, les médias et les bailleurs de fonds occidentaux étant sensibles à la problématique « chrétiens/musulmans », qui remplace celle de la désertification du Sahel au tournant des années 1990, et qui prend régulièrement la forme d'une condamnation unilatérale du régime nord-soudanais. De plus, le Soudan est le terrain d'une vaste et originale opération de secours patronnée par les Nations unies : l'« Operation Lifeline Sudan » (OLS). Lancée fin 1988, l'OLS repose sur un accord tripartite entre le Fonds des Nations unies pour l'enfance (Unicef), le gouvernement du Soudan et le SPLA. Cet accord, étendu ultérieurement à d'autres factions sudistes (comme le SSIM), est censé autoriser l'acheminement des secours humanitaires en toute impartialité et dans toutes les zones de conflit.

Les règles de fonctionnement de l'OLS engagent strictement les agences des Nations unies et la quarantaine d'ONG qui ont choisi de bénéficier du cadre légal et des facilités logistiques fournis par l'opération (pont aérien, base arrière de Lockichokkio au Nord-Kenya, veille sécuritaire, etc.). Or deux de ces règles contreviennent aux principes élémentaires de toute action humanitaire. D'une part, le gouvernement se voit reconnaître un droit de veto sur la désignation des lieux de livraison des secours : il peut arbitrairement interdire les vols humanitaires à destination de populations affectées par la faim ou les violences, et masquer des zones entières aux regards des témoins étrangers. D'autre part, l'OLS a signé en 1995 avec le SPLA un accord reconnaissant à son bras humanitaire, le SRRA, une place primordiale dans l'organisation des secours et le contrôle des distributions. Bien qu'il soit la branche d'un mouvement insurrectionnel dominé par une culture martiale implacable, le SRRA est considéré comme un partenaire et un acteur humanitaire à part entière auquel est confiée la responsabilité de garantir que l'aide est distribuée « en toute neutralité » et en l'absence de « tout intérêt politique, militaire ou stratégique ».

En pratique, l'OLS est quasiment absente des zones gouvernementales où les opérations humanitaires sont strictement encadrées par le régime. Pour Khartoum, les ONG sont à la fois des témoins gênants, des instruments à la solde de puissances étrangères et les porteurs d'une idéologie contraire à son « projet civilisationnel ». La priorité du pouvoir est donc de les évincer du terrain, en opérant une sélection stricte, sous couvert d'efficacité professionnelle. Celles qui sont autorisées à opérer doivent se plier à une série de contraintes : leur accès à la population est sévèrement restreint (des théâtres d'opérations armées, comme la mer Rouge ou le Nil Bleu, leur sont interdits) et leur présence doit être utile à l'État ou aux institutions locales (comme à Bentiu, où les ONG contribuent à la fixation des populations déplacées en des lieux déterminés et à la sanctuarisation humanitaire de positions stratégiques). Les agences d'aide sont donc engagées dans un bras de fer permanent et épuisant avec des institutions gouvernementales « partenaires », afin d'accéder aux populations les plus à risque en évitant d'être manipulées à des fins foncièrement contraires à leur mandat humanitaire. Face à ces organisations occidentales, souvent accusées de chercher à évangéliser les populations originaires du Sud ou à convertir des musulmans, le régime favorise un nouvel évergétisme islamique, porté par des ONG étroitement liées au régime : al-Da'wa al-Islamiya, Islamic African Relief Agency (IARA), al-Muaffaq, etc. Ces institutions fortunées, qui opèrent de l'ex-Yougoslavie au Cachemire, accompagnent l'assistance qu'elles fournissent de pressions en vue de l'islamisation de la population du Sud, tout en assurant un quadrillage et une formation idéologique qui ne sont dénués ni de coercition ni de brutalité[1].

En zone SPLA, l'aide humanitaire représente une ressource considérable, non pas tant pour la population civile que pour le mouvement rebelle. Grâce au rôle central accordé par l'OLS au SRRA dans l'évaluation des besoins et la distribution des secours, ce dernier peut détourner une part significative de

---

1. Voir A. R. Gandhour, « Les missionnaires modernes de l'Islam », p. 329-343.

l'assistance au profit de l'armée rebelle et des notables locaux. Les méthodes sont multiples : pillage pur et simple des stocks alimentaires au cours d'attaques simulées déclenchant une évacuation préventive des travailleurs humanitaires, inflation démesurée du nombre de bénéficiaires que seul le SRRA est habilité à recenser, détournements systématiques opérés avant la distribution, racket des civils contraints à transporter dans les entrepôts du SPLA les rations alimentaires qu'ils viennent de recevoir, etc. Parallèlement à ces détournements, le SRRA impose aux organismes d'aide de lui rétrocéder une part de leur budget au travers d'un système de taxation, formalisé dans un « *memorandum of understanding* » officiel, servant à financer les services de contrôle et de captation de l'aide (opérateurs radio SRRA, département des « visas », etc.). Le bras « humanitaire » du SPLA bénéficie également de financements directs au travers de projets dits de « *capacity building* » (« renforcement des capacités ») censés améliorer son fonctionnement au nom d'une meilleure efficacité de l'aide.

Par ailleurs, le SRRA encadre plus encore que le gouvernement les opérations de secours. Il sélectionne les ONG en fonction de leur adhésion à sa politique, expulse sans retenue celles qui protestent bruyamment contre ses méthodes, pilote l'accès en fonction des priorités politiques ou militaires du SPLA et fait preuve d'une paranoïa aiguë à l'encontre des organisations humanitaires françaises (suspectées de sympathie pour Khartoum en raison des liens privilégiés de la France avec le gouvernement soudanais). La liberté de circulation en zone rebelle est extrêmement restreinte. Les travailleurs humanitaires sont en permanence escortés par des « officiers de liaison » qui épient leurs faits et gestes et tentent d'empêcher toute relation directe avec les populations locales, qu'ils assimilent à de l'espionnage.

Enfin, les organisations humanitaires sont utilisées par le SPLA comme un moyen de contrôle des populations et de sanctuarisation de ses positions stratégiques. Fermement invités à s'implanter à proximité des bases de la rébellion, les organismes de secours participent à la propagande du mouvement en dénonçant régulièrement les bombardements de l'armée gouvernementale qui font fi de la présence de civils délibérément rassemblés par la guérilla aux alentours de ses installations militaires. Si tous les employés du SRRA ne partagent pas l'ethos militariste du SPLA, leur marge de manœuvre est strictement limitée par leur encadrement. L'exemple du SPLA a fait école : chaque chef de guerre a fondé sa propre organisation de secours (le RASS, Relief Association for Southern Soudan, pour le SSIM/SPDF) qu'il s'évertue à faire reconnaître par les donateurs.

Le dévoiement des opérations de secours a pour première conséquence de faciliter la logistique des mouvements rebelles en leur livrant des stocks de nourriture par air dans des zones d'accès routier très difficile – voire impossible – et en proie à une précarité alimentaire chronique. Dans ces conditions, Khartoum a beau jeu de refuser l'acheminement de l'aide aux régions en crise, sachant qu'elle aboutit en grande partie dans les entrepôts des rebelles. Mais l'institutionnalisation des détournements a une conséquence beaucoup plus grave : elle prive les populations civiles des chances de survie qu'offrirait l'assistance humanitaire si elle leur parvenait. Ainsi, en dépit des tonnages amplement suffisants déversés à Ajiep dans le Bahr el-Ghazal à partir de juillet 1998, 10 % des enfants frappés par la famine sont morts en l'espace de trois mois, faute d'avoir reçu l'aide alimentaire qui leur était destinée (voir encadré p. 164-165). Dans le même temps, les entrepôts du SPLA – alors en pleine offensive militaire – ont été renfloués et on enregistrait un enrichissement notable de certains groupes ou individus entretenant des relations privilégiées avec le SRRA, le SPLA et leurs agents locaux.

En définitive, les pratiques du gouvernement et du SPLA convergent singulièrement au détriment de la population civile. En situation de crise alimentaire aiguë, il suffit au gouvernement d'interdire aux organismes de secours de livrer une aide alimentaire d'urgence (via son droit de veto sur les vols OLS) ou au SPLA de la détourner (via le SRRA) pour voir apparaître des famines de grande ampleur, comme celle qui a frappé le Bahr el-

Ghazal en 1998. Cette situation est amplement décrite et reconnue depuis la seconde moitié des années 1990. Pourtant, elle perdure. L'OLS, qui finance directement le SRRA (sans que ce manquement au principe élémentaire de neutralité ne lui pose problème), n'a jamais émis que de molles protestations. Ainsi en 1998, l'ONG Action contre la faim (ACF) s'est vu signifier son expulsion des zones SPLA pour « espionnage » : elle cherchait simplement à savoir pourquoi, en dépit de distributions alimentaires substantielles, il était impossible de réduire le taux de malnutrition dans les camps de déplacés de Labone (dont les résidents se décrivent eux-mêmes comme « les vaches à lait de John Garang »). L'OLS entérina la décision des autorités rebelles sans émettre la moindre désapprobation.

La famine de 1998 dans le Bahr el-Ghazal

En décembre 1997, Kérubino Kwanin Bol, l'un des fondateurs du SPLA, qui s'était rallié au gouvernement à la fin des années 1980 décide de rejoindre à nouveau la rébellion. Originaire du Bahr el-Ghazal et connu pour sa brutalité, il tente de s'emparer de Wau, la capitale provinciale, et de plusieurs villes voisines. D'abord victorieux, il est délogé par une violente contre-offensive gouvernementale qui pousse des dizaines de milliers de Dinkas à fuir leurs foyers. De proche en proche, les combats gagnent les régions alentour, contraignant les populations à prendre la fuite. Environ 20 000 déplacés se rassemblent progressivement à Ajiep, petite localité de 1 500 habitants contrôlée par le SPLA, à quelques kilomètres de la ligne de front.

Une grave crise alimentaire se profile dès le printemps 1998, les résidents n'ayant que de maigres ressources et les déplacés quasiment aucune. Le gouvernement soudanais décide alors d'interdire les livraisons d'aide alimentaire. L'embargo dure pendant un mois, mais sa levée partielle fin février ne permet pas d'acheminer des secours suffisants en raison de la précarité des conditions de sécurité qui prévalent jusqu'à fin avril. L'OLS, fidèle aux

On comprend facilement l'intérêt du principal bailleur de fonds au Sud-Soudan, les États-Unis, à la perpétuation d'un tel système. L'OLS est un moyen commode de soutenir indirectement une insurrection dirigée contre un régime jugé hostile – ou, du moins, extrêmement peu fiable. En permettant au SPLA de mener une guerre d'usure contre Khartoum, sans pour autant lui donner les moyens de l'emporter – ce qui déplairait à d'autres alliés des États-Unis, comme l'Égypte –, Washington poursuit une politique d'endiguement classique à l'encontre d'un « *rogue state* ». Le recours à l'assistance dite « humanitaire » lui permet d'éviter d'armer ou de financer directement le SPLA, ce qui serait plus difficile à justifier auprès du Congrès (qui a refusé en 2000 l'octroi d'une aide alimentaire

conventions qui la lient à Khartoum, se soumet à ce qui équivaut à la condamnation à mort de milliers de civils.

Fin avril les combats connaissent un répit, ce qui permet aux organisations humanitaires d'accéder plus librement à la zone. De mai à octobre 1998, 2 500 tonnes de nourriture sont larguées par air à Ajiep où l'on voit défiler plusieurs centaines de journalistes, d'experts et de travailleurs humanitaires. La famine n'est pas endiguée pour autant. Cinq mois après le début des opérations de secours, la moitié des enfants d'Ajiep souffrent toujours de malnutrition. Des enquêtes de mortalité rétrospectives estiment que, entre le 3 juin et le 28 septembre 1998, 3 000 personnes de plus sont mortes.

Conformément aux accords signés entre l'OLS et le SRRA, c'est le bras « humanitaire » de la rébellion qui distribue les secours par l'intermédiaire de « comités locaux » composés de « chefs traditionnels » supervisés par le SRRA. Les personnes déplacées étrangères au district ne reçoivent qu'une infime partie de l'aide qui leur est destinée et meurent en masse. Au total, la famine du Bahr el-Ghazal a fait plusieurs dizaines de milliers de morts tout en fournissant aux chefs de clans puissants et au SPLA l'occasion de renflouer leurs stocks de nourriture.

directe à la rébellion) et pourrait être considéré comme un *casus belli* par Khartoum. L'option du « blanchiment humanitaire » s'est en outre avérée un moyen de concilier à faible coût les intérêts divergents des milieux d'affaires et des lobbies ultra-conservateurs qui pèsent sur la politique étrangère américaine. L'Union européenne a longtemps maintenu une position similaire avant de dénoncer le comportement du SPLA à l'égard des ONG... au moment même où elle engageait un « dialogue constructif » avec Khartoum peu de temps après la remise en exploitation des gisements pétroliers.

Mais la persistance d'un mécanisme aussi perverti ne tient pas uniquement aux objectifs diplomatiques poursuivis par les puissances occidentales. Les acteurs humanitaires, agences de l'Organisation des Nations unies et organisations non gouvernementales, y trouvent également leur compte. La crise soudanaise est une véritable rente financière pour un grand nombre d'agences dont l'équilibre budgétaire ne serait pas atteint sans l'apport des importants volumes d'aide qu'ils gèrent au Sud-Soudan. Moins prosaïquement, un grand nombre d'organisations humanitaires adhèrent à la critique que leur adresse le SPLA pour qui « il est immoral de rester neutre face à la brutalité du régime nord-soudanais, qui cherche à islamiser de force les populations chrétiennes du Sud-Soudan ». Elles abandonnent ainsi toute neutralité humanitaire pour devenir des compagnons de route de la lutte de libération sud-soudanaise, reléguant au second plan leur mission d'assistance aux populations civiles. À cet égard, le cas le plus extrême est celui des organisations évangélisatrices – comme Christian Fellowship International ou Christian Solidarity International, véritables pendants des ONG islamiques du Nord – ayant pris fait et cause pour le SPLA au nom de la défense de la chrétienté face à l'islam conquérant. D'autres justifient les détournements opérés au profit des rebelles au motif que les distributions sont gérées par les « comités locaux » censés représenter la « société civile ». Aller à l'encontre des arbitrages décrétés par ces comités serait une marque de néo-colonialisme. La « société civile sud-soudanaise » serait en droit de sacrifier une partie des siens pour libérer le plus grand nombre du joug de l'oppresseur islamiste. Mais à notre connaissance, aucun représentant des 3 000 personnes mortes d'inanition entre juillet et octobre 1998 à Ajiep, dans le Bahr el-Ghazal, n'a consenti à livrer les siens à la famine pour permettre au SPLA de poursuivre sa lutte... Enfin, la dérive bureaucratique de la plupart des organismes d'aide, en particulier onusiens, donne une dernière clé d'explication. Considérant que les détournements sont le simple produit des dysfonctionnements de l'administration dite « humanitaire » du SPLA, ces organismes s'évertuent à renforcer l'institution même qui les fabrique – le SRRA –, persuadés qu'ils sont qu'avec un peu de bonne volonté ils parviendront à « résoudre le problème ».

L'implication internationale au Soudan est donc multiple : puissances régionales luttant contre un régime cherchant à les déstabiliser, compagnies pétrolières, dont les intérêts ne coïncident pas nécessairement avec ceux de leur pays d'origine, États occidentaux soucieux d'endiguer un « État-voyou » qui ambitionne de s'imposer en héraut d'un nouvel ordre islamique mondial, agences humanitaires à l'agenda ambigu, etc. Ces ingérences diverses compliquent la résolution d'un conflit dont l'enjeu central reste la construction d'un État susceptible d'intégrer la pluralité culturelle, sociale et politique de l'ancien condominium anglo-égyptien, et dont le niveau de violence renvoie au mépris des élites politiques soudanaises, tant nordistes que sudistes, pour les populations civiles qu'elles affirment représenter. Si ces différents niveaux d'implication étrangère relèvent du jeu classique des relations internationales et transnationales, le « blanchiment humanitaire » de la politique extérieure d'un certain nombre d'États occidentaux au Soudan est particulièrement pervers. Tant que les opérations de secours seront conçues comme un moyen détourné d'amadouer les autorités soudanaises ou de renforcer la rébellion, elles seront incapables de sauver d'une mort certaine des milliers de Soudanais. Il en restera de même si, comme cela semble se dessiner actuellement, l'assistance humanitaire est utilisée comme moyen de pression pour amener les belligérants à négocier. Les acteurs de l'aide portent une lourde responsabilité dans ce dévoiement. C'est à eux qu'incombe la responsabilité première de mettre leurs actes en conformité avec les principes qu'ils revendiquent.

Marc LAVERGNE et Fabrice WEISSMAN

Références bibliographiques

African Rights, *Food and Power in Sudan. A Critique of Humanitarianism*, Londres, African Rights, 1997.

Épicentre, V. Brown *et al.*, « Violence in Southern Sudan », *The Lancet*, vol. 359, 12 janvier 2002, p. 161 ; H. Creus-vaux *et al.*, « Famine in Southern Sudan », *The Lancet*, vol. 354, 4 septembre 1999, p. 832.

S. Jaspar, *Targetting and Distribution of Food Aid in SPLA Controlled Areas of South Sudan*, Nairobi, World Food Program, 1999.

M. Lavergne (dir.), *Le Soudan contemporain*, Paris, Karthala, 1989.

M. Lavergne et R. Marchal (dir.), « Le Soudan contemporain, l'échec d'une expérience islamiste ? », *Politique africaine*, n° 66, juin 1997.

R. Marchal, « Le facteur soudanais, avant et après », *Critique internationale*, n° 17, octobre 2002, p. 44-51.

Médecins sans frontières, *La Famine au Sud-Soudan et le fonctionnement du système de l'aide : un premier bilan*, Paris, MSF, 1999.

III

L'abstention

CHAPITRE 7

Liberia :
un chaos orchestré

Depuis 1999, le Liberia est à nouveau en guerre. Des factions armées, disposant de bases arrière en Guinée et en Côte d'Ivoire, se sont lancées à l'assaut du pouvoir détenu depuis 1996 par Charles Taylor. Une nouvelle fois, les populations libériennes se trouvent prises en étau entre des rébellions qui les réduisent en esclavage et des troupes gouvernementales pour qui le racket, le pillage, le viol et le harcèlement des civils constituent les principales formes de rétribution. Cherchant à fuir la brutalité des combattants, des centaines de milliers de Libériens ont tenté de se réfugier à l'étranger, en Sierra Leone ainsi qu'en Guinée et en Côte d'Ivoire où la guerre a fini par les rattraper en 2000 et 2002. Quant aux populations ne pouvant quitter le pays, en raison de la fermeture des frontières et de la pression des factions, elles errent au gré des combats dans un pays en ruine. La plupart des personnes déplacées finissent par s'entasser dans des camps à la sécurité précaire, ou parviennent à s'installer dans les banlieues insalubres de la capitale qui abrite presque la moitié de la population libérienne, soit 1,5 million de personnes.

À l'heure où ces lignes sont écrites (juillet 2003), Monrovia est la proie de combats d'une extrême intensité entre rebelles et troupes gouvernementales. Sans eau courante, sans nourriture, sans soins (alors même que sévit une épidémie de choléra), des centaines de milliers d'habitants se terrent, crai-

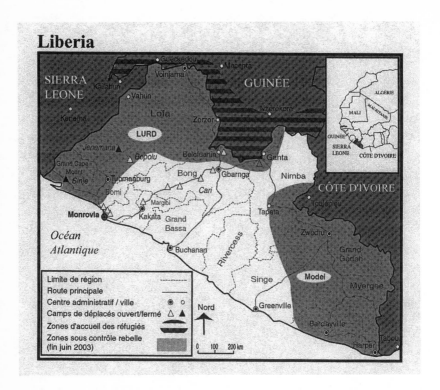

gnant le déluge de balles et d'obus qui s'abat sur la ville ou d'être la cible de combattants souvent drogués au comportement imprévisible. Alors que la Grande-Bretagne s'implique de façon décisive en Sierra Leone et que la France envoie ses troupes contenir la guerre civile qui a éclaté en Côte d'Ivoire en 2002, le Liberia est soigneusement mis en quarantaine. La communauté internationale s'emploie à confiner la crise à l'intérieur de ses frontières et assiste, l'arme au pied, à ce nouveau bain de sang, sans même offrir aux Libériens la possibilité de trouver un asile décent dans les pays voisins. Jusque-là en charge des services sociaux rudimentaires de ce pays exsangue, les quelques organisations humanitaires présentes en juillet 2003 en sont réduites à compter les morts, à soigner les blessés qui parviennent à se faufiler jusqu'à elles et à assister quelques camps de déplacés grâce au courage de leur personnel national.

Pourtant, cette crise n'est pas le fruit d'un déferlement de « sauvagerie africaine » que les États « civilisés » ne pourraient que déplorer ou, au mieux, cantonner au territoire libérien – quitte à faire montre de compassion humanitaire, sans beaucoup de conviction à ce jour. Cette crise est étroitement liée à l'intégration croissante du Liberia dans l'économie-monde et au délitement d'un « État fantôme » choyé par Washington du temps de la guerre froide. Surtout, elle révèle la face cachée des politiques de stabilisation menées en Sierra Leone et en Côte d'Ivoire, d'où les combattants les plus intraitables ont été chassés vers le Liberia et encouragés à renverser le président en place.

Le maelström libérien

Au terme de sept années de conflit ayant coûté la vie à au moins 80 000 personnes, le Liberia semble s'engager en 1996 sur le chemin de la pacification. Les quatre principaux chefs de guerre, dont Charles Taylor, le plus puissant d'entre eux, signent, sous les auspices du Nigeria et de la Communauté économique des États de l'Afrique de l'Ouest (CEDEAO), un ultime accord de paix. Celui-ci prévoit la cessation des hostilités, le désarmement des troupes et l'organisation d'élections. Le premier tour du scrutin présidentiel se tient le 19 juillet 1997, sans incident majeur et avec un fort taux de participation. Charles Taylor est élu avec 75,3 % des voix au terme d'une campagne d'intimidation au slogan ravageur : « *No Taylor, no peace* ». Pour les Libériens, qu'importe le sang qu'il a sur les mains, il faut l'élire pour retrouver la paix (« *He killed my pa, he killed my ma, I'll vote for him* »).

L'installation de Charles Taylor à la tête de l'État ne change pas radicalement la nature du système de domination qu'il avait élaboré en tant que chef rebelle. À l'instar de son prédécesseur Samuel Doe, Taylor utilise les institutions étatiques comme une façade symbolique à l'abri de laquelle il consolide un réseau personnel et hypercentralisé d'exploitation économique. Partenaire obligé des entreprises opérant dans l'exploitation forestière, le commerce de diamants ou les télé-communications, Taylor utilise son statut de chef d'État pour couvrir ses activités commerciales et financières, maintenir des contacts « officiels » avec ses associés étrangers et renforcer son appareil coercitif. Celui-ci repose sur l'armée, la police et différentes agences de sécurité gouvernementales ainsi que sur plusieurs milices qui échangent leurs prestations sécuritaires contre quelques prébendes. Tous se rémunèrent sur le dos des populations : la taxation systématique des civils, le pillage, le viol et le meurtre semblent érigés en système de rétribution normalisé des groupes armés opérant pour le régime (voir encadré p. 175).

Légitimé par le processus électoral de 1997, Taylor étend son aire d'influence aux pays voisins. Depuis 1991, il n'a cessé d'apporter un soutien actif aux rebelles sierra-léonais du Revolutionary United Front (RUF) dont il abrite les bases arrière et les circuits de commercialisation des diamants. En septembre 2000, il est accusé de soutenir une coalition hétéroclite regroupant des combattants du RUF, des forces libériennes et des rebelles guinéens qui tentent de renverser le régime du président guinéen Lansana Conté. La même année, il procure une garde rapprochée à Robert Gueï, le général ivoirien auteur d'un coup d'État, qui se maintiendra au pouvoir un an avant d'être chassé d'Abidjan. En 2003, le président ivoirien Laurent Gbagbo accuse Taylor de soutenir les rebelles de l'Ouest qui menacent son régime.

Les ambitions régionales de Taylor et ses contacts privilégiés avec la Libye (qui lui a fourni un appui logistique lors de son accession militaire au pouvoir) irritent les États voisins et les puissances internationales. Ces dernières entreprennent d'isoler son régime dans l'espoir de briser sa capacité de nuisance. Les liens du RUF sierra-léonais avec le Liberia sont dénoncés à plusieurs reprises. Malgré les dénégations outragées de Charles Taylor, le Conseil de sécurité de l'ONU décrète en mars 2001 un régime de sanctions assez stricte à l'encontre de Monrovia, incluant un embargo sur les ventes d'armes et l'achat de diamants, ainsi que l'interdiction de déplacements internationaux pour les officiels libériens et leurs proches. En Guinée, le régime Conté, d'abord sur la défensive, reçoit une aide financière et militaire des États-Unis pour repousser les rebelles qui tentent de le renverser. Conakry porte le feu dans le nord du Liberia en 2001 et renforce son soutien à un groupe d'insurgés libériens apparu en février 2000, le LURD (Liberians United for Reconciliation and Democracy).

Jour ordinaire au Liberia

Jour ordinaire à Monrovia : une voiture de police dépose trois corps tuméfiés devant l'hôpital ; deux des trois personnes décèdent dans l'heure, la troisième se traîne à l'intérieur. Les équipes soignantes constatent que l'homme a été torturé. Certains croient reconnaître en lui le journaliste Hassan Bility enlevé quelques semaines auparavant pour avoir critiqué le président Charles Taylor. On ne pourra pas le vérifier : vingt-quatre heures plus tard, le patient a disparu.

Jour ordinaire à Monrovia : les hommes de l'ATU (Anti-Terrorist Unit) déboulent sur le marché principal de la capitale et arrêtent systématiquement les adolescents sous prétexte que des dissidents se seraient infiltrés parmi eux. Ceux dont les proches disposent d'un peu d'argent pourront acheter leur libération, les autres seront envoyés au front dans le Nord. La population terrorisée se tient tranquille, les forces de sécurité se rémunèrent, la jeunesse urbaine marginalisée, force de contestation potentielle, est utilement recyclée comme chair à canon.

Jour ordinaire au Liberia : un pick-up débordant de soldats stoppe en bordure de route, une douzaine d'hommes en sortent. Ils attrapent une jeune fille et la jettent à coups de botte dans leur véhicule. Ils repartent en saluant un travailleur humanitaire.

Regroupant d'anciennes factions libériennes à l'origine d'incursions armées ponctuelles depuis 1999, le LURD n'a apparemment d'autre programme que le renversement de Charles Taylor. Des combattants sierra-léonais et guinéens figurent dans ses rangs. Il dispose de bases arrière et de circuits d'approvisionnement militaires en Guinée et bénéficie de l'appui discret de conseillers militaires britanniques appartenant au corps expéditionnaire déployé en Sierra Leone en mai 2000 pour soutenir la force de maintien de la paix des Nations unies. Outre ces appuis étatiques, les ressources du LURD proviennent de la diaspora libérienne émigrée aux États-Unis, de la taxation et de la mise au travail des populations civiles ainsi que de l'exploitation limitée de gisements de diamants.

Soutenu par ses parrains guinéen et anglo-saxon, le LURD parvient en 2000-2001 à s'implanter durablement dans la province septentrionale du Lofa, autour de Voinjama. À partir de l'été 2001, les combats s'étendent aux régions voisines, provoquant d'importants déplacements de population, y compris parmi les réfugiés sierra-léonais qui avaient fui au Liberia. Le tiers nord-ouest du pays se transforme en un vaste *no man's land* où se croisent des populations civiles en fuite, hagardes, constamment harcelées, et des groupes armés mal identifiés et mal contrôlés. Les organisations humanitaires n'y circulent que de façon restreinte et uniquement sur les axes autorisés par les forces de Taylor. L'accès au Lofa, la province la plus septentrionale, leur est complètement interdit depuis novembre 2001.

Début 2002, le pouvoir accuse le LURD d'être à l'origine d'une série d'attaques contre des camps de déplacés (comme Sinje, Cari et Jene Mana), ainsi que sur les villes de Kakata, Tubmanburg et Bopulu. D'aucuns soulignent que l'instabilité et les pillages, bien réels, seraient le fait de bandes armées agissant pour le compte du régime. Si l'offensive du LURD ne fait aucun doute, la capacité de nuisance du mouvement est probablement amplifiée par le pouvoir libérien afin de couvrir les exactions liées au système de rétribution des forces progouvernementales. La dramatisation de la menace permet également à Taylor de se déclarer victime d'une agression et de demander la levée de l'embargo sur les armes ainsi que l'augmentation de l'aide humanitaire internationale. Il est cependant difficile d'avoir des certitudes sur la situation au Liberia tant la confusion fait partie intégrante du jeu politique.

Toujours est-il que les attaques des « dissidents » permettent opportunément au président libérien de décréter l'état d'urgence en février 2002 et de décapiter l'opposition civile, un an avant la date alors prévue pour la prochaine élection présidentielle. Taylor renforce sa politique de terreur à l'égard des populations civiles, soumises à l'arbitraire de ses unités antiterroristes. Mais en juin 2003, les succès militaires du LURD ainsi que l'apparition d'un nouveau mouvement armé dans le sud-est du Liberia (le Model) contraignent le président libérien à s'enfermer dans sa capitale assiégée puis à entamer des négociations avec la rébellion au Ghana. Quels que soient l'issue des pourparlers et le destin personnel de Taylor, il est difficile de voir dans les rebelles du LURD, qui ont commis tant d'exactions dans le nord du pays, une alternative susceptible de ramener la paix dans le pays.

Des populations en quête d'un improbable refuge

La pérennisation des violences armées dans le Lofa et leur propagation dans les régions voisines ont provoqué la fuite de centaines de milliers de personnes à l'intérieur du pays et vers les États frontaliers. Pour les six premiers mois de l'année 2002, le nombre des déplacés internes est estimé à 60 000 personnes par le Comité international de la Croix-Rouge. Les réfugiés seraient au nombre de 100 000, répartis pour moitié en Côte d'Ivoire et pour le reste en Sierra Leone (25 000) et en Guinée (25 000). Ils viennent s'ajouter aux 220 000 Libériens déjà présents dans ces pays depuis la guerre de 1989-1996. Les récents événements de l'année 2003 (troubles en Côte d'Ivoire, siège de Monrovia, extension du conflit dans le sud-est du Liberia) ont jeté plus de fuyards encore sur les routes de l'exil.

Exposées à la violence extrême des combattants dont elles constituent la cible prioritaire, ces populations en fuite retrouvent souvent les itinéraires d'errance, de peur et de souffrance qu'elles ont connus à plusieurs reprises depuis 1989. Elles n'échappent pas toujours au conflit. En Guinée, des mouvements armés comme le LURD opèrent rackets et recrutements forcés dans le camp de réfugiés de Kouankan (préfecture de Macenta) dont les entrées sont pourtant contrôlées par les autorités guinéennes. Le Haut-Commissariat pour les réfugiés, officiellement en charge de la protection et de l'assistance aux Libériens, préfère détourner les yeux plutôt que de se confronter au laisser-faire des gendarmes guinéens (qu'il estime avoir déjà sensibilisés à la

---

Itinéraires de fuite

Le village d'Awa Degbé, dans le Lofa, région nord du Liberia, a été attaqué par les forces gouvernementales un matin de novembre 2001. Les habitants avaient eu le tort d'héberger des dissidents du LURD. Aux premiers coups de fusil, ils se sont éparpillés dans la forêt. Awa Degbé a fui avec l'une de ses filles, son père et d'autres villageois. Elle n'a aucune nouvelle des autres membres de sa famille. Certains disent que son mari a été exécuté par des soldats ivres, d'autres que ses deux garçons ont été recrutés de force par l'armée libérienne. Elle ne sait pas.

Awa Degbé et les siens ont passé plusieurs mois dans la forêt, se nourrissant tant bien que mal de fruits sauvages et de tubercules. Mais la faim, la fatigue et plus encore le bruit des combats qui embrasent le Lofa les ont poussés toujours plus au nord, vers la Guinée.

Sur la route, ils ont été pris par les rebelles qui les ont emmenés à Kolahun, leur base, pour en faire des esclaves domestiques. La veille de Noël, la ville a été attaquée par les forces gouvernementales. De nouveau la fuite, désordonnée... Sur la route de la Guinée, les

---

protection des réfugiés au travers d'un programme de formation financé par ses soins...). Les camps, militarisés, se transforment en cibles militaires. Ils constituent l'un des enjeux majeurs de l'offensive des « rebelles guinéens » soutenus par Taylor, désireux de déloger les troupes du LURD installées parmi les réfugiés le long de la frontière libéro-guinénne.

Dans les camps, la majorité des familles vit dans une telle précarité que la loi du plus fort prévaut souvent. Les personnes les plus vulnérables (femmes, enfants, personnes âgées, minorité ethnique, « derniers arrivés ») sont victimes de nombreux abus (violences, rackets, travaux forcés, etc.). Ceux-ci sont rarement identifiés et combattus par les agences de secours dont le laxisme ou les turpitudes participent souvent à l'entretien de

rebelles ont érigé des barrages pour empêcher les populations de s'échapper. Mais Awa est parvenue à se procurer les cent dollars libériens – moins de deux euros – nécessaires à l'achat de deux laissez-passer pour la frontière. Ne lui demandez pas comment.

Elle a emmené avec elle sa fille mais a dû abandonner son père, faute d'argent. Elle a atteint la frontière guinéenne où se massent des centaines de fuyards exsangues et hagards après tant de mois passés dans la forêt. Tous tentent de fuir l'horreur mais seules quelques grappes de réfugiés sont autorisées à franchir la frontière quand leur flot se fait trop pressant. Dans ces confins du Liberia et de la Guinée, le droit de fuite, proclamé par le droit international, n'a pas cours.

Qui voudrait l'appliquer ? Les rebelles du LURD ont besoin des civils pour assurer leur approvisionnement et prouver qu'ils tiennent le nord du Lofa. Les autorités guinéennes ferment la frontière, craignant les infiltrations de combattants libériens – deux ans plus tôt, ces derniers ont provoqué de violents combats dans la préfecture de Gueckedou. Le HCR ne pourrait faire face à un afflux de réfugiés alors que ses camps sont déjà pleins et que le pouvoir guinéen rechigne à en ouvrir de nouveaux. Quant aux puissances internationales, elles ont choisi que la crise libérienne reste confinée à l'intérieur de ses frontières.

la violence sociale. Dans le système actuel de gestion des camps, les individus sont assimilés à des abstractions administratives définies par un petit nombre de « besoins vitaux ». « De quoi se plaignent ces réfugiés qui sortent hagards de la forêt et à qui l'on porte une assistance gratuite ? » s'étonne un représentant des agences internationales. Ils se plaignent d'être trop souvent réduits à une formule qui additionne un volume d'eau exprimé en mètres cubes à une ration exprimée en kilogrammes de blé concassé, plus des soins exprimés en indicateurs épidémiologiques. Ils se plaignent d'une assistance qui les réduit à des corps biologiques, en attente, en survie et sans droits – en somme, d'être la cible d'un dispositif policier, alimentaire et sanitaire relevant d'un régime d'exception où toutes les violences sont possibles (voir « Espaces humanitaires, espaces d'exception », p. 303-318).

La déstabilisation progressive des zones frontalières a par ailleurs un impact dramatique pour les populations libériennes qui tentent de fuir les combats par la Guinée. En effet, les rebelles libériens du LURD n'autorisent à franchir la frontière que les personnes capables de payer une certaine somme et cherchent à retenir les hommes en âge de travailler ou de combattre. De son côté, la Guinée refoule de nombreux civils libériens en fuite en arguant de son droit à assurer la sécurité de son propre territoire (voir encadré p. 178-179).

Les populations frappées par les combats et qui ne peuvent trouver un refuge précaire à l'étranger errent à l'intérieur du pays au gré des affrontements et des injonctions des groupes armés qu'ils croisent sur leur route. Certains finissent par s'entasser dans des camps de déplacés internes dont la localisation est déterminée par les autorités libériennes en fonction d'impératifs militaires négligeant totalement les besoins de protection et d'assistance des populations. D'autres parviennent à s'installer dans les banlieues insalubres de la capitale après avoir contourné ou acheté leur passage aux barrages filtrants installés par les forces progouvernementales afin d'enrayer l'afflux de personnes déplacées sur Monrovia, suspectées d'abriter des « infiltrés ». Beaucoup, cependant, n'ont pas la possibilité d'échapper aux factions armées. Ils constituent pour celles-ci un vivier important de jeunes recrues et de main-d'œuvre servile sur lequel il est important de régner par la terreur à défaut de toute autre forme de légitimité.

La situation est à peine meilleure dans les zones épargnées par le conflit. Outre l'arbitraire des forces de sécurité, les Libériens doivent faire face à l'effondrement de l'économie nationale et à la totale inexistence de services sociaux. Les services publics sont laissés à l'abandon. La capitale est toujours dépourvue d'eau et d'électricité courantes. Le système de santé gouvernemental ne compte que vingt-cinq médecins et Monrovia un seul hôpital public, surchargé, censé desservir près d'1,5 million d'habitants (soit la moitié de la population libérienne).

L'État, compte tenu de son maigre budget (70 millions de dollars en 2002), est incapable de faire face à cette situation. Ce budget est principalement alimenté par les recettes tirées de l'immatriculation des navires battant pavillon de complaisance libérien (comme le pétrolier naufragé *le Prestige*) et par les royalties perçues sur l'exploitation forestière. Or ces deux sources de revenus sont versées sur des comptes privés échappant au contrôle de la Banque centrale et soumis à un droit de tirage discrétionnaire de la présidence... Hormis Taiwan, aucun bailleur de fonds ne s'est risqué à octroyer une aide économique bilatérale à l'« État fantôme » libérien. En conséquence, la quasi-totalité de l'aide internationale est canalisée par le biais des ONG et des agences humanitaires des Nations unies, qui, de fait, tiennent à bout de bras les services sociaux rudimentaires du pays.

Plus généralement, la société libérienne semble victime d'un processus de déstructuration dont rendent difficilement compte les indices de « développement humain » des Nations unies. Pourtant, un statisticien aurait de bien morbides calculs à établir au Liberia. Ceux-ci, par exemple : quel est le pourcentage de probabilité qu'une jeune fille née dans le Lofa atteigne ses quatorze années sans avoir été victime d'un viol ? Quelle est la part des enfants et des adolescents libériens à n'avoir jamais assisté au meurtre d'un de leurs proches ? Au-delà d'un taux de morbidité préoccupant, ces populations affaiblies sont les victimes d'une désagrégation sociale qui touche plus particulièrement la région du Lofa mais qui s'étend progressivement au reste du pays : dislocation des familles, affaissement des solidarités communautaires, mise en esclavage des civils, banalisation des viols, recrutement d'enfants-soldats. Le Liberia doit être appréhendé comme un pays en situation de crise, laquelle se signale autant par le nombre significatif de morts quotidiennes que par la banalisation et la généralisation des phénomènes de violence liés à la déstructuration du tissu social.

Au « cœur des ténèbres » ?

La violence au Liberia ne s'inscrit pas au « cœur des ténèbres », au centre d'une Afrique fantasmée où la « civilisation » n'aurait jamais pris le pas sur la « barbarie ». Tout au contraire, elle est étroitement liée à l'intégration croissante de ce pays dans l'économie-monde. Avec la fin de la guerre froide, la classe dirigeante libérienne s'est vu progressivement priver d'une aide extérieure considérable. Celle-ci provenait notamment des États-Unis désireux d'installer, après 1945, une tête de pont militaire dans la région. À la fin des années 1980, alors que s'effondre le mur de Berlin, Washington cesse officiellement tout soutien financier au régime de Samuel Doe dont les nombreuses exactions préfigurent celles exercées par le régime Taylor. Privé de cette manne, l'État libérien n'est plus en mesure d'assurer les redistributions clientélistes qui garantissaient l'intégration des élites locales et la reproduction du système.

Accéléré par la fin de la guerre froide, l'épuisement du modèle étatique rend la classe dirigeante vulnérable aux ambitions d'entrepreneurs politiques locaux. Ces derniers profitent de la faiblesse de l'État pour capter à leur profit les ressources du pays et se faire eux-mêmes les vecteurs de la redistribution.

Les acteurs économiques internationaux s'adaptent rapidement à ces transformations et y trouvent même leur compte : des réseaux économiques informels s'organisent pour extraire le diamant, le caoutchouc, l'or, le bois précieux. Ils perdureront après le déclenchement de la guerre civile qui entraîne un accroissement sensible des exportations de bois. L'apparent chaos de la scène politico-militaire libérienne n'a jamais débouché sur un chaos économique. Au contraire, les connexions rapides qui s'établissent entre les milieux d'affaires et les chefs de guerre offrent à ces derniers les ressources économiques dont ils ont besoin et accélèrent l'effondrement du peu d'État encore en place.

Le conflit libérien est aussi le fruit d'une crise de reproduction sociétale qui va au-delà de l'affaissement de l'État. En effet, la société libérienne n'est plus capable d'intégrer une jeunesse désœuvrée et déçue qui ne reconnaît plus la légitimité des mécanismes traditionnels de régulation sociale, en décalage avec ses aspirations. Face à la faillite des systèmes scolaires, le chômage et l'incapacité des sociétés rurales à concurrencer le contre-modèle venu de la ville ou d'Occident, une partie de la jeunesse est amenée à considérer la voie des armes comme le moyen le plus sûr et le plus rapide d'acquérir un statut envié : si ce n'est ni la plume ni la *daba* – la houe d'Afrique de l'Ouest –, ce sera la kalachnikov. Dans le contexte de délitement social, de diffusion de la violence et de globalisation culturelle, les anciennes figures de la réussite (comme celles de l'intellectuel éduqué ou du fonctionnaire) cèdent le pas à des représentations valorisant « l'homme en armes » au nom d'une économie morale de la ruse et de la débrouille légitimant la raison du plus fort[1]. Instrumentalisés par des entrepreneurs politiques qui les recrutent à un âge toujours plus précoce, ces jeunes vont alors nourrir le cycle des violences collectives au Liberia.

La matrice du conflit libérien est infiniment complexe, les

1. R. Banégas et J. P. Warnier, « Nouvelles figures de la réussite et du pouvoir », *Politique africaine*, n° 82, juin 2001, p. 5-21.

acteurs plus nombreux que ceux présentés ici (mercenaires recrutés à l'étranger, influence de puissances régionales comme la Libye, le Burkina Faso, la Côte d'Ivoire ou le Nigeria). L'esquisse rapidement brossée dans les pages qui précèdent a simplement souligné les connexions entre les logiques de l'économie-monde, la frustration des jeunes générations marginalisées et les appétits d'entrepreneurs politiques enhardis par la décomposition de l'État libérien. Soulignons à cet égard que la crise libérienne n'est pas plus le produit de la « barbarie atavique » du continent africain que d'un « tribalisme » profondément enraciné dans la culture des sociétés forestières : Kongos contre forestiers, Krahns contre Manos, Mandingos contre Lomas, Gbandis contre Kissis. Si les rancœurs tribales ou ethniques sont aujourd'hui bien réelles, ces oppositions ne constituent en aucun cas une donnée initiale du conflit. Loin de plonger leurs racines dans des oppositions immémoriales, elles sont le produit d'instrumentalisations politiques récentes : les exactions commises, dans les années 1980, par le président Doe contre les Manos puis, dans les années 1990, par Taylor contre les Mandingos ou les Krahns ont provoqué la radicalisation des affirmations identitaires et des oppositions ethniques. Ces dernières ne constituent pas le moteur de la guerre mais une technique de mobilisation parmi d'autres – et certainement pas la plus déterminante – utilisée par les principaux acteurs du conflit.

Dans l'équation politique et militaire, les civils se trouvent réduits au rôle de main-d'œuvre servile, de réservoir de combattants potentiels et de source de rétributions matérielles et sexuelles pour la soldatesque chargée de sécuriser les zones d'exploitation économique. Véritable prolétariat de la violence, les combattants de base – dont une partie est composée d'enfants-soldats enrôlés de force et soumis à des rituels et à des processus d'intégration particulièrement brutaux – se paient sur la bête. Au sein des factions armées, la discipline est aussi lâche que cruelle, et il n'est pas rare que les chefs militaires soient dépassés par leurs troupes. L'extrême violence pratiquée à l'encontre des civils doit être comprise à la lumière de ce contexte et comme technique de terreur et de domination.

Stratégie d'endiguement

Alors que la communauté internationale déploie de vastes projets et des fonds importants dans le « laboratoire » sierra-léonais, le Liberia de Taylor est soigneusement mis en quarantaine : réduction de l'aide, embargo, soutien à la Guinée qui abrite les dissidents du LURD. La politique internationale y prend la forme d'une stratégie d'endiguement soucieuse de limiter au maximum les capacités de nuisance extérieures de Taylor tout en laissant son régime tyrannique faire régner un minimum d'ordre à l'intérieur du pays. En un sens, le Liberia fait les frais de la politique de pacification de la Sierra Leone. Les combattants les plus irréductibles de toute la région ont été chassés vers le nord du Liberia, obligeant Taylor à réviser ses ambitions expansionnistes pour se consacrer prioritairement à la défense de son régime et permettant par là même de cantonner l'activité des bandes armées régionales à un territoire limité. Mais combien de temps espère-t-on confiner ces bandes dans le chaudron libérien avant qu'elles ne se déversent à nouveau dans les pays voisins (nord de la Sierra Leone, Guinée forestière ou, plus récemment, ouest de la Côte d'Ivoire) ?

En juin 2003, le président Taylor a été mis en accusation pour crimes de guerre par le tribunal spécial pour la Sierra Leone (voir encadré p. 60-61). La décision, prise à l'instigation d'un procureur américain, a été annoncée alors même que s'ouvraient au Ghana des négociations entre les parties prenantes du conflit libérien. L'agenda judiciaire et le calendrier diplomatique s'entrechoquent et contrarient l'ultime chance de règlement pacifique du conflit. Est-ce un hasard ? Faut-il y voir la volonté de certaines puissances de choisir la guerre plutôt qu'une intervention coûteuse et délicate comme seule réponse à la crise libérienne ? Dans tous les cas, peut-on croire sérieusement qu'en contenant Charles Taylor ou, éventuellement, en le faisant renverser par un autre chef de guerre, on permettra au pays de sortir de la tragique impasse dans laquelle il se trouve ?

Cette stratégie d'endiguement a d'évidentes répercutions

sur le volume de l'aide apportée aux populations libériennes. Alors que la Sierra Leone, vitrine des activités de l'Organisation des Nations unies et enjeu important de la diplomatie anglo-saxonne, concentre les flux d'assistance humanitaire, le Liberia souffre d'un sous-financement chronique des programmes d'assistance. En juillet 2002, les agences onusiennes au Liberia avaient reçu, depuis le début de l'année, 3,9 millions de dollars sur les quinze prévus pour financer leurs programmes. À la même date, leurs homologues de Sierra Leone et de Guinée avaient reçu respectivement 58,8 et 37,7 millions de dollars. Plus grave, les principaux bailleurs de fonds ont longuement tardé à financer l'assistance aux déplacés internes fuyant les exactions imputées au LURD. Considérant que celles-ci étaient vraisemblablement le fruit d'une manipulation de Taylor cherchant à se faire passer pour la victime d'une agression extérieure, ils ont rechigné à fournir une assistance pourtant vitale aux populations victimes de violences bien réelles.

De façon plus structurelle, les insuffisances de l'ONU sont également liées à la manière dont elle gère la question des populations fuyant les conflits armés. Alors que le mandat de protection des réfugiés qui franchissent une frontière est confié au HCR, celui qui concerne les déplacés internes n'est pas encore clairement attribué. Le Bureau de coordination des affaires humanitaires des Nations unies (OCHA), qui devrait le prendre en charge, n'est pas une agence opérationnelle mais un organisme de coordination. Surtout, les déplacés restent officiellement sous la protection de leur gouvernement, même lorsque ce dernier est à l'origine des violences qui suscitent la fuite de ses administrés.

Au Liberia, la Liberian Refugee, Repatriation, Resettlement Commission (L3RC) est l'agence gouvernementale chargée des populations déplacées. En pratique, elle tend à exercer un monopole sur les opérations d'identification et de dénombrement de ces dernières. Comme elle a le contrôle des chiffres, elle peut se permettre d'amplifier la crise et de jouer sur le volume d'aide envoyé dans les camps. Ainsi, fin juillet 2002, la L3RC avançait le nombre de 133 000 personnes déplacées au Liberia alors que le Comité international de la Croix-Rouge les évaluait à 60 000. Le détournement des cartes de distribution, elles aussi gérées par la L3RC, facilite la captation de l'aide par les milieux d'affaires et alimente toute forme d'exploitation de la part des *big men* (petits notables locaux d'autant plus incontournables qu'ils sont parfois employés par des organisations humanitaires). Qui plus est, la L3RC n'est absolument pas en mesure d'assurer la sécurité des personnes vivant dans les camps de déplacés. Les exactions commises par les forces de sécurité libériennes ne se comptent plus. Le personnel local de la L3RC comprend de nombreux vétérans de la guerre de 1989-1996 nommés en récompense de leur fidélité au régime et qui n'hésitent pas à tirer profit de leur position vis-à-vis des populations des camps.

Aucune agence internationale n'assume le mandat de protection des personnes déplacées. En revanche, nombreuses sont celles qui déploient un activisme bureaucratique éludant la question des violences. Les Child Friendly Spaces financés par le Fonds des Nations unies pour l'enfance (Unicef) constituent une belle illustration de ces dérivatifs. Ces maisons en dur construites au milieu des camps sont censées offrir un havre de paix pour les enfants. Leur inauguration se fait avec force publicité sur les sites internet des Nations unies. Mais dans le même temps, le recrutement des enfants-soldats se perpétue. Il est passé sous silence. Les dénoncer reviendrait à remettre en cause la responsabilité des autorités libériennes dans la gestion des camps de déplacés. Peut-on croire qu'une maison et quelques jouets permettront aux enfants d'échapper aux sergents recruteurs de Taylor ou de ses adversaires ?

Les ONG n'échappent pas non plus aux dilemmes posés par l'insécurité. L'exemple du camp de Jene Mana est à cet égard très révélateur. En juin 2001, des rumeurs d'attaque parcourent le camp qui abrite des habitants du Lofa ayant fui les combats et les exactions des bandes armées. Certaines ONG s'interrogent : faut-il poursuivre l'assistance en donnant aux personnes déplacées une fausse impression de sécurité ? Ou se retirer, ce qui pourrait les inciter à fuir... mais vers où et dans quelles conditions ? En décembre, le camp est attaqué : les déplacés s'échappent en masse alors que le matériel laissé sur place par les ONG est l'objet d'un pillage méthodique par des agresseurs mal identifiés. Dans leur fuite, les populations du camp de Jene Mana sont à nouveau bloquées par les forces de sécurité libériennes dans des localités au sud de l'ancien camp. Le même dilemme réapparaît : faut-il assister ces populations au risque de les fixer et d'en faire les cibles potentielles d'un nouveau pillage ? Faut-il les abandonner dans un état sanitaire des plus préoccupants ? Conscientes des dangers supplémentaires qu'elles peuvent faire courir à une population déjà en détresse, certaines ONG médicales choisissent un déploiement minimal impliquant de faibles moyens logistiques afin de ne pas attiser la convoitise des combattants.

En juin 2003, l'extension des combats jusqu'aux portes de Monrovia et dans le sud-est du pays empêche les organisations humanitaires d'accéder à 80 % du territoire. Des dizaines de milliers de Libériens fuient les camps de déplacés situés à la périphérie de la capitale pour se réfugier en centre-ville. D'autres tentent de fuir en direction de la Guinée ou de la Sierra Leone. Alors que les conditions alimentaires et sanitaires se dégradent rapidement à Monrovia, la plupart des agences de secours sont contraintes de réduire leur présence et leurs activités en raison des problèmes de sécurité. En avril 1996, les combats dans la capitale s'étaient soldés par le pillage systématique des organisations humanitaires : des matériels d'une valeur d'au moins 20 millions de dollars, notamment 489 véhicules, étaient passés aux mains de combattants qui les utilisèrent parfois comme matériel de guerre.

Les souffrances du peuple libérien ne sont pas le résultat d'une guerre barbare qui se serait développée en marge du monde civilisé. Elles sont au contraire en prise directe avec le fonctionnement actuel du système politique et économique mondial. D'abord, parce que les connexions établies entre les seigneurs de guerre et les réseaux commerciaux internationaux ont contribué à asseoir l'économie de guerre et ont accéléré le délitement de l'État libérien. Ensuite parce que la communauté internationale a limité son intervention à une politique d'endiguement calculée sacrifiant les populations libériennes à un projet de stabilisation de la région ouest-africaine. De fait, les considérations éthiques invoquées par la diplomatie britannique pour justifier son intervention musclée en Sierra Leone et la pacification du pays entraînent et cautionnent paradoxalement l'enfermement des populations libériennes dans la violence.

Cette politique contribue à rendre l'action humanitaire prisonnière d'une série de dilemmes inextricables : assister les victimes du conflit au risque de renforcer leurs bourreaux, toujours susceptibles de capter une partie des secours ; assumer les fonctions sociales d'un « État fantôme » voué à l'enrichissement d'un chef de guerre tyrannique ; se limiter à un service humanitaire restreint compte tenu de l'insécurité et de la volonté des bailleurs de fonds d'empêcher tout redressement significatif du « Taylorland » ; aider des populations en détresse sanitaire et alimentaire sans pouvoir remédier aux violences quotidiennes dont elles sont la cible.

À cet égard, les protestations légitimes des organisations humanitaires dénonçant le manque de protection des populations libériennes frôlent l'inanité. Ces protestations invitent-elles au renforcement d'un dispositif de protection onusien dont on déplore jusqu'ici l'inefficacité ? Appellent-elles au raffermissement des sanctions contre l'« État fantôme » libérien, le commerce des « diamants du sang », etc. ? Ou conduisent-elles implicitement à justifier le déploiement d'une force de sécurité internationale, sur le modèle sierra-léonais, qui pourrait être considérée comme le seul moyen d'endiguer les exactions liées à la privatisation de la violence par une multitude de bandes armées aux allégeances volatiles ?

La réponse internationale à la violence subie par les Libériens relève de choix politiques qui doivent être débattus publiquement par toutes les parties concernées et sur lesquels les organisations humanitaires n'ont pas vocation à se prononcer en tant que telles. Tout au plus peuvent-elles contribuer à faire émerger ce débat.

Jean-Hervé JÉZÉQUEL

Références bibliographiques

R. Banégas et J.-P. Warnier, « Nouvelles figures de la réussite et du pouvoir », *Politique africaine*, n° 82, juin 2001, p. 5-21.

S. Ellis, *The Mask of Anarchy : The Destruction of Liberia and The Religious Dimension of an African Civil War*, Londres, Hurst, 1999.

C. Ero et M. Ferme (dir.), « Liberia, Sierra Leone, Guinée : la régionalisation de la guerre », dossier de *Politique africaine*, n° 88, janvier 2003, p. 5-102.

W. Reno, *Warlord Politics and African States*, Lynne Rienner Publishers, 1998.

F. Weissman, « Liberia : derrière le chaos, crises et interventions internationales », *Relations internationales et stratégiques*, n° 23, automne 1996, p. 82-99.

CHAPITRE 8

Tchétchénie : l'éradication de l'ennemi intérieur

À l'époque soviétique trônait à Grozny, sur une grande place du quartier ouest de la ville, une composition en pierre représentant trois hommes : un Tchétchène, un Ingouche et un Russe. La place et la composition portaient le même nom : « L'Amitié ». Aujourd'hui les habitants, tout comme les troupes russes stationnées en Tchétchénie, la nomment « la place des Trois Idiots ». En effet, après huit ans de guerre d'une brutalité inouïe, seuls des idiots ou des cyniques peuvent parler d'amitié entre Russes et Tchétchènes. Le désespoir de la population soumise à l'arbitraire des troupes russes et la radicalisation de la résistance tchétchène – qui se traduisent de plus en plus par des attaques suicide – sont désormais des faits établis, de même que la méfiance profonde, sinon la haine des forces de la Fédération de Russie, mais aussi d'une portion croissante de la population russe vis-à-vis des Caucasiens.

Les victimes du conflit ne peuvent compter que sur une aide humanitaire dérisoire et d'un maigre secours face à la politique de terreur des forces russes. Cet abandon est devenu total depuis le 11 septembre 2001, la complaisance des États occidentaux à l'égard de ceux qui, comme Vladimir Poutine, affirment lutter contre le « terrorisme international » ayant fait s'évanouir tout espoir de pression internationale efficace sur le Kremlin.

La guerre de Tchétchénie de 1994-1996 s'était soldée par la victoire militaire des combattants tchétchènes face aux

Tchétchénie

troupes fédérales venues « rétablir l'ordre constitutionnel » dans cette petite république caucasienne à majorité musulmane ayant déclaré son indépendance en 1991, après deux siècles de résistance à la colonisation russe[1]. Le déclenchement de la seconde guerre en octobre 1999 avait mis un terme au processus de règlement politique du conflit... et permis d'escamoter le débat politique en Russie à l'heure de la succession de Boris Eltsine, tout en consolidant l'ascension électorale de Vladimir

1. Voir F. Jean, « La nouvelle "guerre du Caucase" », *Central Asian Survey*, vol. 16, n° 3, 1997, p. 413-424.

Poutine. Quatre ans plus tard, alors que les troupes russes occupent l'intégralité du territoire officiellement dirigé par une administration prorusse, la Tchétchénie est devenue le théâtre d'une guerre de survie et de vengeance pour les uns, d'extermination et de terre brûlée pour les autres, d'une guerre pour le contrôle des ressources économiques, le pillage et le commerce des êtres humains pour beaucoup.

Le mythe de la pacification

L'image d'une Tchétchénie « pacifiée » que cherche à promouvoir le Kremlin depuis un peu plus d'un an ne trompe que ceux qui veulent croire à ce mythe. Les autres peuvent apprécier à leur juste valeur les reportages sur la récolte de blé ou la reprise de l'école à Grozny, étonnamment similaires aux anciennes versions officielles de la guerre d'Afghanistan, lesquelles montraient de braves paysans pachtounes travaillant aux champs, des enfants souriants saluant les militaires soviétiques et des dizaines de nouveaux combattants « ennemis » venant chaque jour déposer les armes en jurant fidélité au régime communiste.

Pour l'administration russe, le recensement de la population fédérale qui a eu lieu fin 2002 en Tchétchénie ainsi que le référendum qui s'y est tenu le 23 mars 2003 devaient consacrer la « pacification » de la petite république caucasienne. D'après le recensement, la population aurait miraculeusement augmenté pendant la guerre, pour atteindre 1,04 million d'habitants, contre 1 million en 1994. Ce résultat est d'autant plus surprenant qu'entre 75 000 et 150 000 personnes ont perdu la vie en raison du conflit depuis 1994 et que 400 000 habitants ont fui le territoire tchétchène. Selon des experts indépendants, la population résidant réellement dans la république serait d'à peine 500 000 personnes aujourd'hui. Quant au référendum, ses résultats « ont dépassé les attentes des plus optimistes », selon les termes de Sergueï Iastrjembski, conseiller du Kremlin pour la Tchétchénie : d'après les chiffres publiés par la commission électorale, 90 % du corps électoral a pris part au vote et 96 % des suffrages se sont exprimés en faveur du maintien de la république caucasienne au sein de la fédération de Russie. Ces scores, qualifiés par des journaux russes de « soviétiques », reflètent avant tout les multiples irrégularités qui ont entaché la consultation : listes d'inscrits comprenant plusieurs centaines de milliers d'âmes mortes, impossibilité de voter pour les déplacés d'Ingouchie, participation au scrutin de près de 40 000 soldats russes (soit 7 % du corps électoral)... Ce référendum visait en réalité à clore le débat sur l'indépendance de la Tchétchénie, à réaffirmer l'intégrité territoriale de la Russie et à discréditer un peu plus le président tchétchène Aslan Maskhadov,

---

Le retour forcé des réfugiés tchétchènes en Tchétchénie

Depuis le début de la seconde guerre, en 1999, plus de 200 000 Tchétchènes ont cherché refuge dans la république voisine d'Ingouchie. Installés, pour partie, dans des camps de tentes ou des bâtiments agricoles et industriels vacants, ces exilés, sans statut, survivent dans des conditions déplorables. Dès 2000, des enquêtes menées par des organisations humanitaires et des agences des Nations unies constataient le piètre état des tentes, trouées, perméables à la pluie et au froid, dépourvues de tapis de sol, ainsi que le manque de latrines et de douches.

Vitrines dérangeantes de la poursuite de la guerre en Tchétchénie et de ses conséquences sur les civils, les huit camps de tentes doivent fermer. C'est ce qu'ont déclaré les autorités fédérales et ingouches au printemps 2002. Ces annonces ont été accompagnées de pressions (coupures d'eau, de gaz, d'électricité, etc.) et de menaces sur les réfugiés. Des unités militaires ayant établi leurs campements à proximité des sites patrouillent désormais dans et aux alentours des camps, minant le relatif sentiment de sécurité des réfugiés. En décembre 2002, le camp d'Aki Yurt a été brutalement fermé par la police ingouche et un détachement des forces spéciales de la police fédérale (les OMON), les tentes données par les ONG ont été arrachées et confisquées.

élu en 1997, à l'issue d'un scrutin dont la légalité a été reconnue par l'Organisation pour la sécurité et la coopération en Europe.

L'image de la pacification ne résiste pourtant pas à l'examen des faits : malgré l'annonce du retrait imminent des troupes russes et de leur remplacement par de simples forces de police, le pouvoir fédéral maintient sur le territoire d'une région officiellement devenue « loyale » près de 100 000 militaires. Dans la république « pacifiée », plusieurs dizaines de personnes disparaissent et sont assassinées quotidiennement, victimes des opérations de ratissage, des sévices et des exactions des forces fédérales. Chaque semaine, une vingtaine de soldats gouverne-

---

Pourtant, Vladimir Poutine avait lui-même promis que les réfugiés ne seraient pas contraints à regagner la Tchétchénie. Des organisations humanitaires se sont donc lancées dans la construction de logements temporaires en faveur des Tchétchènes ne souhaitant pas rentrer dans l'immédiat – soit, selon une enquête menée par Médecins sans frontières en février 2003, plus de 98 % des 16 000 personnes vivant sous tente (dont 90 % parce qu'elles craignent pour leur vie en Tchétchénie).

Mais depuis l'annonce des résultats du référendum du 23 mars 2003, les camps se vident peu à peu. Des familles cèdent aux pressions musclées et prennent le chemin du retour, tablant sur les promesses d'aide financière du pouvoir (dont on ne sait ni quand ni comment elle sera déboursée) pour échapper aux menaces qui guettent les récalcitrants.

Quant aux 3 000 logements temporaires prévus pour loger plus de 14 000 personnes, seuls 180 ont effectivement été bâtis... pour être immédiatement déclarés illégaux et menacés de destruction : selon les autorités ingouches, ils ne seraient pas conformes au code de l'urbanisme. Magnanimes, elles ont proposé de les transformer en étals de marché. En attendant, malgré les protestations des ONG et celles, plus timides, des agences onusiennes, c'est sans l'ombre d'un choix que les exilés des camps de tentes rentrent en Tchétchénie. Au péril de leur vie.

mentaux y perdent la vie. Régulièrement des hélicoptères sont abattus et des blindés explosent sur des mines.

Au nom de la « pacification » de la Tchétchénie, le pouvoir fédéral impose également le retour forcé des réfugiés hébergés dans des conditions déplorables dans les républiques adjacentes d'Ingouchie et de Géorgie (voir encadré p. 194-195). En dépit du harcèlement constant des fédéraux, qui ont étendu les opérations de « nettoyage » aux camps d'Ingouchie et les bombardements aériens à la vallée de la Pankissi en Géorgie, les réfugiés refusent de retourner en Tchétchénie où ils savent que leur vie est en permanence menacée. Leur désespoir est tel que plusieurs centaines d'entre eux ont écrit une lettre collective au président du Kazakhstan en lui demandant de les autoriser à s'installer dans la steppe où Staline les avait déportés en 1944 : la Russie de Poutine a fait de la déportation stalinienne un souvenir nostalgique.

L'inefficacité des forces russes, moteur de la résistance

La prise d'otages du théâtre de la rue Doubrovka le 23 octobre 2002 a clairement fait apparaître l'inefficacité des autorités policières et des services secrets choyés par le régime de Poutine. Malgré leur impressionnant déploiement à Moscou et la chasse aux Caucasiens avalisée par le gouvernement, ils ont été incapables d'intercepter dans le centre de la capitale un commando de plus de quarante personnes lourdement armé et de déjouer un attentat méticuleusement préparé depuis des mois. De fait, le principal travail de la police, du FSB[1] (ex-KGB), du GIBDD[2] (la police de la circulation) et d'une demi-douzaine des

1. Federal'naya Sluzhba Bezopasnosti (FSB) : Service fédéral de la sécurité.
2. Gosudarstvenaya Inspektsia Bezopasnosti Dorozhnogo Dvizheniya (GIBDD) : Inspection générale de la sécurité du trafic routier.

services spéciaux ou antiterroristes de Moscou consiste avant tout à soutirer de l'argent aux personnes originaires du Caucase en recourant à l'intimidation, aux arrestations arbitraires, à la torture, etc. Parallèlement, toute personne ayant suffisamment d'argent peut obtenir des laissez-passer signés par les instances sécuritaires ainsi que des plaques minéralogiques réservées aux officiels.

L'arrivée sans encombre du commando tchétchène à Moscou – la majorité des membres avaient été recrutés en Tchétchénie dans la région de Vedeno, Khatouni et Alkhan-kala – a également démontré l'impuissance des militaires fédéraux stationnés dans la république caucasienne. 40 000 soldats relevant du ministère de la Défense y sont déployés. À ce contingent s'ajoutent près de 32 000 soldats relevant du ministère de l'Intérieur, 6 000 à 7 000 gardes-frontières, des soldats de l'armée des chemins de fer, avec leur train blindé comme lors de la Première Guerre mondiale, plusieurs milliers d'agents du FSB répartis entre diverses unités spéciales et les unités d'élite du GRU[1] (renseignements militaires, qui ont déployé près de 10 000 hommes encagoulés, principaux responsables des emprisonnements et des disparitions de milliers de civils). Cet énorme dispositif, estimé au total à 100 000 hommes, dont plus de 4 000 ont déjà péri, selon les chiffres fournis par les militaires – et deux fois plus selon les associations de mères de soldats –, ne contrôle pas la situation : en témoignent la destruction du bâtiment de l'administration russe à Grozny le 31 décembre 2002 et celle de plusieurs hélicoptères depuis l'été de la même année au-dessus de Khankala, quartier général des forces fédérales en Tchétchénie. Pourtant, Poutine et les militaires ont juré de ne pas répéter les erreurs de la guerre de 1994-1996 et tenté de limiter les pertes dans les rangs russes pour ne pas provoquer un retournement de l'opinion publique. Dans ce but, ils ont privilégié dès le début les attaques aériennes massives et quotidiennes, suivies de l'avancée prudente des troupes

1. Glavnoe Razvedivatel'noe Upravlenie (GRU) : Direction principale du renseignement.

terrestres dans des villes ainsi transformées en champs de ruines. Le nombre de victimes civiles n'en fut que plus important. Malgré une meilleure préparation qu'en 1994, les troupes fédérales ont mis six mois à s'emparer de Grozny et ont perdu plus de 1 500 soldats au cours de l'opération.

Les problèmes internes et l'inadaptation de cette énorme machine militaire expliquent que les fédéraux n'arrivent pas à bout de la résistance tchétchène. Bien qu'il existe un commandement unifié des forces armées russes en Tchétchénie, basé à Khankala, les unités relevant de l'autorité des divers ministères et départements agissent indépendamment les unes des autres. Au-delà de la rivalité entre forces de sécurité cherchant à capter les « ressources administratives », ce cloisonnement extrême est motivé par la traditionnelle méfiance du pouvoir politique à l'égard des entités chargées de la sécurité, dont il tente de contenir la puissance en rééquilibrant continuellement leurs forces respectives. L'ombre du bonapartisme ne paraissant plus aussi éloignée depuis le précédent du général Alexandre Lebed[1], le pouvoir central craint de confier le commandement de toutes les armées en Tchétchénie à un seul homme, qui pourrait facilement devenir un rival politique du Kremlin.

Les rivalités corporatistes entre agences de sécurité sont avivées le cas échéant par des conflits liés aux activités économiques illicites des forces russes. Il est fréquent que des affrontements éclatent entre le FSB et l'armée, ou entre les troupes de l'intérieur et les parachutistes, par exemple. Ces affrontements se terminent parfois en véritables batailles rangées (comme lors de l'arrestation d'un chef de guerre tchétchène à Grozny en mars 2001 qui a provoqué de sérieux combats entre unités russes, l'une d'entre elles cherchant à libérer le rebelle qui lui versait depuis longtemps de l'argent en échange de sa

---

1. Signataire des accords ayant mis un terme à la première guerre de Tchétchénie, le général Lebed avait obtenu 16 % des voix à l'élection présidentielle de juin 1996, avant de créer le Parti populaire et républicain de la Russie et d'être élu gouverneur de la région de Krasnoïarsk en Sibérie orientale. Il est mort en 2002 dans un accident d'hélicoptère.

tranquillité). Ces divisions sur le terrain sont redoublées par des divisions au sommet, où s'affrontent les différents clans des *silovoki* (terme russe désignant toutes les agences en charge de la sécurité). À Moscou, le clivage entre le chef de l'état-major, proche des milieux d'affaires et des barons de l'énergie, et le ministère de la Défense est patent. Tous les deux s'opposent par ailleurs au FSB, dont la tutelle devient de plus en plus pesante depuis que Poutine a choisi de s'appuyer sur celui-ci pour établir son pouvoir.

En outre, malgré les efforts pour éviter le désastre de 1994-1996, une grande partie du matériel militaire est défectueux, faute de pièces détachées. Les soldats meurent d'asphyxie dans les tanks et les blindés à cause de l'absence d'évacuation des gaz et de climatisation. L'état des hommes n'est pas moins préoccupant : conflits entre officiers et soldats, pratiques discriminatoires envers les jeunes appelés, violence physique voire sexuelle exercée par les aînés, fort taux d'alcoolisme, consommation abusive de stupéfiants. Tous les ans, plusieurs centaines de jeunes appelés meurent lors de bizutages d'une violence insensée, de bagarres et de vengeances personnelles, de beuveries, se suicident, ou encore succombent à la tuberculose, ou se tuent du fait de leur inexpérience lors du maniement des armes ou en raison du caractère défectueux de ces dernières. La plupart des jeunes tentent d'éviter le service militaire en recourant à la corruption ou en désertant. Humiliés, battus, affamés, les soldats russes se vengent de leur existence misérable sur la population civile tchétchène, qu'ils soumettent aux pires traitements afin de retrouver un sentiment de supériorité.

Tout laisse à penser que les fédéraux sont à l'origine de l'approvisionnement en armes des indépendantistes tchétchènes. Contrairement aux déclarations victorieuses de Moscou, les *boeviki* (résistants tchétchènes) continuent à lancer quotidiennement des attaques surprise et à organiser des attentats à l'explosif sans souffrir d'un quelconque déficit en armes et malgré trois années de lourdes opérations militaires. La version officielle russe est que les armes viennent de l'étranger et transitent par la Géorgie, par le biais de volontaires « islamistes » cherchant à étendre leur influence parmi les populations musulmanes de la Fédération de Russie et à transformer la Tchétchénie en sanctuaire. Pourtant, un général du FSB, Mironov, a admis dans une interview accordée à *Moskovskii Komsomolets*, en décembre 2001, que les rebelles importaient peu d'armes de l'étranger et utilisaient essentiellement du matériel fabriqué en Russie. Le déficit tchétchène en matière de défense antiaérienne s'explique d'ailleurs par le fait que les fédéraux n'utilisent pas ce dispositif en Tchétchénie, sachant que l'adversaire n'a pas d'avions de combat[1]. Les militaires russes de tout rang sont impliqués dans ce trafic. Si les sans-grade tentent de troquer une grenade ou une caisse de cartouches contre de la vodka ou du haschisch, les officiers négocient quant à eux des obus, des mortiers, des roquettes, des renseignements sur leurs confrères, voire la libération de rebelles emprisonnés.

Outre la revente de matériel de guerre, le conflit offre de multiples opportunités d'enrichissement. Malgré la destruction quasi totale du pays, plus de 1 500 mini-raffineries et plusieurs centaines de puits de pétrole continuent de fonctionner en Tchétchénie, chacun sous la protection d'un colonel ou d'un général. Des dizaines de camions-citernes et de trains chargés de pétrole quittent la république quotidiennement sous escorte de l'armée. La « protection » des travailleurs humanitaires, des journalistes, les arrestations arbitraires et les libérations contre rançon, les vols et les pillages commis à l'occasion d'opérations de « nettoyage », l'encaissement de sommes importantes contre la non-agression de certains villages ou quartiers (parfois refuges notoires de certains chefs de guerre), la contrebande entre la Tchétchénie et les régions voisines de la Russie, etc., sont des pratiques récurrentes et fort lucratives. La guerre en Tchétchénie est devenue l'os à ronger des militaires. Bien qu'elle subisse de lourdes pertes et qu'elle soit incapable de

1. Voir l'interview de Shamil Bassae sur le site Kavkaz.org, le 11 mars 2002.

venir à bout de la résistance, l'armée trouve paradoxalement dans ce conflit des ressources lui permettant de se renforcer en tant qu'institution. La fin de la guerre pourrait provoquer un grave mécontentement parmi les officiers dont l'enrichissement et le pouvoir dépendent de la perpétuation de l'affrontement armé.

Mais au-delà de la corruption de l'armée russe, la raison fondamentale de l'inefficacité des troupes fédérales est l'absence de soutien de la population locale. Par leur inhumanité, les fédéraux entretiennent la force de la rébellion.

Le nouveau visage de la résistance tchétchène

La guerre de 1994-1996, qui a coûté près de 100 000 vies à la Tchétchénie (10 % de sa population), n'avait pas encore fait des Russes des êtres haïs. Le mouvement indépendantiste, apparu vers 1990, s'était développé grâce au formidable appel d'air provoqué par le démantèlement de l'URSS. Il avait pour spécificité d'être issu d'un peuple qui avait sans cesse été opprimé, aussi bien sous le régime tsariste que communiste ; un peuple, déporté en totalité sous Staline, et dont la langue et l'histoire avaient longtemps été niées, alors que d'autres populations caucasiennes s'étaient vu reconnaître un alphabet propre, disposaient de cadres du parti communiste d'origine locale, etc. La force du mouvement tchétchène résidait dans l'euphorie de pouvoir dire haut et fort pour la première fois que les Tchétchènes étaient dignes d'avoir leur propre culture et leur propre État.

Malgré leur farouche opposition à Moscou, les Tchétchènes de plus de trente-cinq ans ont encore des éléments en commun avec le reste de la population de la Fédération de Russie, ne serait-ce que leur passé communiste – à l'instar du chef de guerre « radical » Chamil Bassaev, qui, aussi « wahhabite » et antirusse qu'il fût, récita devant des journalistes qui en restèrent bouche bée le poème *Chiroka strana moya rodnaya* (« Immense est ma patrie »), poème patriotique que tout enfant soviétique devait connaître par cœur. De même, le président Maskhadov, à la tête de l'aile « modérée » de la résistance, garde en mémoire son passé de colonel de l'armée soviétique. Malgré leur attachement profond à l'islam et à la Tchétchénie, ces leaders sont infiniment plus proches culturellement et humainement de la Russie que de l'Arabie Saoudite ou de l'Afghanistan. Jusqu'au déclenchement de la seconde guerre, ils semblaient envisager l'avenir de leur république en lien étroit avec celui de la Russie.

Or c'est précisément cette génération de leaders que les forces fédérales se sont évertuées à faire disparaître. Selon la propagande du Kremlin, l'élimination des chefs rebelles devait entraîner l'effondrement automatique de la résistance. Aujourd'hui, un grand nombre de chefs historiques sont bel et bien morts. Cependant, même si Bassaev et Maskhadov étaient à leur tour exécutés, il existe désormais toute une génération déterminée à se battre sans l'aval ou la direction de leurs aînés – à l'instar des preneurs d'otages du théâtre de la rue Doubrovka dont l'âge moyen était de vingt-deux à vingt-trois ans et parmi lesquels ne figurait aucun chef de guerre célèbre. Cette nouvelle génération n'a connu que la guerre. Leur seule image de la Russie est celle de militaires violant, tuant, kidnappant et torturant. La brutalité des militaires fédéraux les a définitivement convaincus que la Russie est l'ennemi éternel et que ses troupes sont des « sauvages » ne respectant rien, ni les femmes, ni les enfants, ni les vieillards, ni les morts.

Aussi extrême que cela puisse paraître, les jeunes Tchétchènes n'ont que trois solutions à leur disposition : fuir, attendre la mort ou prendre les armes et rejoindre le commandant le plus proche. Le gros des troupes rebelles est aujourd'hui composé par cette nouvelle génération pour qui la Russie n'évoque que la mort et la souffrance. La motivation des jeunes *boeviki* apparaît moins liée à la poursuite d'un idéal religieux ou d'un projet politique indépendantiste qu'à l'impérieuse nécessité de survie, au désir de vengeance ou au besoin de conserver sa dignité d'homme libre. Il serait plus exact de les qualifier d'« antifédéraux » que d'islamistes ou d'indépendantistes. Contrairement à leurs aînés qui ont connu la paix et une vie normale, ils sont très radicaux et sans pitié. Il serait beaucoup plus difficile au pouvoir central de négocier avec eux si telle était son intention. Comme le soulignait récemment un représentant de Maskhadov en s'adressant à l'un des rares députés russes favorables à l'ouverture de négociations : « Avec ces jeunes il sera trop tard, ils vous tueront et nous aussi en même temps [1]. »

Le signe le plus évident de la radicalisation des actions des Tchétchènes est la multiplication des attentats suicide et l'implication croissante des femmes dans ces actes. Ils étaient quasi inexistants durant la première guerre, parce que contraires à l'interprétation de l'islam de beaucoup de Tchétchènes. Aujourd'hui, des femmes se font exploser pour tuer un général rendu célèbre par l'atrocité de son comportement, ou se jettent au volant de camions bourrés d'explosifs contre les postes de commandement russes.

À la différence de la campagne de 1994-1996 et même de ce qui se passait en 2000, ces rebelles sont désormais omniprésents. Il n'y a plus de ligne de front, pas même de frontière claire entre un rebelle et un civil. Contrairement à ce qu'affirme le Kremlin, la majorité des résistants ne se cachent pas dans les hautes montagnes ou les forêts épaisses, mais vivent bel et bien à Grozny, Goudermes, Alkhan Kala ou Star Atagy. Dans les régions montagneuses de Vedeno et Nojay Yurt, le contrôle fédéral se limite à un rayon de quelques centaines de mètres

---

1. Propos rapportés par Yourii Chekotchikhine, député russe du parti Yabloko, à qui Akhmed Zakaev, représentant de Maskhadov, a dit : « Youra, ne laissez pas passer cette chance [de négociations], Maskhadov et moi-même avons grandi en Union soviétique, avons étudié dans les universités soviétiques. Avec ces jeunes il sera trop tard, ils vous tueront et nous aussi en même temps » (Y. Chekotchikhine, « Marodyory », *Novaya Gazeta*, 11 novembre 2002).

autour du stationnement effectif des troupes. La résistance diffuse est même devenue plus efficace. Certains rebelles demandent à être incorporés dans la police ou les postes de commandement prorusses, ce qui constitue pour eux un travail et une source de revenus. Ils ne cessent pas pour autant de haïr leurs employeurs. Les troupes russes le leur rendent bien qui manifestent une profonde méfiance à l'égard de la police tchétchène avec laquelle elles refusent de réaliser des opérations conjointes de peur d'être trahies.

La référence accrue à l'islam, comme fer de lance idéologique de la résistance, est un phénomène équivoque. Elle est d'abord un instrument de guerre psychologique face à l'occupant qui méconnaît cette religion et en a une peur sourde. La mise en exergue de l'islam, y compris par ceux qui n'en ont jamais été de fervents adeptes, comme Maskhadov, tient aussi à la volonté des Tchétchènes de sortir de leur isolement. Le soutien occidental fait défaut, et les islamistes du Golfe, d'Europe et du Moyen-Orient sont *de facto* les seuls à aider la résis-

---

Le rapport Kadyrov

Selon un rapport commandité par le président Kadyrov, chef de l'administration tchétchène prorusse, 1 314 civils ont été assassinés hors de tout affrontement armé pour la seule année 2002 – soit plus de 100 exécutions sommaires par mois depuis que la république est officiellement « pacifiée ». Trois mille corps reposeraient dans des « charniers », terme que l'administration prorusse consent à utiliser pour la première fois.

Ce rapport, qui fait état d'un nombre de victimes plus important encore que celui donné par les organisations de défense des droits de l'homme russes comme Memorial confirme, si besoin est, l'intensité et la cruauté de la violence contre-insurrectionnelle. Les récits des réfugiés et des rares journalistes qui se rendent en Tchétchénie avaient déjà fait la lumière sur les opérations de nettoyage,

tance. Les islamistes des pays arabes, qui au début du conflit étaient relativement mal vus des Tchétchènes, commencent même à être appréciés et respectés, puisque qu'ils n'hésitent pas à combattre et à se sacrifier pour « défendre les musulmans opprimés ». La nouvelle donne rend ainsi caduque la division de la rébellion en « modérés » – nationalistes et pro-occiden-taux, incarnés par le président Maskhadov – et « radicaux » – islamistes tournés vers l'*umma*, représentés par des comman-dants comme Bassaev. Les Américains, qui officiellement sou-tiennent encore une issue négociée au conflit, ont déclaré après le 11 septembre avoir été « déçus » par Maskhadov. Considéra-blement affaibli par la perte de ses plus fidèles alliés, ce dernier n'a eu d'autre choix que de se réconcilier avec Chamil Bassaev en août 2002.

Toutefois, le recours à l'islam n'est pas uniquement instru-mental. Confrontée en permanence à une situation extrême, côtoyant la mort à chaque instant, la population et les combat-tants deviennent de plus en plus attachés à la religion. Pour

ou *zatchiski*, perpétrées par des hommes masqués, circulant dans des blindés dont les plaques sont maculées de boue, les viols d'hommes, de femmes et d'adolescent(e)s, les tortures pratiquées directement sur les lieux du nettoyage grâce à des véhicules de transport de troupes spécialement aménagés et moins visibles que les « camps de filtration » (terme utilisé par l'armée russe pour dési-gner les centres de détention où les prisonniers sont interrogés sous la torture), les civils abattus quel que soit leur âge, ainsi que les der-nières inventions, comme les « fagots humains », ces groupes de prisonniers attachés autour d'un pain d'explosif dont les corps, après la détonation, sont rendus difficilement identifiables...

Désormais attestée par les autorités prorusses, cette violence extrême est d'autant plus destructrice qu'elle est imprévisible. Afin d'alléger l'angoisse de l'attente, les habitants du petit village de Tsotsin Yurt (région d'Argun) ont eux-mêmes proposé des dates pour les prochaines *zatchiski*.

ces raisons, tous les commandants tentent de se faire guides spirituels, afin de donner aux troupes un soutien métaphysique et leur faire accepter la faim, le danger, le froid. Les prêcheurs devenus commandants sont beaucoup plus rares. Les fondamentalistes d'avant guerre, accusés d'avoir servi de prétexte à l'intervention russe, ne jouissent pas d'une grande popularité[1].

La société tchétchène est certainement plus éloignée de la Russie aujourd'hui que n'importe laquelle des composantes de la fédération. Elle se considère sous occupation, et les Tchétchènes habitant les villes russes savent qu'ils sont considérés comme des ennemis en puissance par le reste de la population.

La population russe, l'État et la guerre en Tchétchénie

Une majorité écrasante de Russes estime aujourd'hui que les Tchétchènes ne comprennent que le langage des armes, qu'ils sont « barbares » et violents par nature. Les agressions racistes ont redoublé d'intensité dans les villes russes où des ressortissants d'Asie, d'Afrique, du Caucase, d'Asie centrale mais aussi d'Ukraine et de Moldavie ex-soviétiques sont quotidiennement assassinés, battus, agressés. Ces actes ne sont pas isolés ou perpétrés uniquement par des skinheads marginaux. La police moscovite et de nombreux habitants « moyens » n'hésitent pas à manifester leur dégoût de voir les villes russes « envahies » par des « Noirs[2] ». Un journaliste politique vedette d'une chaîne nationale et publique peut traiter à l'an-

1. Voir F. Jean, « Tchétchénie, la revanche de Moscou », *Esprit*, n° 2, février 2000, p. 37-54.
2. « *Tchernyi* », en russe : ce terme ne désigne pas une personne ayant une ascendance africaine, mais constitue une appellation péjorative à forte connotation raciste, employée pour désigner tous les Caucasiens et accessoirement les ressortissants des pays du Sud.

tenne le secrétaire général de l'Organisation des Nations unies d'« ancêtre de l'homme » sans provoquer l'indignation de l'opinion publique [1].

Le racisme des instruits a d'autres racines sociologiques que celui de jeunes désœuvrés au crâne rasé. En effet, l'éducation soviétique avait inculqué aux citoyens que le racisme était une notion typiquement occidentale et capitaliste. En proie à un complexe d'infériorité par rapport à l'Europe occidentale, les classes moyennes et éduquées affichent aujourd'hui ouvertement leur racisme, persuadées que le dénigrement ostentatoire du « Noir » ou de l'« Oriental » consacrera enfin l'européanité de la Russie et sa digne place parmi les Blancs et les civilisés...

La mainmise de Poutine et du pouvoir en général sur les médias (en particulier la télévision) s'est donc avérée efficace. L'impopularité de la première guerre au sein de la population russe était principalement due à une liberté des médias infiniment plus grande à l'époque de Boris Eltsine. Aujourd'hui, l'opinion russe ignore la réalité de la situation en Tchétchénie. Elle ne dispose que d'informations diffusées avec l'aval des autorités, qui recourent à des films truqués ou à des documents de provenance incertaine dans lesquels les « fanatiques tchétchènes » décapitent des otages, généralement russes. Les grands shows télévisés (comme les concours de beauté) sont ponctués de saynètes mettant en scène des commandos spéciaux adeptes des arts martiaux passant à tabac de supposés terroristes devant un public euphorique. Les mensonges du pouvoir ne provoquent pas de réactions au sein de l'opinion russe tant est forte la haine envers « le Tchétchène », incarnation de l'ennemi de la nation et de l'État russe. Là réside l'une des grandes différences par rapport à la guerre menée à l'époque d'Eltsine.

Cet aveuglement volontaire de la population va de pair avec la réhabilitation d'un patriotisme glorifiant le passé soviétique et les valeurs martiales. Ainsi, malgré l'inefficacité flagrante de l'armée en Tchétchénie, cette dernière est de nouveau

1. C'est ce que fit le journaliste Leontief lors de l'émission politique hebdomadaire « Odnako » sur la chaîne publique ORT.

extrêmement populaire. L'opinion russe lui pardonne tout : la corruption, l'absence de professionnalisme et les violations extrêmes des droits humains en Tchétchénie. Insistant sur le cas des différentes associations de mères refusant que leurs fils servent dans la République tchétchène[1], les médias occidentaux ont omis de mentionner les milliers de Russes qui ressentent de la fierté à voir leur progéniture partir pour le Caucase. Il est symptomatique que l'opinion russe ait été aussi peu critique vis-à-vis des autorités qui condamnèrent cent cinquante otages à la mort en ordonnant l'assaut du théâtre de la rue Dubrovka. Les images de jeunes Russes chantant et se photographiant devant le théâtre, une bouteille à la main, quelques heures après

---

Le colonel Boudanov :
« barbare » en Tchétchénie, « héros » à Moscou

Le 26 mars 2000, le jour où Vladimir Poutine est élu nouveau maître du Kremlin, le colonel Iouri Boudanov fête les deux ans de sa fille. Une soirée bien arrosée au cantonnement de Tangui-Tchou, dans la région d'Ourous-Martans, suivie d'une virée dans le petit village voisin. En entendant les blindés arriver, Vissa Kongaïev réveille Elsa, sa fille aînée âgée de dix-huit ans, avant de se mettre à l'abri. Boudanov et ses hommes font irruption dans la maison, s'en prennent à Elsa, qui est battue puis embarquée jusqu'au cantonnement militaire. Le colonel reste seul avec elle et quand, une heure plus tard, il appelle ses soldats, Elsa est morte.

Le soir même, le père de la jeune fille se rend à Ourous-Martans pour rencontrer le responsable militaire de la zone, le général Guerassimov, qui se déplace en personne pour arrêter le colonel. Une enquête est ouverte : ce sera la première – et unique – enquête contre un responsable de l'armée russe pour de tels crimes en Tchétchénie. Les premiers éléments sont accablants pour le colonel. Il reconnaît avoir étranglé la jeune Elsa mais nie l'avoir violée, alors

---

1. Voir, par exemple, « La résolution des mères de soldats russes », *L'Humanité*, 1er mars 2000.

l'assaut par les unités Alpha, montrent que la radicalisation de la jeunesse n'est pas uniquement l'apanage des Tchétchènes.

La prise d'otages du théâtre de la rue Dubrovka a achevé la transformation de la Russie en un « État antiterroriste », un État dont la raison d'être et la fonction principale sont de traquer les terroristes. Le bien-être de la population, les droits humains, l'éducation... sont désormais des questions secondaires. Les libertés publiques se réduisent comme peau de chagrin. Une loi autorise désormais les autorités à ne plus remettre les corps de « terroristes » décédés (y compris en prison) à leurs

que l'autopsie révèle qu'elle a subi des viols vaginal et anal une heure avant son décès.

Les viols disparaîtront de l'acte d'accusation. Selon la nouvelle version officielle, Boudanov a étranglé, dans un accès de rage, la jeune femme qu'il soupçonnait d'activités rebelles. De fait, le colonel bénéficie d'une mobilisation impressionnante. Outre les militaires qui réclament sa libération et le général Chamanov [1] qui qualifie son geste d'« héroïque », l'opinion russe lui manifeste une étonnante solidarité [2].

Au début de l'instruction, en février 2001, deux expertises psychiatriques avaient jugé Boudanov « mentalement compétent » au moment des faits. Mais, alors que certains rêvent d'une condamnation qui remettrait en cause l'impunité de l'armée russe dans le Caucase, une nouvelle expertise est commanditée. L'Institut Serbski, responsable au temps du communisme de l'internement de dissidents, conclut à l'irresponsabilité de Boudanov en raison d'une « démence temporaire ». Il n'en faut pas plus au tribunal de Rostov pour prononcer la relaxe en décembre 2002, sans susciter d'indignation dans l'opinion. Depuis, une nouvelle contre-expertise a été demandée par les parties civiles et le procès est relancé.

1. Ancien commandant de l'armée russe en Tchétchénie, élu depuis gouverneur de la région d'Oulianovsk.
2. Voir *Le Figaro*, 22 octobre 2002.

familles[1]. Tout « terroriste » peut ainsi être assassiné pendant sa détention, sans qu'aucune expertise médico-légale ne puisse déterminer les causes de sa mort. La Douma vient de voter une loi (non encore entérinée par l'exécutif) renforçant le contrôle des médias par le pouvoir, qui pourra décider la fermeture d'agences de presse soupçonnées de « favoriser le terrorisme » par la diffusion d'informations.

Avant la tragédie du théâtre, un changement de ton de la part du Kremlin était sensiblement perceptible. Alors qu'en juin 2001 Poutine défendait avec acharnement les opérations de « ratissage », il avait reconnu pour la première fois, lors d'une conférence de presse tenue au Kremlin en juin 2002, que le pouvoir fédéral « avait sa part de responsabilité dans la tragédie tchétchène » et qu'il serait plus pertinent d'« arrêter carrément » les *zatchiski* au lieu de les « perfectionner ». Poutine avait même commencé à remettre au pas les militaires en envoyant le président de la Cour des comptes effectuer un audit en vue d'évaluer les détournements de fonds publics commis par l'armée.

Depuis la crise du théâtre, les plans de paix successifs et les rencontres semi-officielles avec les émissaires de Maskhadov ne sont plus d'actualité. Poutine semble avoir déjà choisi le futur président de la Tchétchénie : il s'agit d'Ahmed Kadyrov, l'actuel ministre de l'Intérieur de l'administration tchétchène prorusse. Le référendum organisé en mars 2003 avait notamment pour but d'ouvrir la voie à une légitimation par les urnes de l'accession à la présidence de Kadyrov. Ce faisant, il se pourrait que Poutine commette les mêmes erreurs que le tsar Alexandre Ier, Staline ou Eltsine. S'inspirant comme eux de l'ethnographie coloniale et des Mémoires d'Ermolov (le conquérant du Caucase du Nord au XIXe siècle), il semble qu'il cherche à coopter tantôt les « anciens », tantôt les chefs de clans, tantôt les muftis. Or rien ne garantit que les favoris du

---

1. Cette pratique a été expérimentée avec succès à l'égard de Turpal-Ali Atguireev et Salman Radouev, deux indépendantistes tchétchènes mystérieusement morts dans les prisons russes en décembre 2002.

Kremlin auront les moyens de se faire respecter du reste de la société tchétchène.

Le consentement de la communauté internationale

Le processus génocidaire enclenché en Tchétchénie s'appuie sur le silence voire sur le consentement de la communauté internationale. Les relations de l'Union européenne et celles des États-Unis avec la Russie sont trop importantes pour être otages de la question tchétchène... Certes, les États et les instances internationales sont obligés, pour sauver les apparences, d'admettre que des « violations des droits de l'homme » sont commises dans la république caucasienne : Poutine lui-même le reconnaît. Ces « abus » font l'objet de mentions dans tous les rapports, ceux du Département d'État américain, ceux des représentants de l'OSCE, du Parlement européen, du Conseil de l'Europe... Mais se contenter d'évoquer les « abus » et la « disproportion des moyens » mis en œuvre par Moscou ne donne en rien la mesure de la violence employée et revient à masquer la politique de terreur, intentionnelle, sous le couvert de regrettables bavures.

Ces timides prises de position n'ont été suivies d'aucune action concrète. Pour le Conseil de sécurité des Nations unies, la guerre en Tchétchénie n'existe pas puisqu'il ne s'est jamais réuni pour en débattre. L'Assemblée générale de l'ONU, qui aurait pu convoquer une session extraordinaire pour traiter de la situation, ne s'y est pas aventurée – pas plus que le secrétaire général, qui a pourtant tout loisir d'attirer l'attention du Conseil de sécurité sur le conflit. Certes, quelques pressions diplomatiques ont été exercées sur Moscou, mais seulement au cours de l'année 2000 : la Russie a été condamnée devant la Commission des droits de l'homme de l'ONU, et l'Assemblée parlementaire du Conseil de l'Europe a créé la surprise en suspendant le droit de vote de la délégation russe puis en demandant à l'exécutif d'entamer une procédure de suspension de la Russie et de saisir la Cour européenne des droits de l'homme. En novembre 2000, les États-Unis et la France ont exigé un retour immédiat de l'OSCE en Tchétchénie, d'où elle s'était retirée en 1998.

Néanmoins, aucune sanction véritable n'est venue appuyer ces pressions. La Russie n'a pas été exclue du Conseil de l'Europe, aucun État n'a saisi la Cour européenne des droits de l'homme. L'OSCE a fait un bref retour en Tchétchénie à l'été 2001 avant d'être expulsée le 31 décembre 2002 : le Kremlin a refusé de reconduire son mandat, ce qui n'a suscité qu'une vague protestation du Parlement européen. En effet, selon la diplomatie occidentale, toute action significative contre la Russie est qualifiée d'hystérique et de contre-productive : il est capital de ne pas fragiliser le nouvel homme fort du Kremlin, ni de faire perdre la face à l'ex-grande puissance, au risque de compromettre « l'évolution démocratique » du pays. Mieux vaut encourager les autorités russes à mener leurs propres investigations sur les « violations des droits de l'homme »...

Depuis le 11 septembre 2001, le silence des États-Unis et de l'Europe face aux crimes de guerre et crimes contre l'humanité commis en Tchétchénie s'est mué en consentement. Comme le soulignait en janvier 2002 l'ancien dissident et président d'honneur de l'organisation russe de défense des droits de l'homme Memorial, Serguei Kovalev, « ben Laden a fait un cadeau personnel à Vladimir Poutine » : il lui a permis d'inscrire le conflit tchétchène dans le cadre de la lutte internationale contre le terrorisme et de faire passer la guerre pour une simple opération de police. George W. Bush, qui pendant sa campagne électorale avait déclaré que l'action de l'armée russe en Tchétchénie n'était « pas acceptable » et qu'il fallait « tout de suite arrêter l'aide à la Russie » afin de « condamner, enfin vous savez, le meurtre de femmes et d'enfants innocents », considère désormais Vladimir Poutine comme « un bon ami dans la lutte contre le terrorisme [1] ». D'après la nouvelle doctrine stratégique américaine, « la Russie est engagée dans une période de transition prometteuse, en quête d'un avenir démocratique et d'un allié dans sa guerre contre le terrorisme [2] ».

De son côté, le Conseil de l'Europe a *de facto* enterré ses valeurs en remettant fin 2002 la médaille du mérite à Vladimir Kalamanov, représentant du Kremlin pour les droits de l'homme en Tchétchénie. Pour l'Union européenne, « les relations russo-européennes sont trop importantes pour être dominées par la question des droits de l'homme », précisait en privé un diplomate européen lors du sommet Union européenne-Russie de novembre 2002. En conséquence, la question tchétchène a disparu de l'ordre du jour de toutes les rencontres politiques internationales. La France, qui s'était illustrée par sa fermeté jusqu'à en payer le prix diplomatiquement (Vladimir Poutine a refusé pendant plusieurs mois, en 1999-2000, de se rendre à Paris en raison des critiques françaises contre l'opération antiterroriste menée dans le Caucase du Nord [3]), est rentrée dans le rang à partir de juillet 2002, au nom de la relance de ses relations bilatérales avec la Russie puis de la défense du multilatéralisme à l'occasion de la crise irakienne.

L'humanitaire impossible

La situation n'est pas plus glorieuse du côté de l'action humanitaire. Si l'on en juge par les rapports des agences des Nations unies et des ONG, on pourrait croire qu'une assistance significative est déployée en Tchétchénie : vivres, abris, eau,

1. Voir F. Zakaria, « This is moral clarity », *Washington Post*, 5 novembre 2002.
2. « The national security strategy of the USA », Maison-Blanche, 20 septembre 2002.
3. Voir *L'Humanité* du 30 octobre 2002.

soins médicaux, éducation, tous les fondamentaux d'une réponse humanitaire seraient là, grâce à une vingtaine d'organisations dont les principales agences des Nations unies [1]. De l'argent est généreusement dépensé : ECHO, principal bailleur dans la région, a alloué 90 millions d'euros depuis 1999, dont 25 millions pour l'année 2002. Les « besoins » des civils tchétchènes seraient donc « couverts ». « Nous sommes en mesure d'apporter une aide humanitaire aussi bien à l'intérieur qu'autour de la Tchétchénie, même si c'est difficile, nous pouvons le faire et continuerons à le faire », déclarait récemment Poul Nielsen, commissaire européen aux affaires humanitaires.

Cet éventaire publicitaire est on ne peut plus trompeur. Outre que quelques colis de médicaments ou aides à la reconstruction sont bien peu de chose face à une politique de terreur, l'assistance humanitaire ne contribue que de façon très marginale à l'amélioration des conditions de vie matérielles de la population. En raison de l'insécurité, la quasi-totalité des agences de secours sont basées dans les républiques voisines et n'envoient qu'exceptionnellement des représentants superviser leurs programmes. Les visites de terrain se limitent le plus souvent à des séjours de quelques heures, consacrés à la rencontre des autorités locales de Grozny. Les rares ONG qui envoient du personnel sur place ont tout à redouter : attaques, enlèvements, pour leur personnel aussi bien que pour les destinataires de leur aide. La liste des « accidents » de sécurité est révélatrice du climat d'angoisse omniprésent : arrestation et interrogatoire brutal de personnel du Comité international de la Croix-Rouge à un barrage militaire en novembre 2002 ; attaque contre un convoi de Danish Refugee Council ; enlèvement en juillet 2002 de Nina Davidovitch, représentante de l'ONG russe Druzbha ; kidnapping d'Arjan Erkel, chef de mission de Médecins sans frontières au Daguestan, en août 2002. Plus d'un an après son enlève-

1. Bureau de coordination des Nations unies (OCHA), Programme alimentaire mondial (PAM), Organisation mondiale de la santé (OMS), Fonds des Nations unies pour l'enfance (Unicef), Haut-Commissariat pour les réfugiés (HCR), Programme des Nations unies pour le développement (PNUD).

ment, nous ne savons toujours pas qui détient Arjan Erkel ni pour quelles raisons. À ce jour, les autorités russes, responsables de la sécurité des travailleurs humanitaires sur leur territoire, n'ont pas fait preuve d'empressement pour faciliter sa libération...

En réalité, c'est une aide dérisoire qui parvient aux Tchétchènes, une aide qui, en raison de l'insécurité et des détournements, est insuffisante à subvenir aux besoins engendrés par la violence et la guerre. Il est par exemple impossible de prendre en charge les urgences médicales car les risques encourus à l'occasion des déplacements empêchent patients et personnel soignant d'atteindre les hôpitaux. En outre, les structures de santé sont trop dangereuses pour les blessés de guerre qui, dès lors, ne s'y rendent plus. Quant aux détournements réalisés avec la complicité des troupes fédérales et de leurs affidés, tout laisse à penser qu'ils sont massifs, surtout en ce qui concerne l'aide gouvernementale russe. Enfin, l'assistance aux Tchétchènes réfugiés dans les républiques voisines est tout aussi misérable. En Ingouchie, les autorités russes maintiennent délibérément les personnes déplacées dans des conditions de vie déplorables pour les forcer à rentrer en Tchétchénie et restreignent toujours plus l'espace de travail des organisations humanitaires (voir encadré p. 194-195).

Refusant toute confrontation avec la Russie, les agences des Nations unies se plient très largement au jeu du Kremlin en entretenant l'illusion d'un retour à une certaine « normalité ». Ainsi peut-on lire dans l'appel de fonds consolidé des Nations unies pour 2003, que la fermeture forcée d'un camp de déplacés en Tchétchénie, en juillet 2002, a « conduit à une compréhension mutuelle des principes humanitaires autour du retour des déplacés chez eux ». Cette « compréhension » s'est traduite, en décembre 2002, par la fermeture brutale du camp de déplacés tchétchènes d'Aki Yurt, en Ingouchie, dont les résidents, privés d'abris et d'assistance en plein hiver, ont été contraints de rentrer en Tchétchénie au péril de leur vie. Quant aux perspectives d'avenir, l'ONU a estimé qu'il fallait s'attendre à « une amélioration globale de la situation en Tchétchénie à partir de la fin 2002 et qu'[elle] ne serait pas surprise si des avancées notables étaient enregistrées en 2003 [1] »... Pendant ce temps, le saccage de la Tchétchénie se poursuit.

Thorniké GORDADZÉ

Références bibliographiques

Comité Tchétchénie, *Tchétchénie, dix clés pour comprendre*, Paris, La Découverte, 2003.

Fédération internationale des droits de l'homme, « Tchétchénie : la normalisation, un discours de dupe », FIDH, mars 2003.

T. Gordadzé, « Les nouvelles guerres du Caucase (1989-2000) et la formation de l'État post-communiste », P. Hassner et R. Marchal (dir.), *La Guerre entre le global et le local*, Paris, Karthala, 2002.

F. Jean, « Tchétchénie : guerre totale et complaisance occidentale », *Relations internationales et stratégiques*, n° 23, automne 1996 ; « Tchétchénie : la revanche de Moscou », *Esprit*, n° 2, février 2000, p. 37-54.

Médecins sans frontières, *Les Exilés cachés d'une guerre sans témoins*, Paris, MSF, décembre 2001 ; *Sans l'ombre d'un choix, le retour forcé des Tchétchènes en Tchétchénie*, Paris, MSF, mai 2003.

---

1. Voir OCHA, *Mid-Year Review of Consolidated Inter-Agency*, appeal 2002, North-Caucasus.

CHAPITRE 9

République démocratique du Congo : des victimes sans importance

Depuis bientôt cinq ans, le territoire de la République démocratique du Congo (RDC) est le théâtre de la « première guerre mondiale africaine ». L'expulsion en juillet 1998 par le président congolais Laurent-Désiré Kabila des troupes ougandaises et rwandaises qui l'avaient aidé deux ans auparavant à renverser le maréchal Mobutu a provoqué une réaction militaire immédiate de Kampala et Kigali et, par un jeu d'alliances et d'intérêts, l'entrée en guerre de l'Angola, du Zimbabwe, du Soudan et de la Namibie aux côtés du gouvernement de Kinshasa. Cette confrontation internationale a favorisé l'éclosion de mouvements armés locaux de toute nature, amplement manipulés par le gouvernement congolais et les États voisins. Malgré la signature en 1999 d'un protocole de paix entre la plupart des parties internationales au conflit et les deux principaux mouvements rebelles, les ingérences étrangères se poursuivent aujourd'hui dans l'est du pays où les affrontements entre milices congolaises s'accompagnent de massacres de populations civiles, en particulier dans la région de l'Ituri. Pour les Congolais, les souffrances s'accumulent, dues aux multiples exactions de militaires et de miliciens, aux agressions armées étrangères, aux épidémies, aux déplacements forcés, à la détresse économique. L'action des Nations unies s'est limitée

République démocratique du Congo

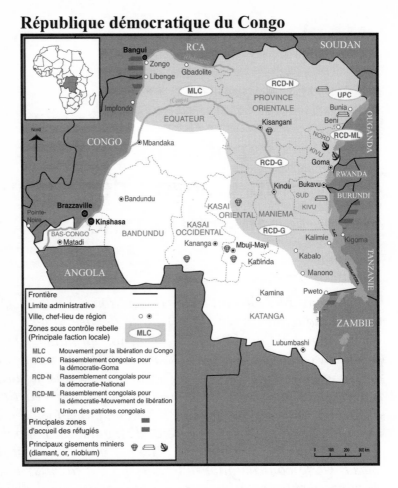

à la scène diplomatique et au suivi des accords de paix. Les violences contre les civils ont été observées, enregistrées, publiquement dénoncées, mais la Mission des Nations unies au Congo (Monuc) n'a pas été configurée pour les contenir. Quant aux États occidentaux, ils n'ont pas agi de manière déterminante pour mettre fin à l'ingérence militaire de l'Ouganda et du Rwanda.

L'embrasement régional

En octobre 1996, une offensive armée, partie du Rwanda et de l'est du Zaïre, conduit en quelques mois à la chute du président Mobutu et à la prise du pouvoir par Laurent-Désiré Kabila, le 17 mai 1997. Cette offensive est menée par des opposants congolais et par l'armée rwandaise. À un moindre degré, l'Ouganda et le Burundi soutiennent les rebelles dans le but, notamment, de sécuriser une frontière abritant les bases arrière de mouvements insurrectionnels. L'Angola, qui reproche au président Mobutu ses liens avec les maquisards de l'Union nationale pour l'indépendance totale de l'Angola (Unita), participe également à l'offensive, plus tardivement mais de manière décisive. L'engagement du Rwanda tient d'abord à la volonté des nouvelles autorités de Kigali d'intervenir militairement au Kivu (région orientale du Zaïre) pour y démanteler les camps de réfugiés rwandais établis non loin de sa frontière depuis le renversement en juillet 1994 du régime extrémiste hutu ayant planifié le génocide des Tutsis rwandais (avril-juillet 1994). Nombre d'organisateurs et d'exécutants du génocide y avaient en effet trouvé refuge et s'y étaient organisés. Disposant de bases arrière à proximité ou à l'intérieur des camps administrés par le Haut-Commissariat aux réfugiés (HCR), ils lançaient des opérations de guérilla meurtrières contre l'armée et les populations civiles de leur pays. En octobre-novembre 1996, les camps sont méthodiquement attaqués par les troupes de Kigali, leurs occupants mis en fuite ou rapatriés sous la contrainte. Ceux qui s'échappent sont impitoyablement poursuivis à travers tout le Congo par les troupes rwandaises. On estime que 200 000 d'entre eux ont péri durant cette chasse. Le Conseil de sécurité de l'ONU condamne les massacres. Il demande aux gouvernements du Congo et du Rwanda de poursuivre l'enquête sur ces atrocités, alors même qu'ils en sont les organisateurs et les responsables !

L'union entre le nouveau pouvoir congolais et ses alliés est rompue le 27 juillet 1998 : voulant s'émanciper de la tutelle de ses parrains, Laurent-Désiré Kabila ordonne aux troupes rwandaises et ougandaises de quitter le pays et déclenche une série de pogroms contre les Tutsis, qu'ils soient congolais ou rwandais. Le 2 août et les jours qui suivent, des mutineries éclatent dans l'est du Congo et à Kinshasa parmi les contingents de soldats rwandais et banyamulenges (Congolais rwandophones installés de longue date au Sud-Kivu). Rapidement, les armées rwandaise et ougandaise interviennent. Elles envahissent le Kivu et conquièrent Kisangani, situé à plus de 500 kilomètres de la frontière, le 23 août. Mais le front le plus immédiatement dangereux pour Kinshasa est celui ouvert dans le Bas-Congo par un commando aéroporté de militaires rwandais cherchant à s'emparer de la capitale. Seule une intervention massive de l'Angola, resté fidèle à Laurent-Désiré Kabila, permet de faire échouer la tentative. Dès le mois d'août, par le jeu des alliances et des interêts, le Zimbabwe et la Namibie entrent également en guerre aux côtés de la RDC : le Zimbabwe envoie des troupes, la Namibie livre des armes. En septembre, le Soudan s'engage militairement aux côtés de Kinshasa, donnant ainsi un argument au président ougandais – dont le pouvoir est contesté par plusieurs mouvements insurrectionnels soutenus par Khartoum – pour justifier l'intervention armée de son pays.

À la mi-octobre 1998, un tiers du Congo se trouve en zone rebelle. Après la chute de Kindu, chef-lieu de la province du Maniema à l'est du pays, la région diamantifère du Kasaï et la ville de Mbuji-Mayi, au centre, sont menacées. À terme, c'est toute la partie sud-est du pays (province du Katanga) qui risque de tomber aux mains des rebelles. En février 1999, une offensive est lancée contre Mbuji-Mayi où les alliés de Kinshasa ont renforcé leurs effectifs et leur équipement, notamment aérien (hélicoptères de combat, chasseurs-bombardiers envoyés par l'Angola et le Zimbabwe). Les forces rebelles et rwandaises occupent une partie du Kasaï et du Nord-Katanga, mais Mbuji-Mayi n'est pas prise. La guerre continue simultanément dans la province de l'Équateur où l'Ouganda soutient un mouvement rebelle, le MLC (Mouvement de libération du Congo), distinct du RCD (Rassemblement congolais pour la démocratie) auquel est allié le Rwanda. En janvier 2001, le gouvernement de Laurent-Désiré Kabila contrôle la moitié du pays, les rebelles, l'Ouganda et le Rwanda, l'autre moitié.

À ce stade du conflit, il est clair qu'il s'agit avant tout d'une guerre internationale, de la « première guerre mondiale africaine » : la décision prise par Laurent-Désiré Kabila d'expulser du Congo les troupes ougandaises et rwandaises a provoqué aussitôt leur riposte, puis, par engrenage, l'embrasement régional. Dès lors, ce sont les options militaires et les choix politiques des chefs d'État de la région – autrement dit, des facteurs internationaux – qui expliquent avant tout l'histoire vécue par les Congolais. Cependant, il est fréquent que des antagonismes locaux soient avivés par les parties engagées dans le conflit international ou que celles-ci jouent sur des concurrences anciennes et actuelles entre acteurs de la vie politique congolaise. Elles allument ainsi des foyers de violence dont elles ne contrôlent pas toujours la force d'expansion, comme l'atteste la recrudescence récente des massacres commis par des milices dans la région de l'Ituri. Ce sont là des stratégies de guerre ordinaires, liées à l'occupation d'un territoire.

Médiations internationales

La guerre du Congo a suscité de multiples tentatives de médiation. L'étape la plus marquante est l'accord de cessez-le-feu signé le 10 juillet 1999 à Lusaka par la plupart des parties internationales au conflit, puis par les deux principaux mouvements rebelles (RCD et MLC) qui rejoignent le processus en août. Bien qu'étant l'objet d'incessantes violations, cet accord constitue, de 2000 à 2002, la base sur laquelle s'organisent les tentatives de règlement du conflit. Il annonce un « dialogue inter-Congolais » sur le mode de gouvernement du pays et prévoit le départ des troupes étrangères du territoire de la RDC parallèlement au désarmement et au cantonnement des factions armées étrangères actives au Congo. Cette dernière clause répond principalement aux exigences du gouvernement rwandais en butte aux attaques de groupes armés organisés et entraînés en territoire congolais (les forces de l'ancienne armée rwandaise – ex-FAR – et les milices Interahamwe, les unes et les autres impliquées dans l'organisation et l'exécution du génocide de 1994). L'accord définit également les tâches qu'aura à accomplir la Mission de l'Organisation des Nations unies en République démocratique du Congo (Monuc, créée en 1999) : elle devra superviser le désengagement des forces puis le retrait des armées étrangères, enquêter sur les violations du cessez-le-feu et prendre des mesures pour le faire respecter ; désarmer, démobiliser, rapatrier, réinstaller et réinsérer les ex-combattants des groupes armés ; identifier les auteurs de crimes contre l'humanité et crimes de guerre puis les traduire devant la Cour pénale internationale. En février 2000, le Conseil de sécurité renforce la Monuc (résolution 1291) qui peut désormais compter jusqu'à 5 537 militaires dont 500 observateurs. Mais il stipule que ce déploiement ne deviendra effectif que si les parties respectent l'accord de cessez-le-feu de Lusaka et à condition qu'un plan de désengagement des forces soit établi. Dans la même résolution, le Conseil de sécurité autorise la Monuc, « pour autant qu'elle estime agir dans les limites de ses capacités », à prendre les mesures nécessaires « pour protéger les civils se trouvant sous la menace imminente de violences physiques ».

L'arrivée au pouvoir de Joseph Kabila, qui succède à son père assassiné le 16 janvier 2001, permet au processus de Lusaka de connaître un début de concrétisation. Le nouveau chef d'État congolais accepte en février un plan de désengagement des forces armées et donne son appui à la mise en place du dispositif de la Monuc. Estimant que « les conditions relatives au respect du cessez-le-feu sont réunies », les Nations unies entament le déploiement effectif de leur personnel civil et militaire dès le mois de février. Néanmoins, il faudra attendre un an et demi avant que le Rwanda et le Congo signent à Pretoria, en juillet 2002, un protocole d'accord prévoyant le désengagement des troupes rwandaises parallèlement au démantèlement des groupes de miliciens Interahamwe et des ex-Forces armées (FAR). Au 9 octobre 2002, environ 90 % des 23 760 soldats rwandais officiellement présents au Congo en auraient été retirés, selon la Monuc. Par ailleurs, le président du Congo et celui de l'Ouganda ont ratifié le 6 septembre 2002 un accord sur le retrait des troupes ougandaises qui, fin mai 2003, n'est toujours pas achevé dans l'Ituri.

Ces accords ont régulièrement été violés depuis leur signature. Les interventions militaires rwandaises et ougandaises n'ont pas été interrompues à l'est du Congo où des groupes armés de Rwandais hutus poursuivent leur guerre contre le régime de Kigali. Les *maï-maï* – terme utilisé dans les années 1960 pour désigner les milices qui s'allièrent à la rébellion muleliste contre l'armée de Mobutu au Sud-Kivu, et qui s'applique désormais à tout groupe de jeunes en armes, plus ou moins en rupture avec leurs sociétés d'origine – continuent de harceler les troupes rebelles ou loyalistes qui, des deux côtés, ne sont pas en reste d'exactions.

Les Congolais dans la guerre

De multiples dépêches, témoignages et enquêtes ont été publiés, pendant la guerre, décrivant le sort des populations prises dans les combats et soumises à la présence prolongée de forces armées, rebelles, étrangères ou gouvernementales. En ce qui concerne les attaques et contre-attaques sur les villes, voici à titre illustratif le type d'information publiée, sur le coup, par les agences de presse :

> *AFP, 6 octobre 1998. Offensive contre Kindu (Maniema) à l'est du Congo*
> La rébellion affirme avoir lancé mardi matin une offensive

contre Kindu, bombardée avec des mortiers et théâtre de combats de rue. L'offensive a été lancée depuis la rive droite du fleuve Congo, à l'est de Kindu, a indiqué en milieu de journée le commandant rebelle Arthur Mulunda. Selon lui, les rebelles ont d'abord bombardé la ville, à partir de trois heures du matin, avec des mortiers, puis les forces terrestres ont attaqué au petit matin. « Les forces gouvernementales résistent », a-t-il précisé et la population civile « est en fuite, utilisant la route et la voie ferrée ».

[Selon d'autres dépêches, la rébellion affirme avoir engagé 9 000 hommes dans ce combat. L'AFP rappelle que « l'accès au front est interdit aux journalistes, ce qui ne permet pas de vérifier les informations sur les combats ».]

AFP, 8 juin 1999. Prise de Manono (Katanga), au sud-est du Congo

Les troupes rebelles congolaises appuyées par des soldats rwandais tiennent, depuis le 7 juin, Manono. Dans Manono les rues sont vides, les volets et les portes des maisons grands ouverts. Les seuls signes de vie sont les quelques lampes allumées la nuit dans les maisons où cantonnent les soldats fraîchement installés. Aucune vie dans les grandes allées bordées de manguiers. Aujourd'hui, après un mois de combats et de bombardements, la population a totalement déserté la ville.

« La population a fui dans la brousse. Nous avons vraiment très peur des bombardements. La seule condition pour rentrer c'est l'arrêt des bombes. »

« Les avions zimbabwéens, des Mig et des Antonov, venaient presque chaque jour. Ils larguaient parfois dix bombes et repartaient, mais pouvaient revenir dans la même journée. »

AFP, 11 avril 2001. Bombardement de Nyunzu (Katanga), au sud-est du Congo

Depuis décembre, Nyunzu, assiégée par les Forces armées congolaises (FAC, fidèles au gouvernement de Kinshasa) et les milices tribales *maï-maï*, n'est presque plus approvisionnée. Le 20 décembre, à six heures du matin, quatre bataillons des FAC attaquaient Nyunzu. Pendant presque deux semaines, les combats font rage. Les obus de mortiers pleuvent sur les anciennes villas coloniales et les allées ombragées de manguiers de la petite ville : « 176 bombes en douze jours ». « Tout le monde se terrait dans les maisons, nous n'avions rien à manger, ni à boire. »

Les assaillants repoussés, le blocus commence. Et la disette s'installe. « Pas de sucre, pas de sel, pas de bière, presque pas de manioc, car personne ne peut sortir pour cultiver, nous avons vraiment connu la faim. » Près de quatre mois après l'attaque, l'étau des assaillants commence seulement à se desserrer.

Durant cette guerre, la prise des villes a constamment été mise en avant sur la scène publique pour témoigner des victoires et de l'avancée des forces en présence. Les descriptions des attaques mettent en lumière la nature et l'ampleur des combats : encerclements, bombardements aériens, pilonnages d'artillerie, combats de rue. Dans certains cas, les blocus et bombardements durent des mois. Dans d'autres, les villes sont prises et reprises par les belligérants. Souvent, les mouvements de troupes, les affrontements ou menaces d'affrontements provoquent la fuite des villageois vers les villes proches où ils vont chercher abri et où ils se trouvent finalement pris au piège de l'encerclement. Ces déplacés, pour la plupart des agriculteurs qui vendaient leur production sur les marchés urbains, abandonnent leurs cultures et cessent de commercer, d'où l'effondrement du ravitaillement des villes. La désorganisation des échanges entre zones urbaine et rurale, conjuguée au bouleversement des circuits commerciaux à l'échelle locale et régionale, contribue à l'émergence de disettes.

Dans de multiples cas, comme à Manono, ce sont les citadins qui quittent en masse les villes soumises à la menace ou au feu des combats. En fuite, leurs conditions de survie dépendent de l'aide des villageois, eux-mêmes débordés par le nombre de personnes à assister et fréquemment en butte aux exactions de soldats fuyards ou rebelles. De fait, les hommes en armes pillent et brûlent les villages, violentent la population qui, à chaque approche de soldats, abandonne ses lieux d'habitation pour se cacher dans la forêt. Dans le Nord-Katanga par exemple, où la proximité de la ligne de front explique la forte concentration de soldats gouvernementaux et de miliciens *maï-maï*, les Congolais vivent dans la crainte permanente des exactions des combattants. La moindre alerte concernant l'approche de militaires congolais ou de *maï-maï* entraîne la fuite des villageois et leur repli dans des refuges en brousse, d'où ils continuent de venir cultiver leurs champs. Sur les axes fréquentés par les troupes, nombre de villages sont désertés. Les Congolais passent la nuit dans la brousse et viennent éventuellement le matin surveiller l'état de leurs cultures et de leurs biens.

Guerre totale et passivité internationale

Dans les provinces du Nord-Kivu et du Sud-Kivu, situées à l'est du pays, la présence de troupes étrangères, surtout ougandaises et rwandaises, a été ininterrompue depuis au moins 1996. Kigali revendique le droit d'intervenir pour protéger sa frontière et poursuivre les « génocidaires » réfugiés au Congo. Reste qu'en pratique les forces rwandaises – tout comme les troupes ougandaises, également présentes dans la région – forment une armée d'occupation. Elles ont atteint Kisangani, le Kasaï, le Katanga, à une grande distance de la frontière à protéger. En fait, l'exploitation économique des territoires occupés semble constituer un objectif essentiel qui explique souvent les concentrations de troupes et leurs cibles. Comme l'ont documenté plusieurs enquêtes des Nations unies, l'exploitation illégale des ressources naturelles et le pillage des équipements du Kivu au profit des oligarchies militaires rwandaise et ougandaise constituent deux des clés du conflit.

Face aux occupants, les habitants du Kivu ont développé dès 1996 de multiples formes de résistance civile et armée. Les troupes rwandaises et celles de leurs alliés rebelles ont répondu par une guerre totale contre les populations : arrestations, tortures, exécutions sommaires, répressions de masse contre des villages, pillages, incendies de maisons entraînant la fuite dans la forêt, viols, harcèlement pouvant aller jusqu'au démantèlement des organisations de la société civile (interpellations, intimidations des animateurs, assassinats). Ces pratiques ne furent pas réservées au Kivu et furent largement connues. Les informations concernant les massacres commis par les rebelles alliés au Rwanda dans l'est du Congo en représailles à des attaques *maï-maï* contre des forces alliées au Rwanda ont été rapidement diffusées. Selon les missionnaires catholiques, 633 personnes ont été assassinées en masse, sans distinction d'âge ou de sexe, à Kasika en août 1998 (une trentaine selon les agresseurs), 500 à Makobola en décembre 1998, 300 à Katogota en mai 2000 (31 selon un responsable anonyme des Nations unies). Bien des données et enquêtes permettent de dresser un tableau effroyable des multiples formes de cruauté commises contre les Congolais par tous les corps armés impliqués dans cette guerre.

Alors que la résolution 1291 du Conseil de sécurité (février 2000) autorise, en vertu du chapitre VII de la charte, la Mission des Nations unies à prendre les mesures nécessaires « pour protéger les civils se trouvant sous la menace imminente de violences physiques », Kofi Annan estimait en avril 2001 que « la Monuc n'a ni le mandat ni les moyens d'assurer la sécurité des populations civiles[1] » – les moyens manquent certainement mais le mandat de protection, certes avec des restrictions, n'a-t-il pas été voté ? De fait, en juin 2002, les effectifs de la Monuc étaient toujours en deçà de l'objectif fixé par la résolution 1291. Kofi Annan précisait en outre que « l'équipement, la formation et la configuration » des contingents de la Mission n'étaient pas conçus pour apporter rapidement une protection aux civils. Et il ajoutait que là où des contingents onu-

---

1. Conseil de sécurité des Nations unies, *Septième rapport du secrétaire général sur la Mission de l'Organisation des Nations unies en République démocratique du Congo* (5/2001/373), 17 avril 2001.

siens importants étaient déployés (comme à Kisangani), la population « allait s'attendre » à ce qu'ils protègent les civils. Attente vaine et dangereuse, comme l'ont illustré les précédents du Rwanda et de la Bosnie. En dépit des vœux contenus dans

---

Les batailles de Kisangani (1998-2002)

La guerre du Congo débute le 2 août 1998. Kisangani tombe aux mains du Rassemblement congolais pour la démocratie (RCD) et de ses alliés ougandais et rwandais dès le 23 août. La prise de cette ville de 700 000 habitants, dotée de deux aéroports et centre régional pour le contrôle des filières d'écoulement de diamants, est une étape militaire et politique stratégique. Rapidement, Ouganda et Rwanda exploitent les concurrences entre chefs rebelles congolais, chaque puissance favorisant l'émergence d'un mouvement qui lui soit favorable et sur lequel elle exerce son emprise. Ils provoquent ainsi l'éclatement du RCD entre une faction dirigée par Wamba dia Wamba (RCD-Kisangani), proche de l'Ouganda, et une autre alliée du Rwanda dont le responsable est Émile Ilunga (RCD-Goma).

Le 22 mai 1999, soit quatre jours après la scission du RCD, de violents échanges de tirs opposent, à Kisangani, les factions congolaises et leurs alliés respectifs. En juillet, Wamba dia Wamba annonce qu'il pourrait signer les accords de cessez-le-feu alors négociés à Lusaka, signature à laquelle s'opposent les leaders du RCD-Goma. Entre le 14 et le 16 août, les troupes de l'Ouganda et du Rwanda s'affrontent à Kisangani. Chaque partie tente d'imposer l'hégémonie de la faction rebelle qu'elle soutient. La bataille urbaine où des armes lourdes sont utilisées par les deux armées fait au moins 300 morts parmi les civils, principalement victimes des bombardements.

Les affrontements entre armées rwandaise et ougandaise reprennent en mai et juin 2000. Du 5 au 10 juin, la ville est sous le feu des combattants qui utilisent chars, lance-roquettes, mitrailleuses lourdes, grenades. Il y a des centaines de morts, des milliers de blessés graves et de personnes traumatisées et autant de perles résolutions des Nations unies, force est de constater que la protection des civils congolais n'était pas la priorité du Conseil de sécurité.

Bien que l'ampleur des atrocités commises envers les non-

sonnes déplacées, des milliers de maisons détruites ou endommagées.

En août 2000, le secrétaire général des Nations unies envoie une équipe d'observateurs en RDC « afin d'évaluer les pertes en vies humaines et les dommages matériels infligés à la population civile de Kisangani » à la suite des combats. Les affrontements auraient fait 760 morts parmi les civils.

Dans son rapport au Conseil de sécurité du 21 septembre 2000, Kofi Annan déclare que le Rwanda et l'Ouganda ont bien retiré leurs forces à une distance d'environ 100 kilomètres de Kisangani. Cependant, précise-t-il, les éléments militaires des rebelles alliés au Rwanda contrôlent la ville qui n'est donc pas véritablement démilitarisée contrairement aux engagements pris.

Près de deux ans plus tard, en juin 2002, le secrétaire général demande, à nouveau, au RCD-Goma de « démilitariser immédiatement » Kisangani. En effet, au mois de mai, la ville a été le théâtre d'extrêmes brutalités militaires. Le 14 mai, des soldats dissidents se sont emparés de la station locale de la radio et ont appelé à se soulever contre les « envahisseurs rwandais ». Quand les soldats fidèles au RCD-Goma ont repris le dessus, ils ont exécuté sommairement des civils, des militaires et des gendarmes suspectés de ne pas leur être favorables : des victimes ont été égorgées et mutilées. La Monuc n'avait alors pas achevé son « déploiement » à Kisangani, elle n'était pas en mesure de protéger les civils mais avait néanmoins donné asile à sept personnes qui se déclaraient en danger si elles tombaient aux mains du RCD.

La résolution 1291 du Conseil de sécurité, préconisant la protection des civils, date du 24 février 2000. Or c'est à la mi-juin 2002 que l'ONU a complété son dispositif prévu pour Kisangani, soit 1 150 soldats. Lenteur et prudence, telle était l'option sur laquelle s'accordaient les membres du Conseil de sécurité.

combattants ait rapidement été rendue publique par les ONG locales et internationales ainsi que par les Églises et, plus tard, les observateurs de l'ONU, aucune sanction n'a été prise à l'encontre des États occupant l'est du Congo. Le comportement des armées rwandaise et ougandaise en RDC n'a pas entraîné la diminution de l'aide accordée par l'Union européenne à ces pays – ni celle des coopérations engagées par le Royaume-Uni et les États-Unis, qui avaient déclaré voir dans les présidents du Rwanda et de l'Ouganda une nouvelle génération de leaders (« *new African leaders* ») engagés dans une véritable « renaissance africaine ». Comme pour se faire pardonner son inertie face au génocide des Rwandais tutsis en 1994, une partie de la communauté internationale s'en est tenue, jusqu'à récemment, aux justifications avancées par Kigali : le Rwanda, en s'établissant par les armes au Congo, ne ferait que protéger sa frontière et poursuivre des « génocidaires » où qu'ils se trouvent. Au nom de quoi la communauté internationale a laissé faire les troupes ougandaise et rwandaise.

Cependant, face aux graves massacres commis dans l'Ituri en mai 2003 et à la suite du retrait des troupes ougandaises, le Conseil de sécurité a adopté le 30 mai une résolution autorisant, en vertu du chapitre VII, le déploiement d'une force multinationale « intérimaire » à Bunia. Sa mission se limite à la protection de l'aéroport et des personnes déplacées se trouvant dans la ville. Agissant sous commandement français et sous l'égide de l'Union européenne, cette force, destinée à pallier la faible réactivité opérationnelle des Nations unies, devrait se retirer au 1er septembre 2003 et laisser la place aux contingents de la Monuc, toujours en cours de formation.

Enquêtes sur les résultats d'une guerre totale

Les conséquences de la guerre ont été observées, mesurées et décrites par plusieurs enquêtes. Conduites à l'initiative de différents acteurs internationaux (ONG internationales présentes au Congo, Union européenne, Organisation mondiale de la santé, Nations unies), elles partagent toutes le même diagnostic : le système de soins de santé primaire est exsangue, les maladies endémiques (sida, maladie du sommeil, malaria, etc.) se propagent rapidement, les épidémies (rougeole, choléra, etc.) se multiplient, la situation nutritionnelle est grave pour les citadins ainsi que pour les centaines de milliers de déplacés internes. En 2000, on estimait à plus de 2 millions le nombre de Congolais exilés dans leur propre pays, principalement dans l'est de la RDC. Ils cherchent refuge auprès d'amis, de parents ou d'inconnus, dont ils aggravent la précarité économique, les entraînant à leur tour dans la pauvreté. Un grand nombre d'enfants, souvent séparés de leur famille, figurent parmi les personnes déplacées. Les structures de santé se trouvent dans un tel état d'effondrement qu'elles ne peuvent répondre aux souffrances endurées par un nombre croissant de Congolais. Le chaos économique provoqué par la guerre et les guerriers aggrave la pauvreté et par là même la vulnérabilité de la population. Tels sont les termes du diagnostic.

Un document a été essentiel dans le débat public sur l'ampleur du désastre congolais. Il s'agit d'une enquête de mortalité rétrospective réalisée par sondages dans l'est du Congo, en 2000 et 2001, à l'initiative d'une ONG américaine (*Mortalité à l'est de la République du Congo. Les résultats de onze enquêtes de mortalité*, International Rescue Committee, mai 2001 et avril 2003). Selon cette étude, parmi les 19,9 millions de Congolais des provinces de l'Est directement affectées par le conflit et l'occupation (Nord- et Sud-Kivu, Maniema, Katanga, Province orientale), 2,5 millions de personnes auraient perdu la vie en raison de la situation de guerre entre août 1998 et mars 2001. Les décès sont principalement dus à la maladie et à la malnutrition, le nombre des morts directement provoquées par les actes de guerre commis par toutes les parties au conflit étant estimé à 350 000. Loin de passer inaperçues, ces données ont été reprises, et ainsi légitimées, par les médias internationaux, tandis que pour nombre de Congolais elles sont devenues un instrument de lutte politique contre les occupants étrangers dont elles servent à établir la cruauté.

Plus récemment, une nouvelle enquête épidémiologique, conduite entre août et octobre 2001 par Médecins sans frontières (Belgique), confirme la gravité des atteintes à la vie et aux conditions de vie (*Accès aux soins et violences en RDC*, décembre 2001). Dans une zone d'affrontement (Basankusu, province de l'Équateur), où les actions militaires, les pillages, les incendies et bombardements d'habitations tout comme le ravage des cultures et les déplacements de population ont été intenses depuis 1998, l'enquête montre qu'environ 10 % de la population serait décédée en une année (2000) ainsi qu'un quart des enfants de moins de cinq ans. Ce niveau de mortalité est principalement lié à la malnutrition et à l'augmentation des maladies infectieuses, seuls 4 % des décès étant directement liés à des actes de violence. Cependant l'enquête précise que, dans plus de quatre foyers sur cinq, une personne au moins a subi des pratiques de violence caractéristiques de la guerre totale : destruction de biens, coups, torture, viol, blessures par armes, emprisonnement, recrutement forcé – les pillages et les destructions de biens étant les deux types de violence les plus répandus. Dans 15 % des foyers une personne ou plus a été victime de torture (avant 2001) et dans 13 % au moins une personne a subi des sévices sexuels. Cette gravité de la violence est propre aux zones d'affrontement et aux régions situées à proximité des lignes de front.

La réponse humanitaire aux situations dramatiques dénoncées et décrites par les organismes de secours, congolais et internationaux, a été grandement limitée par les risques et les difficultés d'accès aux régions en guerre où les civils sont exposés au maximum de dangers. En avril 2001, six agents du Comité international de la Croix-Rouge ont été tués par balles et mutilés à l'arme blanche au cours d'un déplacement de travail dans la région de Bunia, au nord-est de la République démocratique du Congo ; en mai 2003, deux observateurs de la Monuc ont été assassinés dans la région de l'Ituri où les affrontements et les massacres ont repris. Entretenant à dessein un climat d'insécurité dissuasif, certains belligérants, États et bandes armées, ont longtemps refusé d'ouvrir les territoires qu'ils contrôlaient aux ONG internationales. Aux contraintes de sécurité s'ajoutent des contraintes logistiques redoutables, liées notamment au délabrement ou à la destruction des infrastructures de transport – ce qui impose le recours fréquent à des moyens logistiques aériens. En conséquence, les opérations d'assistance, même réduites à un hôpital ou une zone de santé, ont un coût financier extrêmement élevé – a fortiori lorsqu'il s'agit d'engager et de soutenir un programme d'aide humanitaire pour l'ensemble du Congo.

La plupart des rapports publiés par les ONG internationales présentes au Congo s'achèvent sur les constats suivants : il y a un « immense fossé » entre ce qu'elles font et l'ampleur de la catastrophe, « les besoins sont immenses et les ressources insuffisantes ». Ce constat tout à fait véridique relève en même temps de la rhétorique traditionnelle des ONG. Celles-ci, pour leurs recherches de fonds et de soutiens, ont tendance à mettre l'accent sur l'immensité des tâches à accomplir donc des moyens à réunir : de fait, cette image de l'« immense fossé » vise d'abord à mobiliser les plus puissants donateurs institutionnels. Mais en même temps, ne témoigne-t-elle pas d'une surestimation du rôle des organisations humanitaires ? Celles-ci, outre leurs prises de parole visant à faire reconnaître sur la scène publique internationale le drame des populations congolaises, ont conduit de nombreuses actions depuis 1998 : soutien à des hôpitaux et zones de santé, assistance aux déplacés et aux Congolais réfugiés, notamment en Zambie et en République centrafricaine, aide alimentaire, secours médicaux d'urgence dans des zones de combats, réponses aux épidémies. Il reste que ces actions ne peuvent accomplir ce que seuls l'État congolais et des États occidentaux ou des organisations interétatiques (Union européenne, Nations unies) auraient la capacité de mettre en œuvre : la restauration d'une puissance publique rétribuant ceux qu'elle emploie, le rétablissement des voies de communication, la réhabilitation des bâtiments publics, des équipements et de l'habitat, pillés et ravagés par la guerre. Si l'on s'en tient à ces seules nécessités (il y en a d'autres), il est déjà clair que la tâche relève du pouvoir politique national et étranger : s'il n'y a pas d'engagement en ce sens, les organisations humanitaires resteront toujours « face à un immense fossé ». Il n'empêche, leurs actions ne sont pas pour autant symboliques, car elles ont apporté des secours nécessaires qu'elles ont longtemps été seules à procurer, souvent dans les zones les plus exposées aux actes de guerre, aux violences d'hommes en armes, aux risques épidémiques et à la détresse économique.

Marc LE PAPE

Références bibliographiques

Centre d'étude de la région des Grands Lacs d'Afrique, *L'Afrique des Grands Lacs, annuaire 1999-2000*, Paris, L'Harmattan, 2000 ; *L'Afrique des Grands Lacs, annuaire 2000-2001*, Paris, L'Harmattan, 2001.
Médecins sans frontières, *République démocratique du Congo. Silence on meurt. Témoignages*, Paris, L'Harmattan, 2002.
« RDC, la guerre vue d'en bas », dossier de *Politique africaine*, n° 84, décembre 2001.
J.-C. Willame, *L'Odyssée Kabila. Trajectoire pour un nouveau Congo ?*, Paris, Karthala, 1999.

CHAPITRE 10

Colombie : la violence contre la politique

*La violence a longtemps fait partie de la conscience natio-
nale des Colombiens, comme un trait de culture marquant
depuis le milieu du XIXᵉ siècle l'histoire du pays et les mémoires
familiales. Pourtant, la guerre actuelle se distingue des cycles
précédents. Les mouvements de guérilla colombiens, apparus
au cours des années 1950-1960 dans un contexte régional
marqué par la victoire castriste à Cuba et la légitimation du
recours aux armes comme mode de transformation des systèmes politiques, se sont progressivement métamorphosés à
partir de 1975 : l'essor du trafic de drogue et des pratiques de
racket a démultiplié leurs ressources tout en les conduisant à
se déconnecter des luttes sociales. Incapable de faire face, le
gouvernement en appelle au milieu des années 1980 à des
groupes paramilitaires, alliés indociles également impliqués
dans le narcotrafic. L'aggravation du conflit, dont les différents
protagonistes s'affrontent de plus en plus par populations
civiles interposées, produit une reconfiguration des rapports
sociaux manifeste dans la montée d'une violence ordinaire,
l'érosion des hiérarchies traditionnelles et la diffusion des
normes mafieuses.*

*Depuis la seconde moitié de la décennie 1990, l'affronte-
ment donne lieu chaque année à des centaines d'attentats ciblés
et de massacres collectifs, à environ 25 000 homicides, 3 000
enlèvements et des dizaines voire des centaines de milliers de*

*déplacements forcés de civils (1 million pour la seule période
1995-2000). Ces données caractérisent une guerre sale qui n'a
plus aujourd'hui d'autre moteur que le contrôle des ressources,
des territoires et des populations locales, guerre qui oppose ou
rapproche, selon les cas, les guérillas, les paramilitaires, les
narcotrafiquants, les bandes de sicaires et une partie au moins
des forces armées gouvernementales, au détriment de la population civile prise entre tous les feux. Dans ces conditions, toute*

initiative pour « humaniser la guerre » est une action contre la guerre elle-même. En outre, l'ancienneté et la diffusion des diverses formes de violence dans la vie sociale rendent particulièrement difficile la définition des priorités de l'action humanitaire. Sur le plan international, les États-Unis ont une implication paradoxale dans le conflit : d'une part, en tant que principal débouché économique du trafic des drogues, ils permettent l'armement des factions en guerre ; d'autre part, dans le cadre du Plan Colombie d'abord puis de leur « lutte antiterroriste » depuis septembre 2001, ils apportent un important soutien financier, logistique et de formation à l'armée colombienne.

Ancienneté de la violence, étendue actuelle de la guerre

Un bref rappel historique est nécessaire. La création des partis conservateur et libéral au milieu du XIXᵉ siècle est contemporaine de la formation du système politique colombien dont les deux partis ont fourni l'armature. Leur confrontation permanente, souvent violente, a été au centre de la vie nationale jusqu'aux années 1960-1970. L'action des deux partis s'est inscrite, dès l'origine, dans le moule de factions régionales dominées par les figures des *caudillos* et des *caciques* – les maîtres régionaux capables, avec leur famille, leur puissance économique et politique, d'affaiblir le pouvoir central en formation ou de lutter férocement les uns contre les autres pour s'en accaparer le contrôle. Les partis furent d'autant plus efficaces localement que l'État avait du mal à déployer ses infrastructures et ses institutions sur toute l'étendue du territoire. Formant très tôt des sociétés et des milices pour contrôler ou contester les élections décisives, les deux partis bloquèrent toute expression politique démocratique – notamment électorale –, bien que le pays eût depuis longtemps la Constitution et les institutions d'une démocratie parlementaire.

Les dysfonctionnements de ce système binaire, les frustrations et les haines qu'il engendra, et les tentatives de remise en cause plus profondes à son encontre ont suscité des phases de violence plus ou moins aiguë. La plus meurtrière fut d'abord la « guerre des Mille Jours » (1899-1902) qui fit 100 000 morts. Un demi-siècle plus tard, la violence connut un regain d'intensité après l'assassinat du leader libéral Gaitán en 1948, alors sur le point d'engager des réformes sociales et politiques qui auraient probablement remis en cause l'édifice clientéliste et conservateur du bipartisme. Cet assassinat enclencha une longue série de règlements de comptes et de vengeances. Ravageant pratiquement tout le pays, ils opposèrent la police politique du gouvernement conservateur, les milices d'autodéfense du parti libéral, et les groupes de tueurs à gages (les *pájaros*) travaillant pour l'un ou l'autre parti. Ce fut la période dite « *La Violencia* » (1948-1964), au cours de laquelle 200 000 personnes (300 000 selon certaines sources) trouvèrent la mort et des centaines de milliers d'autres furent déplacées de force.

L'accord conclu entre les partis libéral et conservateur pour le partage du pouvoir en alternance sur le long terme mit fin à cet épisode de violence au début des années 1960. Il permit le fonctionnement apparemment normal et démocratique du système politique. Cependant, celui-ci s'avéra vite frustrant, dans la mesure où la représentation politique des revendications populaires, en particulier paysannes, en était exclue. Comme dans de nombreux pays latino-américains, l'issue de la lutte armée révolutionnaire apparut alors la plus adaptée aux mouvements populaires. Dans les années 1960, plusieurs guérillas d'extrême gauche entamèrent une guerre clandestine : les FARC (Fuerzas armadas revolucionarias de Colombia) ont regroupé en 1964 des guérillas d'autodéfense paysanne issues de la période de la Violencia, dont celles du Parti libéral et surtout du Parti communiste ; en 1962 se sont formés l'ELN (Ejercito de Liberación Nacional, guévariste) et à la fin des années 1960 l'EPL (Ejercito Popular de Liberación, maoïste) ;

enfin le M19 (Mouvement du 19 avril, plus critique, intellectuel et urbain) fut créé au tout début des années 1970. Tout au long des années 1960-1970, les guérillas bénéficièrent d'un certain capital de sympathie mais ne réussirent pas à établir un large ancrage populaire.

Les années 1980 marquent le début d'une nouvelle période de grande violence. Les guérillas se consolident progressivement en de vastes entreprises guerrières bâtissant leur puissance sur diverses ressources : constitution de liens économiques et militaires avec les réseaux de la drogue (à l'instar des FARC, qui assurent la protection des cultures, du transport et, en partie au moins, de la transformation de la coca et du pavot) ; racket des administrations communales rurales, des grandes plantations (comme les bananeraies de l'Uraba sous contrôle de l'EPL) ou de l'entreprise nationale de pétrole (importante ressource de l'ELN) ; enfin, développement de l'économie des enlèvements. Parallèlement, des formations paramilitaires émergent au milieu des années 1980. Elles résultent du développement, contre la guérilla, de comités d'« autodéfense paysanne » (généralement soutenus par l'armée) et d'escadrons clandestins, composés pour partie de membres de l'armée et de la police (actifs ou retirés), recrutés pour commettre les tueries auxquelles les forces de l'ordre ne désirent pas se livrer ouvertement. Si la guérilla des FARC est étroitement liée à l'économie de la drogue, bon nombre de groupes paramilitaires sont directement issus des anciens « cartels » de Medellin et de Cali. En 2001, le leader des paramilitaires colombiens a reconnu que 70 % de leurs revenus provenaient du narcotrafic.

Une véritable guerre interne voit aujourd'hui les deux principales forces en présence, guérillas et paramilitaires, s'affronter au cours d'interminables luttes de position sur presque tout le territoire national. Les groupes de guérilla les plus importants (FARC et ELN) totalisaient en 2000 plus de 20 000 combattants, dotés d'armes et d'équipements sophistiqués. De leur côté, les diverses organisations paramilitaires se sont de plus en plus autonomisées par rapport à leurs commanditaires initiaux. Elles se sont même fédérées en 1997 en une puissante organisation nationale, les AUC (Autodéfenses unies de Colombie), qui revendiquent au total plus de 10 000 membres. Sur les 30 000 combattants des armées illégales, 12 000 au moins sont des mineurs, dont de très nombreux adolescents désœuvrés des périphéries urbaines ou des zones rurales, qui trouvent un revenu et un certain statut au sein des groupes de guerre. Tout au long des années 1990, les organisations armées se sont professionnalisées dans leurs stratégies militaires à finalités territoriales et économiques. Le narcotrafic s'est développé. L'État et l'armée officielle ont perdu une grande part de leur crédibilité en matière de maintien de l'ordre et de contrôle territorial : en 2000, groupes de guérilla et paramilitaires étaient présents dans 822 des 1 050 municipalités du pays (soit les trois quarts d'entre elles) ; 40 % du territoire national était alors considéré sous contrôle des groupes armés illégaux (voir carte p. 242).

La guerre intérieure est dorénavant bien plus une « guerre contre la société » (selon les termes du sociologue Daniel Pécaut) qu'un conflit opposant adversaires et défenseurs du système en place. En effet, depuis la seconde moitié des années 1990, le rythme des faits de « guerre sale » s'amplifie de manière dramatique. On compte chaque année 25 000 homicides (30 000 selon certaines sources, sans compter les disparitions) et des centaines de massacres. Ces derniers sont dus en très grande partie aux forces paramilitaires pour lesquelles les tueries collectives sont le moyen systématique de prendre possession d'un village en y installant la terreur. Mais les guérillas ne cherchent plus, aujourd'hui, à épargner la population civile, notamment lorsqu'il s'agit de reprendre un territoire occupé par les paramilitaires : 109 habitants réfugiés dans l'église du village de Bojayá dans le Choco ont ainsi été massacrés lors du bombardement du village par les FARC, en mai 2002. Depuis quelques années, cette même organisation utilise les mines antipersonnel pour marquer ses territoires, provoquant plusieurs centaines d'amputations par an. Des assassinats ciblés, commis par tous les groupes armés, visent les personnalités politiques de tous échelons (conseillers municipaux, maires, ministres et candidats présidentiels), ainsi que les hommes d'Église, les leaders syndicaux, les journalistes, magistrats et universitaires.

Depuis 1999, on compte chaque année plus de 3 000 enlèvements avec demande de rançon (il y en a eu près de 25 000 entre 1990 et 2001). Ils émanent surtout de la guérilla, mais aussi des paramilitaires et des bandes de délinquance commune[1]. Aux enlèvements ciblés (parfois collectifs) à connotation politique, comme les pratique l'ELN, s'ajoutent les enlèvements économiques, sur le mode, entre autres, de la « pêche miraculeuse » qui consiste à arrêter des véhicules au hasard sur la route et à enlever les personnes qui semblent en mesure de faire payer une rançon élevée pour leur libération. Les kidnappings d'enfants ou de personnes supposées aisées par des bandes délinquantes qui « monnayent » ensuite leurs clients séquestrés auprès des guérillas ou des paramilitaires constituent, pour leur part, des enlèvements autant économiques que politiques. Pax Christi, une ONG hollandaise, mène depuis quelques années une vaste campagne internationale contre les enlèvements et dénonce tout type de complicité, notamment celle des entreprises multinationales et de leurs assureurs qui acceptent les marchandages.

La violence contre la politique

C'est dans l'épisode de la Violencia, au cours des années 1950, que se sont ancrés une part importante de la mythification nationale de la violence et le sentiment fataliste, répandu dans les milieux populaires, selon lequel le fléau serait toujours prêt à resurgir, comme un acteur de l'histoire plus fort que toutes les volontés individuelles. Durant les seize années consécutives de la Violencia, les vengeances ont répondu aux vengeances,

1. Groupes criminels/délinquants de droit commun n'appartenant pas aux formations militaires.

Les affrontements entre paramilitaires et guérillas (1998-2002)

Principale zone de présence active des paramilitaires

Principale zone de présence active des guérillas

Principale zone d'affrontements entre paramilitaires et guérillas

0   100 Km

O. Pissoat (REGARDS)

Source : Presidencia de la República,
Colombia conficto armado, regiones, derechos humanos y DIH 1998-2002.

entraînant d'innombrables massacres collectifs. Un sentiment communautaire régnait dans les bandes armées : un langage, des surnoms, des déclamations rituelles prononcées avant les massacres entretenaient les solidarités et l'identité autant privée que politique des groupes. Divers éléments indiquaient le caractère rituel des massacres : le choix des lieux (les patios des maisons assaillies), les séances organisées de tortures, les formes sacrificielles de mise à mort, les mutilations significatives, nommées et répétitives, la recherche d'une « mise en scè-

Distribution géographique de la violence homicide en Colombie entre 1982 et 1998

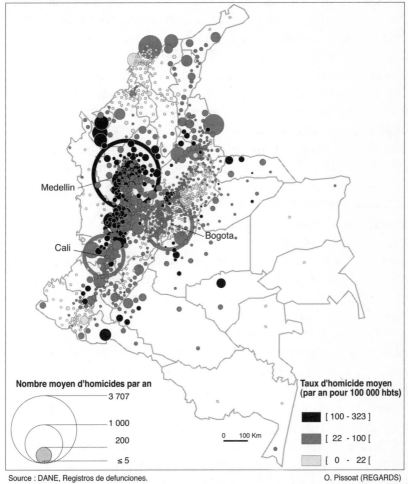

Source : DANE, Registros de defunciones.　　　　O. Pissoat (REGARDS)

ne » dans la disposition des cadavres, jusqu'aux billets ou objets volontairement laissés sur place pour signer les massacres.

L'horreur et la ritualisation de ces massacres ont marqué les mémoires. Si l'on peut dire qu'il existe aujourd'hui une culture de la violence en Colombie, elle ne tient pas à la violence de pratiques ancestrales laissées en héritage (comme beaucoup de Colombiens le pensent) mais à la formation progressive, depuis un siècle et demi, d'une mémoire des actes macabres et des rituels de massacres donnant naissance à une figure de l'ennemi en général, en déshumanisant le corps de l'ennemi de l'instant. Si culture de violence il y a, c'est dans la constitution graduelle d'un langage spécifique désignant les pratiques de mise à mort – en somme, dans l'accumulation de toute une *mémoire technique* de la violence, qui s'est perpétuée par-delà les causes successives des petits et grands conflits. Aujourd'hui, cette mémoire collective se voit activée de la manière la plus sanguinaire qui soit par une nébuleuse constituée des bandes de sicaires à la solde des grands propriétaires terriens, des narcos et parfois des partis, par les groupes « d'autodéfense » (c'est-à-dire paramilitaires), et par les organisations urbaines de *limpieza* – ces bandes en charge du « nettoyage social », c'est-à-dire de l'élimination sur commande de mendiants, d'enfants des rues, de prostitué(e)s et autres « marginaux ». C'est à travers cette mémoire que se réinvente, à chaque geste, le rapport entre ami et ennemi, en dehors des alliances et des oppositions politiques anciennes.

L'ample diffusion, parmi les Colombiens, du mythe d'une violence « atavique » et de la mémoire technique de la violence, ainsi que l'impunité des acteurs de la guerre sale (qu'ils appartiennent à l'armée gouvernementale, aux paramilitaires, à la guérilla ou aux narcotrafiquants), autorisent le passage à l'acte criminel ordinaire. La violence, voire l'homicide, sont donc susceptibles de survenir quels que soient les domaines de conflit, celui de la petite délinquance, des affaires de voisinage ou de famille. Les violences intra-familiales sont exacerbées (femmes et enfants battus, viols, infanticides, incestes, vente d'enfants et exploitation sexuelle, etc.). Chaque problème social (conflit portant sur les terres, conflit du travail, grèves étudiantes) se transforme rapidement en nouveau front de violence. La seule possibilité d'exprimer des revendications sociales est elle-même mise en cause par la menace de la violence, unanimement ressentie. Au cours des dernières années, la violence a ainsi pris l'aspect d'un phénomène diffus et difficilement identifiable : elle a perdu le caractère régional et thé-

matique qui la caractérisait autrefois (violence « politique »
dans les régions rurales andines et orientales) pour se faire plus
présente en ville (Medellin, Cali, Bogota) ou dans certaines
régions jusque-là plutôt épargnées – le littoral Pacifique, par
exemple (voir carte p. 243).

Dans les quartiers pauvres des villes, où la police officielle
n'entre que très peu, et seulement au terme d'une forte poussée
de violence, des « milices populaires » se forment à profusion
pour protéger les habitants contre les bandes délinquantes voisines. Fréquemment, ces milices se convertissent elles-mêmes
en groupes criminels faisant éventuellement la police des
familles et rançonnant les habitants. À l'occasion, les policiers
de la force publique, qui sont appelés *la Ley* (la Loi), peuvent
se comporter selon le même principe : surgissant dans le quartier, après s'être masqués en *encapuchados* (« encagoulés »),
ils répondent au meurtre de l'un des leurs par des vengeances
meurtrières sur les assassins et leurs proches parents. Enfin, les
personnes armées, en général très jeunes, à partir de douze ou
treize ans, circulent entre *pandillas* (bandes) délinquantes,
milices de quartier, guérillas, ou paramilitaires. Les passerelles
sont permanentes et diffusent le réseau des violences dans
presque tous les espaces. Cette diversification et cette diffusion
rendent aléatoire la distinction entre crimes « politiques » et
autres.

En admettant que la dimension politique de la confrontation actuelle entre les groupes paramilitaires et les guérillas soit
aujourd'hui largement masquée, cette confrontation peut-elle
être traduite en un langage politique ? Langage qui opposerait
par exemple une idéologie sociale et politique d'extrême
gauche, que les directions des guérillas revendiquent encore
officiellement, et une idéologie sécuritaire et antisociale d'extrême droite, prônée par les paramilitaires ? Rien n'est moins
évident. Les guérillas se sont éloignées de plus en plus du mouvement social d'où elles sont issues et qui les justifiait : mouvement paysan d'abord (les FARC du début des années 1960) et
urbain ensuite (les autres guérillas de la période 1960-1970).
Cet éloignement est allé jusqu'à la rupture : plus personne

aujourd'hui ne soutient qu'elles mènent une « guerre juste »,
même si certains gardent le sentiment qu'elles l'ont menée,
notamment dans les zones rurales où elles soutenaient publiquement des revendications sociales ou faisaient barrage aux
paramilitaires sanguinaires. Le résultat politique de la guerre,
aujourd'hui, c'est que la politique a été confisquée par la
guerre.

Les déplacements forcés, composante de la guerre

Diverses évaluations parlent aujourd'hui de plus de 2 millions de personnes déplacées par la violence depuis le milieu
des années 1980. Les estimations quantitatives sont des sujets
polémiques, d'autant qu'il n'existe aucune enquête absolument
rigoureuse ou neutre sur le sujet. Ainsi, selon les sources gouvernementales, 400 000 personnes auraient été déplacées de
force entre 1995 et 1999. Leur nombre serait en réalité de
1 123 000 selon l'évaluation de la CODHES (Consultoria para
los Derechos Humanos y el Desplazamiento), ONG créée en
1992 et fournissant depuis 1995 un état régulier des déplacements forcés dans le pays. Et pour la période 2000-2001,
320 000 déplacés sont reconnus par l'administration publique
– la CODHES, elle, en compte le double.

À la dispersion et à la diversification de la violence corres-
pond l'hétérogénéité de la catégorie des personnes en fuite.
Parmi les 2 millions de Colombiens déplacés entre 1985 et
2000 (qui représentent à peu près 5 % de la population totale
du pays), se retrouvent des paysans qui ont abandonné leur
terre et leur maison avant l'arrivée annoncée de la guérilla ou
des paramilitaires ; d'autres qui craignaient la répression de
l'armée pour avoir cédé à l'injonction brutale des narcotrafiquants de semer de la coca ; ou encore des cultivateurs

contraints d'abandonner leurs terres anéanties par des fumigations aériennes censées éradiquer les plantations de coca. On trouve aussi, parmi les personnes déplacées, des habitants des petites villes ou des périphéries des grandes villes cherchant à échapper aux tirs croisés des sicaires. On y voit autant d'ex-guérilleros que de paramilitaires ; des délinquants fuyant leurs acolytes de *pandillas* aussi bien que des membres des milices de « nettoyage social », etc. À tort ou à raison, la suspicion règne souvent parmi la population des zones d'accueil : à ses yeux, les déplacés sont moralement souillés par la guerre sale qu'ils ont fuie, et dont ils sont les survivants autant que les représentants.

Pratiquement toutes les zones du pays sont désormais atteintes par les déplacements forcés, que l'on considère les lieux de départ ou ceux d'arrivée. Les périphéries urbaines ont accueilli des dizaines ou des centaines de milliers de *desplazados* : 350 000 sont arrivés au compte-gouttes dans la périphérie de Bogota entre le milieu des années 1980 et la fin des années 1990. Les villes de taille moins grande, plus proches des lieux de départ, sont également très recherchées. Dans leur très grande majorité, les *desplazados* se dispersent en ville, occupent des *invasiones*[1] et tentent de trouver des soutiens et des moyens de survie autour d'eux, souvent dans l'économie informelle. Les femmes jouent un rôle moteur dans la survie des familles, trouvant plus rapidement que les hommes des solutions économiques provisoires (elles se font employées domestiques, vendeuses de rue, etc.). Les regroupements organisés sont rares. Quelques exemples d'initiative communautaire existent en zone rurale : formation de *haciendas* (groupements agricoles de déplacés), ou création de « communautés de paix » sur des terres concédées par les pouvoirs publics. Mais les unes et les autres ont du mal à se maintenir dans la durée, du fait des difficultés économiques ou de la trop grande proximité de la guerre. Il n'y a pas de camps de déplacés proprement dit, mais

1. Les *invasiones* sont des quartiers dits « spontanés », formés d'habitations illégales et précaires.

certaines zones d'urgence tendent à se perpétuer, comme en témoigne le maintien des *desplazados* dans des bâtiments publics.

La question des déplacements forcés a atteint dans l'actualité colombienne récente une importance et une visibilité sans précédent. Une quarantaine d'organisations non gouvernementales travaillent sur le sujet. Une revue, *Exodo*, est publiée par le Grupo de Apoyo a Organizaciones de Desplazados (Groupe d'appui aux organisations de déplacés) et, en 1997, une loi a reconnu « l'importance socio-démographique et humanitaire » du problème (loi 387 de juin 1997). Depuis, chaque personne déplacée doit obtenir une carte de *certificación* qui lui donne droit à une aide minimale : une somme d'argent correspondant aux dépenses de trois mois de nourriture et de loyer (renouvelable une fois au plus), l'inscription des enfants dans une école publique. Mais les maigres ressources allouées par le gouvernement à ce programme limitent drastiquement le nombre de bénéficiaires. Qui plus est, la lutte décrétée par les autorités contre le commerce informel pénalise au premier chef les déplacés, victimes d'un acharnement (humiliations, persécutions, emprisonnement, racket) d'autant plus indécent qu'aucune véritable alternative ne leur est proposée, si ce n'est des aides chichement attribuées à leurs « projets productifs »... ou la délinquance.

Retour de la *mano dura* et perplexité internationale

Excédée par les violences aveugles des acteurs armés, par les conséquences sociales dramatiques de la guerre sale, et par plusieurs années de négociations de paix totalement infructueuses, la population s'est accordée, lors de l'élection présidentielle de 2002, sur un jeune candidat de droite, Alvaro

Uribe : élu dès le premier tour (marqué par un fort taux d'abstention), peu mêlé à l'histoire des partis traditionnels, c'est un adepte de la *mano dura*[1]. Lié un temps à des groupes dits « d'autodéfense », il prétend lutter contre la violence en renforçant le rôle de l'armée, mais aussi en encourageant la délation populaire : le mois suivant l'investiture d'Uribe, en septembre 2002, des personnes apparaissaient, masquées, sur les écrans de télévision et recevaient en direct de l'argent pour avoir dénoncé nominalement les auteurs d'actes de violence dont ils avaient été témoins (de fait, uniquement des « insurgés » et jamais des délinquants ou des paramilitaires). Le nouveau pouvoir veut organiser un réseau d'1 million de civils équipés de moyens de communication, et pouvant éventuellement être armés. Alors même que le président Uribe s'est engagé à combattre les paramilitaires, on est en droit de se demander si ces méthodes n'aboutiront pas à recréer d'un côté ce que le gouvernement prétend éliminer de l'autre, et à diluer un peu plus le statut de non-combattant (chaque civil étant un auxiliaire de police en puissance), justifiant indirectement les attaques contre les populations civiles.

Le Plan Colombie, lancé par le gouvernement de Pastrana, prédécesseur de l'actuel, a été essentiellement soutenu et financé par les États-Unis. Il s'est montré tout aussi inefficace dans la lutte contre les cultures de drogue que cruel envers les populations paysannes dont les terres ont été touchées par les fumigations aériennes sans politique agraire compensatoire, et qui ont été contraintes à des migrations forcées. Entre 1999 et 2000, 90 000 hectares de coca ont été détruits avec la participation des États-Unis. Pourtant, en 2001, d'après la CIA, 120 000 hectares étaient encore consacrés à la seule culture de la coca (contre 25 000 hectares de plantations de cannabis et de coca en 1981). Dans le même temps, les États-Unis demeurent le principal débouché d'une économie clandestine de la drogue, dont l'existence et la richesse dépendent de la prohibition. Les

---

1. L'expression « *mano dura* » (« main dure ») désigne la manière forte.

États-Unis comptent 14 millions de consommateurs de stupéfiants, et la consommation de cocaïne augmente considérablement depuis la fin des années 1990. Le Plan Colombie est aujourd'hui dépassé. La stratégie d'Uribe ayant rejoint la lutte « antiterroriste » des États-Unis de l'après-11 septembre, l'aide militaire américaine est ouvertement destinée à lutter contre les organisations déclarées terroristes (guérillas et paramilitaires). Mais les liens anciens entre Uribe et les paramilitaires laissent craindre une stratégie antiterroriste inégalement répartie, et la rhétorique de la « guerre contre le Mal » une tolérance accrue à l'égard des violences commises contre les non-combattants situés du « mauvais côté » de la ligne de front.

La vigilance des organisations internationales de défense des droits humains est un outil important pour une réelle sortie de la guerre dont la population civile est la victime à 90 %. Compte tenu de la tournure prise par la guerre sale – dont les affrontements se déroulent souvent par massacres de population civile interposés, par l'enlèvement ou l'assassinat de non-combattants –, la guerre elle-même se définit comme une violation permanente du droit international humanitaire, et toute initiative pour le faire respecter s'apparente à une action directe contre la guerre elle-même. Quant aux organisations humanitaires, leur rôle ne peut être que marginal. L'extrême polarisation de la lutte autour d'un couple ami/ennemi sans cesse recréé à travers une violence extrême rend particulièrement délicate la reconnaissance d'une quelconque neutralité humanitaire. De fait, l'insécurité cantonne la plupart des organisations d'urgence aux villes, laissant les zones rurales aux rares opérateurs de secours qui, par des contacts réguliers avec les différentes forces en présence, parviennent (en apparence, du moins) à convaincre les belligérants de leur extériorité au conflit et de la nécessité de porter assistance aux non-combattants. Mais là encore, il n'est pas certain que l'action des organismes de secours ait un impact significatif sur les dynamiques de violence, tant celles-ci imprègnent l'ensemble des relations sociales. Les acteurs humanitaires peuvent néanmoins participer au dévoilement du coût humain de l'affrontement et contribuer à en faire un enjeu du débat public.

Quant au problème des cultures de coca, il ne se résoudra pas par le système répressif et antisocial des fumigations. La substitution par d'autres cultures peut être plus efficace pour autant qu'une politique de réforme agraire l'accompagne et que soient combattues les organisations multinationales de narcotrafic, ce qui implique la reconnaissance internationale du principe de *coresponsabilité* entre pays producteurs et consommateurs de drogues (États-Unis, Europe). Dans ce cadre, la légalisation des drogues – une arme contre les réseaux clandestins – serait susceptible de réduire considérablement les moyens financiers des groupes armés. La reconstruction sociale est tout aussi nécessaire pour combattre la guerre que le soutien aux négociations de paix et la lutte contre le trafic de drogue. C'est ce que visent les projets localisés de développement social lié au soutien aux cultures alternatives, tel le « Laboratoire de paix » de la région du Moyen-Magdalena (zone d'influence de l'ELN confrontée à la présence des AUC), le plus important projet de paix intégré dans un projet agricole et social soutenu par l'Union européenne (35 millions d'euros sur trois ans à partir de 2002).

Sur la scène politique colombienne, l'espoir vient des tentatives de formation d'un mouvement de la dite « société civile », qui s'est développé parallèlement à l'aggravation de la guerre actuelle : tout en cherchant à reprendre le flambeau de la contestation radicale et de la lutte sociale et politique en marge de toute option violente, il s'oppose, au nom des droits humains, à tous les groupes armés illégaux. Mais, quel que soit l'avenir immédiat de la guerre sur le plan politique et militaire, la société colombienne est d'ores et déjà transformée en profondeur par ce dernier cycle de violence, dont les formes inhumaines s'ajoutent aux épisodes antérieurs non résolus. À la mémoire des morts mal célébrés de la Violencia succèdent les dégâts humains de la guerre sale actuelle : la diffusion et la diversification de la violence dans la société ; les déplacements massifs de populations fuyant les zones de conflit et se regroupant de manière précaire dans les petites et les grandes villes. C'est sur ces deux terrains – la violence multiple, les populations déplacées – que l'action humanitaire peut tenter d'intervenir efficacement.

Michel AGIER

Références bibliographiques

M. Agier, « Perte de lieux, dénuement et urbanisation. Les *desplazados* de Colombie », *Autrepart*, n° 14, 2000, p. 91-105.

A.-M. Losonczy, « Violence sociale et ritualisation de la mort et du deuil en Colombie », *Autrepart*, n° 25, 2003.

D. Meertens, « Populations déplacées en Colombie et insertion urbaine », *Annales de la recherche urbaine*, n° 91, 2001, p. 118-127.

J.-P. Minaudier, *Histoire de la Colombie, de la conquête à nos jours*, Paris, L'Harmattan, 1997.

D. Pécaut, *L'Ordre et la Violence. Évolution socio-politique de la Colombie entre 1930 et 1953*, Paris, EHESS, 1987 ; « Guerre, processus de paix, polarisation politique », dossier « Colombie l'escalade », *Problèmes d'Amérique latine*, n° 44, 2002, p. 7-30.

G. Sanchez, « La guerre contre les droits de l'homme », dossier « Colombie l'escalade », *Problèmes d'Amérique latine, op. cit.*, p. 63-79.

CHAPITRE 11

Algérie : du bon usage du terrorisme

Depuis le déclenchement, en 1992, du conflit opposant groupes islamistes radicaux et forces gouvernementales, la guerre civile algérienne a coûté la vie à plus de 100 000 personnes et déstructuré des pans entiers de la société. Si la violence terroriste ne menace plus la survie du régime, le conflit est cependant loin d'être clos : plus 1 500 civils ont été massacrés en 2002. Pour de nombreux observateurs, le basculement de l'Algérie dans la guerre est la conséquence d'un processus de démocratisation mal maîtrisé. Face à la victoire des islamistes aux élections législatives de 1991, le pouvoir algérien n'aurait eu d'autre choix que de prendre les mesures d'exception propres à garantir la survie de l'État républicain. Cette lecture du conflit permet à la communauté internationale de justifier son soutien indéfectible à la guerre totale menée par les généraux algériens contre leurs opposants. La première « guerre au terrorisme » peut se dérouler à huis clos, sans susciter d'autres réactions à l'étranger qu'une indignation de bon aloi face à la brutalité des massacres imputés aux islamistes. Rares sont ceux qui s'interrogent sur les responsabilités du pouvoir algérien dans la genèse du terrorisme et les crimes commis contre la population civile. Or, celles-ci sont loin d'être négligeables. En refusant de prendre en considération cette dimension du conflit, il se pourrait que les États occidentaux et les organisations internationales cautionnent le sacri-

Algérie

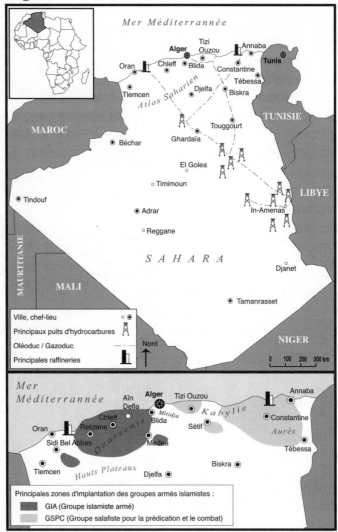

fice de milliers d'Algériens, otages de la confrontation entre le régime et la violence terroriste qu'il alimente.

Généalogie de la violence islamiste

Appréhender la genèse de la violence islamiste requiert un survol rapide de l'histoire récente du pays. Dès son accession à l'indépendance en 1962, l'Algérie s'engage sous la gouverne du Front de libération nationale (FLN) dans un projet volontariste et autoritaire de transformation sociale. Pour l'armée et son État, l'essentiel réside dans la construction d'une Algérie moderne – « socialiste, arabe et musulmane ». Occultant la pluralité culturelle, linguistique et religieuse du pays ainsi que la diversité de ses héritages historiques, la révolution est conduite selon une conception policière de l'action politique. À partir de 1965, les services de sécurité pénètrent en profondeur la société algérienne, entravant toute possibilité d'expression politique autonome. Simultanément, le pouvoir se lance dans de vastes projets industriels. Grâce aux ressources tirées de l'exploitation pétrolière et gazière, il procède à des recrutements massifs dans les administrations et les entreprises publiques, parvenant ainsi à préserver la paix sociale tout en développant de manière significative les services sociaux du pays.

L'émergence éphémère de premiers maquis islamistes au tournant des années 1980 signe l'entrée en crise de ce système. Couplés à la baisse des cours pétroliers, l'importance des crédits contractés pour des projets industriels démesurés et l'ampleur des besoins d'importation amènent le pays au bord de la cessation de paiement. Les timides mesures de libéralisation initiées alors ne parviennent pas à enrayer la crise ni les licenciements provoqués par le démantèlement progressif des entreprises publiques. En revanche, les mesures permettent l'enrichissement rapide d'une oligarchie constituée à l'ombre des militaires. Avec la disparition du président Houari Boumedienne en décembre 1978, la corruption au sein de l'armée et sa division en clans rivaux deviennent manifestes. Les proches du régime exhibent leur fortune, provoquant un profond ressentiment de la population à l'égard des « nouveaux riches ».

Les ressources se faisant plus limitées, l'État-FLN tente

maladroitement d'endiguer la contestation croissante en flattant les courants islamiques les plus rigoristes de la société. En effet, avec la fermeture politique du régime, la religion s'affirme dans les années 1980 comme lieu privilégié d'expression et de mise en forme des conflits sociaux. Diffusé par certains coopérants techniques arabes – engagés dans le cadre de la politique d'arabisation de l'enseignement national – et d'anciens combattants « jihadistes » d'Afghanistan, un islamisme politique s'installe au cœur de la mal-vie de la société algérienne. Il dénonce les idées de « progrès », assimilées à l'accaparement du pouvoir et de l'économie par les élites gouvernementales impies, et propose un contre-projet de « société idéale » dont l'énonciation coranique est bien plus mobilisatrice que les slogans modernistes du FLN. Inquiet de l'influence grandissante des islamistes, le pouvoir cherche à les contrer en reprenant paradoxalement à son compte certaines de leurs revendications : il interdit la consommation d'alcool et les paris, instaure le vendredi comme jour de repos hebdomadaire et révise le statut de la femme, réduite à l'état de « mineure » sous tutelle masculine. Les efforts laborieux du régime pour donner quelques gages de piété ne fait que légitimer la confusion des registres politique et religieux sur laquelle les islamistes bâtissent leur critique du pouvoir.

La contestation populaire prend un tour tragique à l'occasion des émeutes de 1988 qui font plusieurs centaines de morts à Alger. Affectant de céder aux pressions de la rue, le gouvernement entame une transition vers le multipartisme dont le principe est adopté par référendum en 1989. Mais la police politique renforce sa présence au sein des nombreux partis, associations et journaux qui émergent, tout en se livrant à d'intenses campagnes de manipulation et d'intoxication. Surtout, le pouvoir légalise en 1989 le Front islamique du salut (FIS), principal parti religieux, dans l'espoir de contrer les mouvements séculiers – au demeurant fort divisés – favorables à une démocratisation de la vie politique.

Le FIS profite de l'espace qui lui est offert pour consolider sa stratégie de conquête du pouvoir. Il infiltre les principales administrations et se lance dans des stratégies de bienfaisance. S'immisçant dans les vides créés par le repli de l'État-providence, il apporte une aide matérielle aux populations confrontées à la crise économique et à l'effondrement des services sociaux (comme en octobre 1989, lorsqu'il soutient de façon significative les victimes du tremblement de terre de Tipaza). Se sentant en position de force, le parti glisse dans les années 1989-1991 vers un puritanisme exacerbé et menaçant, sans susciter de réactions particulières de la part des autorités.

La suite est connue : le FIS parvient à remporter les élections municipales de 1990 et le premier tour des législatives de 1991 ; cinq jours avant la date prévue pour le second tour, un coup d'État militaire contraint le président Chadli Bendjedid à la démission et met un terme au processus électoral. Ce faisant, les généraux donnent des arguments aux anciens d'Afghanistan et aux sectes islamiques radicales pour convaincre le FIS et les mouvances attenantes de passer à la lutte armée, conduisant ainsi le pays à la guerre civile. Alors que les islamistes prennent le chemin des armes, les services de sécurité opèrent des rafles dans les mosquées et parquent des milliers de suspects dans des camps d'internement en plein Sahara. Habités par un profond sentiment d'injustice, des milliers de jeunes sont poussés vers le maquis où ils lient des amitiés de guerre et tissent des réseaux à l'échelle nationale. S'engage alors une guerre impitoyable dont les populations civiles seront les principales victimes.

La première « guerre au terrorisme »

Soutenus au départ par une partie de la société, les islamistes armés parviennent à s'implanter dans le Grand Alger. Excluant toute issue politique à la crise, le régime opte pour la guerre totale. En 1993, il se dote d'un corps de lutte antiterroriste et entreprend la reconquête des « espaces libérés ». La notion de « terroriste » est étendue à tout jeune soupçonné de sympathie pour la guérilla. Les suspects sont fichés et arrêtés, les rafles aux portes des mosquées se systématisent, « interrogatoires musclés » et « disparitions » se multiplient.

À partir des années 1993-1994, la radicalisation de la violence pratiquée par différents groupes islamistes conduit à l'effondrement de leur capital de sympathie. Les méthodes d'intimidation brutales mais sélectives utilisées au début de l'affrontement (exécutions d'intellectuels laïcs ou de proches des forces de sécurité, par exemple) font place à des actes de violence massive : attentats à l'explosif contre des marchés, des cafés, des trains ou d'autres lieux publics ; assassinats de passagers de véhicules arrêtés à de faux barrages ; massacres collectifs d'hommes, de femmes et d'enfants, abattus par balles, décapités et mutilés, brûlés ou déchiquetés par des bombes... Les civils désarmés sont sommés de « choisir leur camp » sous la menace d'être « punis » pour la mollesse de leur mobilisation contre l'État.

Ces pratiques de terreur s'avèrent particulièrement récurrentes au sud d'Alger (Mitidja, Médéa) et à l'ouest (Chleff, Aïn Defla, Relizane), où elles entraînent d'importants déplacements de populations. Elles connaissent un regain sans précédent en 1997, alors même que militaires et islamistes de l'Armée islamique du salut (AIS, bras armé du FIS) négocient une trêve. En l'espace de quelques semaines, 600 à 800 personnes, en majorité des femmes et des enfants, sont massacrées dans des villages de la Mitidja et de l'Ouarsenis. La facilité avec laquelle les terroristes commettent leurs crimes aux portes mêmes des casernes – et en pleine période de négociation – alimente la suspicion. Qui sont les véritables commanditaires de ces massacres ? S'agit-il d'actions autonomes des Groupes islamistes armés (GIA), mouvance fragmentée opposée au FIS et connue pour son extrême brutalité ? Ou d'une manipulation réalisée par des agents que le pouvoir a infiltrés, comme l'affirmeront ultérieurement certains transfuges des services de sécurité algériens ? L'incertitude s'installe durablement dans la conscience des Algériens, contribuant à brouiller leur lecture du conflit.

Quoi qu'il en soit, l'État se montre incapable de protéger les populations civiles. Les villageois de l'intérieur vivent dans la double crainte d'une violence terroriste devenue inintelligible et des contre-offensives de l'armée gouvernementale : bombardements aériens contre les massifs suspectés d'abriter des terroristes et vastes opérations de ratissage accompagnées d'exactions. Mais à l'exception de ces opérations coup de poing, l'armée consacre l'essentiel de ses moyens à la protection des villes, à la sécurisation des grands axes routiers et, surtout, à la défense des infrastructures pétrolières.

Si la pression terroriste finit par diminuer à la fin des années 1990, c'est essentiellement grâce à l'armement massif de la population. Renforcé par le rééchelonnement de sa dette en 1994, le régime investit dans la mise en place d'un véritable appareil de guerre civil. Il arme plus de 200 000 volontaires recrutés dans les villages afin d'en assurer la protection. Organisés en « gardes communaux » dépendant des communes ou en Groupes de légitime défense (GLD) relevant de l'armée, les « miliciens » (ou « patriotes » selon le point de vue) jouent un rôle de premier plan dans l'asphyxie de l'économie de guerre islamiste et la sécurisation des hameaux isolés. À ce titre, ils subiront de nombreuses pertes.

Néanmoins, l'armement de la société n'est pas anodin. De règlements de comptes en faux barrages, les « patriotes » alimentent la chronique des méfaits de guerre. Plusieurs miliciens seront radiés ou arrêtés pour racket, vol, viol, meurtres ou assassinats collectifs. De fait, la militarisation de la société algérienne contribue à la déstabiliser un peu plus, diffusant la violence dans les rapports humains ordinaires et provoquant de nouveaux clivages dans les hiérarchies sociales. Qui plus est, elle rend impossible le maintien d'une neutralité dans le conflit, la population étant contrainte de choisir son camp et par là même de s'exposer aux représailles du camp adverse.

C'est à ce prix que les islamistes sont repoussés vers des zones inhabitées. En 2001-2002, des régions où personne – pas même l'armée – n'osait s'aventurer sont totalement sécurisées. Les paysans qui avaient fui leurs terres pour cause de combats violents ou d'agressions terroristes reviennent peu à peu s'occuper de leurs champs (comme l'atteste la baisse du prix des fruits et légumes qui avait atteint des sommets lors des années 1994-1996).

Atomisée sous la pression des forces de sécurité, civiles et militaires, la nébuleuse islamiste se désagrège progressivement. La trêve signée entre l'AIS et l'armée algérienne en 1997 ouvre la voie à une réconciliation plus globale, entérinée par le président Abdelaziz Bouteflika lors de son accession à la présidence en 1999. Depuis, 10 000 islamistes ont déposé les armes et bénéficié de l'amnistie présidentielle prévue par « la loi sur la concorde civile » approuvée par référendum en septembre 1999. Mais il resterait 2 000 à 3 000 combattants dans les maquis, répartis entre phalanges autonomes des GIA (actives au sud et à l'ouest d'Alger) et GSPC (Groupe salafiste pour la prédication et le combat, organisation rivale active à l'est de la capitale).

Relativement mal structurés et isolés, ces groupuscules ne menacent plus la survie du régime. Mais ils continuent à distiller la terreur. Si le nombre de victimes a baissé (1 500 morts en 2002), pas un jour ne passe sans qu'un civil, un membre des forces de l'ordre ou un « terroriste » soit tué, essentiellement en dehors des villes ou dans leurs proches banlieues ; régulièrement, un attentat ou un massacre remet la guerre à la « une » de l'actualité nationale.

Le prix de l'affrontement

Selon les organisations internationales de défense des droits de l'homme, le conflit a coûté la vie à plus de 100 000 personnes depuis 1992. Le nombre d'Algériens déplacés par la violence s'élève à 1,2 million (soit 5 % de la population) et 7 000 personnes sont officiellement portées « disparues » – un chiffre bien inférieur à la réalité selon certaines sources qui font état de 10 000 à 20 000 disparitions. À ce bilan provisoire, il convient d'ajouter les conséquences durables de la militarisation de la société et celles de l'installation d'une économie libéralisée sur les ruines de l'Algérie socialiste.

En consacrant d'énormes moyens humains et financiers à la « guerre au terrorisme », l'État a délibérément omis de répondre aux défis de la dégradation économique et sociale de l'Algérie. Le gouvernement, en partenariat avec les institutions monétaires internationales, a initié des réformes pour « moderniser » une économie planifiée en crise, en éludant méthodiquement la question de leurs conséquences sociales. Or celles-ci se sont avérées désastreuses. D'après les statistiques officielles, 1 500 entreprises ont été dissoutes et 510 000 travailleurs licenciés depuis 1994. Le taux de chômage a explosé, approchant les 30 % en 2000. Le revenu des ménages a chuté de 36 % entre 1987 et 1995. Quant à la proportion de familles vivant en situation de pauvreté absolue (moins d'un dollar par personne et par jour), elle a doublé pour atteindre le quart de la population. Jusqu'au bas de l'échelle sociale, économie informelle et corruption deviennent des moyens de survie quotidiens et imprègnent l'ensemble de la société.

Qui plus est, le redressement des indicateurs macro-économiques à la fin des années 1990[1] s'opère au prix de coupes sombres dans les budgets d'équipement et de fonctionnement

1. En 2000, l'Algérie était parvenue à ramener le taux d'inflation sous la barre du 1 %, à dégager un excédent budgétaire et à maintenir la balance des paiements courants excédentaire.

des services sociaux. Conjuguées à l'expansion de la corruption, ces réductions budgétaires secouent en profondeur le système de santé, remettant en cause l'un des principaux acquis de l'Algérie socialiste : l'accès à une médecine gratuite et relativement moderne (voir encadré ci-dessous).

L'Algérie, condamnée à la violence ?

Dans ce contexte de délabrement socio-économique et de violence armée résiduelle, des émeutes éclatent en Kabylie et s'étendent un peu partout sur le territoire depuis deux ans, y compris dans des régions traditionnellement considérées comme stables et peu politisées. Essentiellement menées par des groupes

---

L'effondrement du système de santé publique algérien

L'un des principaux acquis de l'Algérie socialiste, l'accès à une médecine gratuite et relativement moderne, est aujourd'hui remis en cause par les coupes budgétaires dans les services sociaux, l'impéritie des autorités sanitaires et l'expansion de la corruption.

La fermeture des nombreux centres de dépistage mis en place au cours des années 1970 au niveau communal a entraîné la réapparition endémique de maladies autrefois éradiquées, comme la tuberculose. L'exode rural et les changements d'habitudes alimentaires qui l'accompagnent ont conduit à une recrudescence des cas de diabète qui prend aujourd'hui des proportions épidémiques. Les hôpitaux et dispensaires sont laissés à l'abandon : une partie croissante du matériel d'exploration est en panne, 90 % du budget sert à payer le personnel.

Quant aux médicaments, ils sont devenus un produit de luxe. Remboursé en infime partie par des caisses de sécurité sociale large-

---

de jeunes sur la base de revendications sociales, économiques ou politiques (protestations contre les violences policières, l'incurie des responsables administratifs locaux, le mépris des particularismes régionaux, etc.), ces manifestations marquent la reprise des initiatives de la société algérienne. Jusqu'alors, la violence terroriste et antiterroriste avait confiné des pans entiers de la société dans une position d'attentisme plus ou moins craintif. La relative accalmie du conflit armé permet aux fractures sociales occultées par l'autoritarisme du régime et la « guerre au terrorisme » de s'exprimer. Ces manifestations apparaissent aussi comme un nouveau terrain de manœuvre pour le pouvoir. Campagnes de manipulation et d'intoxication lui permettent d'opposer des parties de la société à d'autres afin de rester en position d'arbitre. Jusqu'à présent, ces émeutes ont fait plus d'une centaine de morts et donné lieu à des milliers d'arrestations.

---

ment déficitaires, leur prix s'est envolé avec la libéralisation du marché pharmaceutique. Un traitement antibiotique de deux semaines représente aujourd'hui le tiers du salaire minimal (qui est de 8 000 dinars par mois, soit 122 euros). Le marché de l'importation des médicaments (500 millions de dollars par an) est monopolisé par des opérateurs publics et privés étroitement liés au pouvoir. De nombreux généraux ont investi dans ce secteur à travers des prête-noms (souvent leurs propres enfants). Bénéficiant de facilités de crédit, de transport et de dédouanement, ils peuvent compter sur la compréhension du ministère de la Santé pour agréer l'importation de nouvelles molécules, quitte à rayer des traitements équivalents de la liste des médicaments remboursables. En conséquence, nombre d'Algériens se tournent vers la médecine traditionnelle, plus accessible que les structures sanitaires classiques – délabrées, débordées et relativement onéreuses –, mais dont les vertus thérapeutiques sont limitées à certaines pathologies. La nouvelle loi sur la santé, ajournée pour cause de forte contestation en 2002, devrait entrer en vigueur prochainement et entériner le démantèlement du secteur public de la santé.

L'Algérie serait-elle condamnée à la violence ? Unique au Maghreb, la brutalité de la guerre civile et des affrontements sociaux pose question. Sur 30 millions d'habitants, l'Algérie compte 20 millions de moins de trente ans qui représentent 80 % de la population au chômage. L'arrivée annuelle sur le marché du travail de 100 000 jeunes constitue sans aucun doute un facteur de déstabilisation. L'augmentation très sensible de la petite et de la grande délinquance est à cet égard révélatrice. Pour autant, le désespoir et la rancœur d'une classe d'âge ne sauraient expliquer la brutalité de la vie sociale et politique algérienne.

Celle-ci renvoie en partie au verrouillage d'un système politique discrédité. S'il existe une presse écrite relativement libre, les médias lourds, télévision et radio, restent des monopoles d'État. Il est difficile de monter un parti politique ou une association qui n'entre pas dans les réseaux clientélistes du pouvoir. Un seul syndicat, officiel, est chargé de représenter les revendications des travailleurs. Dans ces conditions, l'action violente peut apparaître comme le seul moyen d'exprimer une demande de changement ou de participation politique. D'autant que le recours à la force rappelle les violences du passé.

Des dévastations de la conquête et de l'occupation coloniales aux épreuves de la guerre de libération, la violence de masse imprègne l'histoire politique algérienne. La guerre d'indépendance est encore présente dans tous les esprits : 300 000 à 400 000 morts (soit, proportionnellement, autant que les pertes françaises durant la Première Guerre mondiale), des millions d'Algériens déplacés entre 1954 et 1958. Par ailleurs, 12 000 personnes ont perdu la vie pendant les luttes intestines qui ont ensanglanté le mouvement nationaliste à la libération et au moins 50 000 supplétifs de l'armée française, les harkis, ont été massacrés au cours de l'automne et de l'été 1962. Au tout début de l'affrontement, les islamistes ont calqué leur stratégie sur le modèle de l'Armée de libération nationale (ALN). Les mêmes caches et les mêmes stratégies de guérilla ont été utilisées ; les mêmes attentats ont cherché à mobiliser l'opinion en faveur d'une lutte déclinée sur le mode de la récupération d'une souveraineté populaire confisquée par une junte athée et pro-occidentale. Dans les rangs des groupes terroristes, on a même recensé plusieurs enfants de harkis, enclins à se venger de la marginalisation ou de l'élimination de leurs parents à la libération.

À cet égard, on peut se demander si ce n'est pas l'occultation du débat sur le sens et l'identité de la communauté politique algérienne qui explique la violence des rapports politiques et sociaux. Au nom de la fabrication autoritaire d'une Algérie « arabe, musulmane et socialiste », l'État-FLN a toujours opposé aux contradictions inhérentes au processus de construction nationale un unanimisme forcé, faisant notamment l'impasse sur les héritages berbères et coloniaux de l'histoire algérienne. La violence ne serait-elle pas l'expression des difficultés propres à la construction d'une communauté politique qui donnerait un sens communément partagé à la réelle pluralité sociale du pays [1] ?

La peur panique de l'Occident

En tout état de cause, l'État algérien, par son autoritarisme, son clientélisme et sa corruption, participe activement à la diffusion de la violence. Largement impliqué dans la genèse de l'islamisme armé, il est directement responsable des violences commises par les diverses forces de sécurité agissant à couvert ou en son nom. En choisissant de lutter contre l'islamisme sur un plan strictement militaire, il a renoncé à s'interroger sur le potentiel de violence présent dans le pays et il a plongé celui-ci dans une guerre fratricide qui n'en finit pas de finir.

Pourtant, le régime algérien n'a jamais manqué de soutiens internationaux. Rares sont les critiques qui lui ont été adressées. Les rapports de la Commission des droits de l'homme de l'Orga-

1. Voir J. Leca, « Paradoxes de la démocratisation. L'Algérie au chevet de la science politique », *Pouvoirs*, n° 86, 1998, p. 7-28.

nisation des Nations unies épinglent pourtant régulièrement les méthodes de gestion des décideurs algériens et leurs manquements répétés aux droits humains. Mais ils ne sont jamais suivis de sanctions. Bien au contraire, l'Algérie a obtenu en 1994 le soutien du Fonds monétaire international, de la Banque mondiale, de l'Union européenne et du G7 pour assurer le rééchelonnement de sa dette. L'ensemble des contributions, évalué à 40 milliards de francs, a permis au régime de reconstituer d'importantes réserves en devises, investies prioritairement dans la « guerre au terrorisme ». Durant l'été 1997, marqué par la médiatisation des massacres de la Mitidja, des semblants de pressions ont certes été exercés par l'ONU et l'Union européenne. Mais ils ont vite été abandonnés à la suite des visites éclair d'une commission d'information de l'ONU et d'une délégation parlementaire européenne dont les conclusions se sont révélées très nuancées au regard des rapports accablants publiés chaque année par les organisations de défense des droits humains.

L'étonnante compréhension dont bénéficient les autorités algériennes est en grande partie le produit de la représentation fantasmatique du conflit en Occident. Saisis d'une peur panique à l'évocation du « terrorisme islamique » et de sa possible exportation (notamment en France), les pays européens se sont également affolés à l'idée du « péril migratoire » associé au risque d'effondrement du régime. Aussi ont-ils donné carte blanche aux généraux pour gérer la crise à leur guise, dès lors qu'en était garanti le cantonnement à l'intérieur des frontières algériennes. Ce marchandage apparaît de façon manifeste dans la focalisation du dialogue entre l'Union européenne et les pays du Maghreb associés au « processus de Barcelone [1] » sur les questions du

1. Lancé en 1995 entre les quinze pays membres de l'Union européenne et douze pays méditerranéens (Algérie, Autorité palestinienne, Chypre, Égypte, Israël, Jordanie, Liban, Malte, Maroc, Syrie, Tunisie, Turquie), le « processus de Barcelone » (ou « partenariat euro-méditerranéen ») affiche pour ambition la mise en place d'« une zone de dialogue, d'échanges et de coopération qui garantisse la paix, la stabilité et la prospérité », grâce au développement du « dialogue politique », à la « coopération économique et financière » et à la « valorisation de la dimension sociale ».

« terrorisme » et de l'« immigration ». À en croire les conclusions des différentes conférences euro-méditerranéennes depuis 1995, la stabilité régionale exige un soutien indéfectible aux régimes du Maghreb dans leur lutte contre le terrorisme et une coopération accrue afin de combattre « l'immigration clandestine ». Quant à l'islamisme – amalgamé au terrorisme –, il serait nécessairement appelé à se dissoudre dans la croissance économique. L'ancienne puissance coloniale française a joué un rôle clef dans la promotion de cette option sécuritaire, aidée en cela par les prises de position de quelques intellectuels se plaisant, à l'instar d'André Glucksmann [1], à voir les généraux algériens comme les défenseurs de la république face à la barbarie islamiste.

Les intérêts commerciaux ne sont pas non plus étrangers à cette mansuétude. Ceux de la France, premier client et fournisseur de l'Algérie ; et ceux de l'Europe du Sud (Espagne, Italie, Portugal), très dépendante des approvisionnements en hydrocarbures algériens en raison de l'adoption du gaz au détriment de l'électricité nucléaire. De fait, jamais le conflit n'a menacé les exportations d'hydrocarbures et les pays européens se félicitent de la « fiabilité » de leur partenaire algérien, capable de doubler ses capacités de livraison en pleine guerre civile.

Il va sans dire que le lancement à l'échelle planétaire de la « guerre au terrorisme » ne fait que renforcer les soutiens internationaux dont bénéficie le régime. Les États-Unis, dont les sujets d'achoppement avec Alger sont bien connus (Sahara occidental, question palestinienne, etc.), semblent considérer d'un nouvel œil leurs relations avec l'Algérie. La lutte contre l'« internationale islamiste » rapproche les deux gouvernements, de même que les intérêts pétroliers, certes mineurs, mais bien introduits par le biais de compagnies texanes proches de George W. Bush.

1. A. Glucksmann, « En Algérie, j'ai pleuré aux portes du xxe siècle », *L'Express*, 29 janvier 1998.

L'inaction humanitaire

Pas la moindre consolation humanitaire n'est venue manifester un semblant d'attention internationale à l'égard des souffrances du peuple algérien. Dès 1992, le premier réflexe des autorités a été de bloquer l'entrée des ONG humanitaires, soupçonnées de vouloir déstabiliser le régime en questionnant la façon dont il mène son combat contre le terrorisme. Estimant qu'elles constituent le plus souvent la tête de pont d'une ingérence politique, l'Algérie a toujours considéré d'un mauvais œil la volonté des ONG d'accéder aux pays en guerre. À cet égard, l'invocation en Occident d'un « droit d'ingérence humanitaire » a encouragé les dirigeants algériens à se replier sur une conception rigide de la souveraineté nationale. Du reste, Alger a toujours préféré porter secours aux autres et envoie régulièrement des aides aux pays touchés par des catastrophes.

Les inondations de Bab el-Oued

Le 8 novembre 2001, de fortes pluies s'abattaient sur Alger et ses environs. Deux jours plus tard, les eaux accumulées dans le massif de Bouzaréah qui surplombe la baie d'Alger se déversaient sur la ville. Construit en contrebas, au pied de la vieille Casbah, le quartier populaire de Bab el-Oued fut alors victime de violentes inondations. Des torrents de boue charriant voitures, autobus, remblais et troncs d'arbres emportèrent tout sur leur passage. Le bilan fut terrible : 1 000 morts, autant de blessés et des milliers de sans-abri.

L'urbanisation sauvage de la capitale, le délabrement des infrastructures publiques et le déboisement des collines avaient rendu le drame prévisible. Alerté à temps par les services météorologiques, le gouvernement n'a pourtant pris aucune mesure préventive. Face au désastre, il se défaussa de sa responsabilité sur l'ex-métropole, qu'il accusa d'avoir construit la route menant à Bab el-Oued – littéralement : « la porte de la rivière ». L'État se montra

---

Sur le plan national, toutes les missions d'assistance d'urgence sont confiées au Croissant-Rouge algérien. Cette imposante administration étatique est chargée de collecter des dons et de les distribuer, mais aussi de monter des opérations de secours médical, sanitaire et alimentaire. Ayant longtemps refusé d'autres soutiens que ceux fournis par le mouvement de la Croix-Rouge (Comité international de la Croix-Rouge et Fédération internationale de la Croix-Rouge), elle s'ouvre aujourd'hui timidement à de nouveaux partenaires. Le Croissant-Rouge algérien est d'ailleurs l'interlocuteur incontournable des organisations humanitaires désireuses d'assister l'Algérie. Bien qu'il apporte un soutien indéniable aux populations éprouvées par la guerre, sa lourde structure bureaucratique, son fonctionnement fondé sur le clientélisme et ses priorités politiques – mettre en exergue les capacités redistributives de l'État – en font un faible palliatif face à l'ampleur de la crise.

incapable de coordonner les secours. Une grande partie des dons générés par un élan de solidarité nationale et internationale fut détournée. Non seulement le gouvernement tarda à réagir, mais il multiplia les entraves aux opérations de secours venues de l'étranger.

Le 14 novembre, un avion-cargo de Médecins sans frontières (Belgique) décollait pour Alger avec à son bord 13 tonnes d'aide d'urgence – bâches de plastique, couvertures, kits médicaux, etc. Volontaires et cargaison restèrent bloqués plusieurs jours à la douane pour des questions de procédure. L'équipe ne put récupérer qu'une partie du matériel et se rendit dans les quartiers sinistrés d'Alger, ainsi que dans la *wilaya* de Chleff, également touchée par les inondations. MSF put installer des systèmes d'urgence d'approvisionnement en eau potable, mais son action demeura limitée.

Deux ans après le drame, des habitants de Bab el-Oued dorment encore sous des tentes, au milieu des gravats et de maisons chancelantes. Ils sont toujours exposés à un risque d'inondation susceptible de se matérialiser à n'importe quel moment.

À cet égard, le tissu associatif national, fort de plus de 4 500 organisations regroupant des victimes de guerre, des familles de disparus, des handicapés, des mouvements de quartier, des groupements de femmes, etc., joue un rôle important dans l'assistance aux victimes du conflit et de la crise économique. Mais il souffre d'un manque évident de moyens et reste perméable aux infiltrations du pouvoir ou des partis politiques.

Depuis le reflux de la violence islamiste, l'Algérie semble aller vers plus d'ouverture à l'égard de l'aide humanitaire internationale. Des ONG comme Terre des hommes, Handicap international ou Caritas commencent à y travailler sous étroite surveillance. À l'occasion des récentes catastrophes naturelles (inondations de Bab el-Oued à Alger, séismes de Aïn Témouchent et Tipaza à l'ouest), le régime a même accepté des opérations de secours ponctuelles venant de l'étranger. Incapables de venir en aide aux sinistrés, les autorités pouvaient difficilement refuser l'assistance qui leur était proposée sans susciter le mécontentement populaire.

Si le pouvoir algérien tend à se décrisper ces dernières années, il demeure très circonspect dans ses rapports avec les organisations internationales. En position de suspect dans le drame algérien, il sait que cette ouverture peut rapidement se retourner contre lui. Dès lors, l'espace naissant réservé aux ONG humanitaires s'avère impraticable. Ne pouvant se déplacer librement, les organismes de secours se voient contraints d'alimenter des réseaux de distribution opaques sans pouvoir contrôler la destination finale de leur aide. La généralisation de la corruption et des détournements, qui ont pris un caractère systématique au cours des dix dernières années, limite considérablement l'impact de toute action en faveur des populations touchées.

Reste qu'on peut se demander quelle pourrait être la place des organisations humanitaires dans le drame algérien. Celles-ci n'ont rien à faire sur le terrain des massacres, si ce n'est porter secours à ceux qui en réchappent ou qui fuient de façon préventive. Les plus optimistes tableront sur les effets dissuasifs d'une présence internationale au cœur du conflit, espérant que la proximité de témoins retiendra quelque peu la main des bourreaux. Empêcher que les plus pauvres ne soient sacrifiés du fait de l'effondrement des services de santé publique pourrait constituer une option d'intervention. Une action humanitaire sensée est donc envisageable en Algérie, à condition qu'elle soit acceptée par ceux auxquels elle s'adresse.

Or la méfiance des autorités algériennes à l'égard de l'action humanitaire est en grande partie partagée par la population. Bien que fascinée par les modèles occidentaux de développement, la majorité des Algériens est convaincue que la sortie de la crise ne pourra se réaliser qu'« entre soi ». Ayant acquis son indépendance par la guerre, l'Algérie a toujours affiché une ferme volonté de s'affranchir de toute tutelle internationale. Qui plus est, les conséquences sociales des pressions exercées par le FMI et la Banque mondiale, ainsi que la condamnation du pouvoir algérien par l'Internationale socialiste, ont fini par convaincre les Algériens les plus critiques à l'égard du pouvoir que le monde était ligué contre leur pays. Ce qui conduit une part significative de la population à se rassembler autour des courants nationalistes. La fièvre obsidionale algérienne est également accentuée par les politiques occidentales à l'égard de « pays frères » comme l'Irak ou l'Iran, jugées agressives et totalement partiales au regard du soutien des États-Unis et de la plupart des pays européens à l'actuel gouvernement israélien sur la question palestinienne.

Ainsi, culture de l'émancipation et défiance à l'égard de la communauté internationale imprègnent la société algérienne. De fait, les aides financières à la création d'entreprises dispensées par l'Union européenne sont rarement utilisées par les citoyens algériens (qui se distinguent à cet égard des ressortissants marocains ou tunisiens, beaucoup plus enclins à faire fructifier ces mannes institutionnelles). Qu'une pression internationale sous forme d'enquête ou de sanction soit susceptible d'amener les dirigeants algériens à plus d'humanité – ou qu'une aide humanitaire étrangère soit en mesure d'apporter un soulagement significatif aux populations éprouvées – est une idée politiquement sensible car elle heurte la tradition d'indépendance dont l'Algérie se réclame. Mal conçues ou dépourvues de relais dans la société algérienne, ces actions risqueraient de susciter une résistance populaire et de renforcer le nationalisme sur lequel s'appuie l'oligarchie au pouvoir.

Chawki AMARI

Références bibliographiques

O. Lamloun, « L'enjeu de l'islamisme au cœur du processus de Barcelone », *Critique internationale*, n° 18, 2003, p. 129-142.

J. Leca, « Paradoxes de la démocratisation. L'Algérie au chevet de la science politique », *Pouvoirs*, n° 86, 1998, p. 7-28.

L. Martinez, « Algérie : les massacres de civils dans la guerre », *Revue internationale de politique comparée*, vol. 8, n° 1, 2001, p. 43-58 ; *La Guerre civile en Algérie : 1990-1998*, Paris, Khartala, 1998.

ENJEUX

CHAPITRE I

Irak :
la posture
du missionnaire

L'intervention militaire en Irak n'en était encore qu'à ses préparatifs lorsque furent tirées les premières cartouches humanitaires. Depuis plusieurs mois, en effet, les ONG étaient invitées par l'administration américaine, budget à l'appui, à se joindre à la « coalition » pour y prendre leur part, celle des secours, sous la protection et la coordination de l'opération « *Iraqi Freedom* ». La Maison-Blanche entendait démontrer son attachement aux valeurs morales et sa sollicitude pour la population civile, comme l'avait déjà fait Colin Powell, s'adressant à des ONG américaines en octobre 2001, lors de l'intervention « *Enduring Freedom* » en Afghanistan : « Au moment où je parle, des ONG américaines sont sur place, comme les diplomates et les soldats, servant et se sacrifiant sur les lignes de front de la liberté. [...] J'entends réellement m'assurer que nous avons les meilleures relations avec les ONG, qui sont un tel multiplicateur de forces pour nous, une part si importante de notre équipe de combat. [...] Car [nous] sommes tous engagés vers le même but singulier, aider l'humanité, aider chaque homme et chaque femme dans le monde qui est dans le besoin, qui a faim, qui est sans espoir, aider chacun à se remplir le ventre, à avoir un toit au-dessus de sa tête, à éduquer ses enfants, à avoir espoir, donner à tous la possibilité de rêver à un avenir qui sera plus radieux, tout comme nous avons cherché à rendre l'avenir plus radieux pour tous les Américains [1]. » On ne pouvait être plus clair : nos valeurs et nos objectifs sont les mêmes, rassemblons nos forces. De cet appel à rejoindre le camp de la civilisation découlait naturellement en Irak la création d'un « Office de la reconstruction et de l'assistance humanitaire » placé directement sous l'autorité du Pentagone, auquel les ONG n'avaient qu'à se présenter pour se mettre au service du peuple irakien libéré.

Comme en écho à ces appels, nombre d'organisations humanitaires européennes décidèrent d'exprimer leur opposition à la guerre. En France, la Croix-Rouge appelait à « la poursuite obstinée des efforts en vue d'aboutir à une solution pacifique évitant aux populations de nouvelles et cruelles épreuves [2] », tandis qu'un consortium d'ONG [3] déclarait « récuser [sa] nécessité, compte tenu des possibilités pacifiques de désarmement de l'Irak ». Personne n'a jugé utile de leur demander sur quelles informations et analyses stratégiques elles fondaient cette position. En Grande-Bretagne, dès février, Oxfam « s'oppos[ait] à une frappe militaire sur l'Irak en raison de la *crise humanitaire* [4] massive que celle-ci pourrait créer [5] » et, se préparant néanmoins pour le chantier de reconstruction de l'après-guerre, annonça qu'elle refuserait tout financement en provenance des pays belligérants. Là encore, on se demande quel instrument permettait à Oxfam de mesurer l'intensité d'une « crise humanitaire » consécutive à des bombardements par rapport à celle qui était produite par une dictature comme celle de Saddam Hussein. Aux États-Unis, la plupart des ONG se tenaient prêtes à intervenir le moment venu en Irak, avec

1. Secrétaire d'État Colin L. Powell, « Remarks to the national foreign policy conference for leaders of nongovernmental organizations », Département d'État américain, Washington, 26 octobre 2001.
2. *Le Quotidien du médecin*, 7 mars 2003.
3. Action contre la faim, Médecins du monde, Handicap international, Première urgence, Solidarité et Enfants du monde.
4. C'est nous qui soulignons.
5. Voir le site internet d'Oxfam.

des fonds du gouvernement américain, sans porter de jugement sur la guerre annoncée.

D'un côté comme de l'autre, ces positions avaient pour double caractéristique d'être en phase avec les opinions publiques de leurs pays respectifs et en contradiction avec quelques principes généralement admis par le mouvement humanitaire. Les ONG (américaines avant tout) qui ont choisi d'être financées par leur gouvernement pour intervenir en Irak acceptaient de se réduire au rôle de sous-traitant d'une partie belligérante, ce qui est pour le moins discutable. Relevons à ce sujet la tendance lourde qui conduit nombre d'ONG dans bien des pays à se satisfaire de fonctions de prestataires de services bon marché pour gouvernements et institutions internationales. Une tradition si solidement établie pour certaines d'entre elles, avec ses codes de langage, ses plates-formes de discussion, ses échanges de personnel, qu'il devient difficile pour les acteurs concernés de percevoir des différences autres qu'administratives entre institutions publiques et privées. Ces dernières sont surnommées aux États-Unis des « GoNGo's » (Governmental Non Governmental Organizations)...

La guerre ? Ni pour ni contre

En Europe, il est vrai que la double pression qu'eurent à subir les ONG était forte, en cette période d'échauffement passionnel des esprits : une pression interne, exercée par une partie des membres des ONG qui attendaient de leur institution qu'elle exprime leur propre opinion, qu'elle défende le droit international et se distancie clairement de la décision anglo-américaine. Une pression externe, qui venait des médias : pas un jour ne se passait sans que des responsables d'organismes d'aide ne soient invités, en tant qu'experts, à prévoir les probables « conséquences humanitaires » de la guerre, à décrire les préparatifs et scénarios opérationnels en cours et bien souvent à se prononcer sur le fond. Il est vrai également que la singularité de cette situation incitait à la traiter en dehors des catégories habituelles. Le *thriller* diplomatique couvert heure par heure par toutes les radios et télévisions sur fond de gigantesques manifestations de rue mondialisées en faisait, bien avant l'explosion en direct de la première salve de bombardements, un spectacle dont chacun devenait l'acteur. Dans ce climat d'intense polarisation, se mettre à l'unisson de leurs sociétés respectives était d'autant plus tentant pour les humanitaires que la morale, le droit international et les droits de l'homme étaient au cœur de l'argumentation des anti- comme des pro-guerre. Médecins sans frontières n'a pas échappé à ce débat, les tenants d'une position publique anti-guerre ayant été confortés par le prix Nobel de la paix reçu par l'organisation en 1999. Toutefois, ceux qui estimaient cette position illégitime et incohérente furent *in fine* largement majoritaires[1].

Pour les humanitaires, en effet, ces considérations sont, ou plutôt devraient être, selon nous, sans objet. À moins de refuser toute guerre, ou de défendre au contraire le principe des guerres pour les droits de l'homme, ils n'avaient aucune raison, en tant qu'organismes humanitaires, de prendre position pour ou contre cette guerre en particulier. Pas plus, en tout cas, que pour ou contre d'autres conflits armés. La première guerre du Golfe, celle que l'Irak déclencha en 1980 en envahissant l'Iran, ne suscita aucune déclaration de cet ordre, pas plus que les nombreuses guerres qui ensanglantent le monde depuis vingt ans. La dénonciation de crimes de guerre en Tchétchénie ou, plus lointainement, de l'« alibi humanitaire » en Bosnie n'impliquent pas de jugement sur l'indépendance de ces pays et sur l'opportunité de la conquérir les armes à la main. Plus généralement, il est sans doute utile de se souvenir que l'humanitaire moderne s'est constitué au XIXᵉ siècle face aux conflits armés en substituant à la question : « qui a raison dans cette guerre ? » cette nouvelle question : « qui a besoin d'aide en raison de cette guerre ? ». Rappeler cette origine n'est pas faire appel à un

1. Voir le site internet de MSF (www.paris.msf.org).

dogme pour condamner une hérésie, mais souligner la nécessité toujours aussi grande de cette posture pour une aide effective.

Attention, désastre en formation

Du côté des agences des Nations unies, l'appréciation des besoins en aide d'urgence a été profondément marquée par le climat de réprobation de la guerre. Début février, le haut-commissaire des Nations unies pour les réfugiés, M. Lubbers, s'inquiétait de l'absence de mobilisation des pays donateurs, notamment des États-Unis, ce qui privait le Haut-Commissariat pour les réfugiés de la possibilité de se préparer aux conséquences « humanitaires » de l'intervention militaire en Irak : l'afflux d'au moins 600 000 réfugiés dans les pays voisins... M. Lubbers était l'un des rares officiels des Nations unies à accepter de prendre la parole, peu de ses collègues étant disposés à le faire de peur d'avaliser ainsi la décision unilatérale du président Bush et de ses alliés, autrement dit d'apparaître comme le « *colonial office* » de Washington. Stephen Johnson, directeur adjoint du Bureau de coordination des affaires humanitaires des Nations unies (OCHA), exprimait la crainte de voir les Nations unies participer à une opération de nettoyage et de remise en ordre (« *cleaning up* ») après une guerre déclenchée en Irak par « les États les plus puissants ». Il se demandait : « L'Organisation des Nations unies est [-elle] d'accord avec le rôle qu'on veut nous faire jouer ? Voulons-nous jouer ce rôle ? Avons-nous été mis en place pour cela[1] ? » À cette légitime inquiétude faisait écho celle de M. Yussuf Hassan, porte-parole du HCR à New York, qui s'inquiétait de voir des fonds nécessaires à des « opérations vitales », comme en Angola, en Afghanistan et en Côte

---

1. « UN given "peanuts" for Irak clean up », site internet de la BBC, 4 février 2003.

d'Ivoire, détournés afin de se préparer à la crise potentielle en Irak et dans les pays limitrophes.

L'impossibilité pour les agences humanitaires de l'ONU d'exprimer ouvertement leur réprobation est sans doute à l'origine du catastrophisme affiché par la plupart de leurs porte-parole avant et pendant le conflit. Ce faisant, ils transformaient un problème politique en une simple question de financement d'un dispositif d'assistance.

Début février, le HCR recevait de Washington une quinzaine de millions de dollars pour assister 600 000 futurs réfugiés. « Il s'agit d'un soutien supplémentaire afin d'aider au prépositionnement de vivres et de personnel en vue d'une urgence humanitaire potentielle au Proche-Orient[1] », disait Kevin Moley, l'ambassadeur américain en poste aux Nations unies à Genève, montrant ainsi à peu de frais l'étendue de sa sollicitude. De leur côté, des ONG envoyaient du matériel et des équipes au Koweit, en Jordanie, Iran, Syrie et Turquie. Le Comité international de la Croix-Rouge, MSF, Islamic Relief et Première urgence choisissaient, quant à eux, de maintenir du personnel expatrié en Irak même, tout en s'interrogeant sur l'espace humanitaire que pourraient leur concéder les belligérants.

Rares sont les ONG à ne pas avoir cédé alors à la tentation de l'alarmisme. Si le président de la Croix-Rouge française s'élevait « contre certains tableaux dramatiques de la situation des civils », il lançait au même moment « face à la catastrophe humanitaire annoncée » un appel à la générosité du public[2]. De nombreuses autres organisations faisaient de même aux États-Unis et en Europe, où des campagnes de collecte de fonds étaient lancées notamment par Care International, Oxfam, CAFOD, Save The Children, Christian Aid, Action Aid...

L'Irak nous avait déjà habitués tout à la fois à la démesure et au mystère des chiffres. On ignore encore à ce jour le nombre des morts de la guerre de 1991, qu'aucun des protagonistes n'a cherché à fournir – les alliés de « Desert Storm » parce qu'ils

1. *Libération*, 4 mars 2003.
2. AFP, 26 mars 2003.

n'entendaient pas ternir l'éclat de la victoire par un bilan de mortalité forcément sombre ; le gouvernement irakien parce qu'il se refusait à faire état de ses pertes, ce qui aurait constitué un aveu de faiblesse, impensable pour une dictature. Il en va de même pour les victimes de l'écrasement des insurrections chiite et kurde consécutives à la défaite de 1991 et dont on a commencé à retrouver les corps en 2003. L'embargo, au contraire, a donné lieu à une inflation exceptionnelle : le nombre de 500 000 enfants morts des conséquences de cette mesure est couramment avancé, sans le moindre argument d'évaluation à l'appui d'une si terrifiante accusation. Il est couramment repris par des journalistes et des ONG comme une réalité attestée alors qu'aucune observation, aucune enquête sérieuse ne permettent d'évaluer la surmortalité provoquée par l'embargo. Précisons à ce stade que la punition collective d'un peuple, fût-il dirigé par un tyran, nous apparaît comme profondément injuste, et que ses principaux effets semblent bien avoir été d'une part le renforcement du contrôle de la population par le régime, à la faveur des distributions de nourriture organisées par le parti, d'autre part l'appauvrissement des classes moyennes du pays. L'embargo a affaibli la société irakienne et consolidé le régime en place, ce qui suffit amplement à le condamner sans réserves et sans faire appel à des chiffres tout droit sortis de la propagande du parti Baas.

Une fois la guerre commencée, ce fut à qui avancerait les prévisions les plus catastrophiques dans une bataille d'enchères sans précédent, où les Nations unies tinrent sans conteste le haut du pavé. L'interruption des distributions d'aide alimentaire dans le cadre du programme « Pétrole contre nourriture », conjuguée aux destructions provoquées par les bombardements, faisait dire au Fonds des Nations unies pour l'enfance (Unicef) que près de 100 000 enfants de moins de cinq ans étaient en danger de mort ; les cas de choléra et autres dysenteries risquaient de se multiplier, selon l'Organisation mondiale de la santé, qui estimait que 400 000 civils étaient menacés. Le porte-parole du Programme alimentaire mondial, Trevor Rowe, pulvérisa les records en prévoyant : « Ce qui nous attend, c'est d'avoir à nourrir 27 millions de personnes. Soit la totalité de la population irakienne. Aussi envisageons-nous un énorme programme, probablement le plus important de l'histoire de l'aide humanitaire[1]. » Dans le souci louable de conjurer la catastrophe, le secrétaire général des Nations unies, Kofi Annan, demandait les pleins pouvoirs au Conseil de sécurité « pour faire tous les arrangements avec les autorités qui pourront être établies en Irak durant et après les hostilités[2] ». Pour beaucoup, les conséquences de douze années d'embargo amplifiaient les risques et rendaient la tragédie inéluctable. L'association Care déclarait ainsi : « Déjà en 1991, les dégâts liés au traitement des eaux et aux problèmes électriques avaient causé une mortalité plus importante que la guerre elle-même[3]. » Charles Mac-Cormack, président de Save The Children (US) annonçait que « 30 % des enfants souffraient de malnutrition avant la guerre, et [que] clairement, leur situation ne s'arrange pas[4] ». Son homologue français d'Action contre la faim (ACF), Jean-Christophe Rufin, dénonçait pour sa part l'utilisation de « l'arme de la faim[5] » par les troupes de la coalition pour conquérir les villes irakiennes.

Tout s'est passé comme si la réprobation de la politique américaine au Proche-Orient devait trouver une traduction dans le lexique opérationnel des différentes organisations, chacune tirant de son répertoire spécifique les accusations appropriées. Il en va de même pour les appels des ONG à l'ONU, qui s'est subitement vu parer de toutes les vertus humanitaires. La plupart des ONG européennes appelèrent ainsi de leurs vœux l'ONU à jouer le premier rôle dans la gestion de la « crise humanitaire » et même, pour certains (Jean-Christophe Rufin), à « sécuriser les voies d'accès où les ONG pourraient acheminer de l'aide humanitaire de façon indépendante » en ouvrant

---

1. Reuters, 26 mars 2003.
2. AFP, 20 mars 2003.
3. *Libération*, 26 mars 2003.
4. « Who will rescue Iraqi civilians ? », *The New York Times*, 31 mars 2003.
5. *L'Hebdo*, 3 avril 2003.

un « corridor humanitaire [1] ». Si l'on comprend aisément l'espoir de tous, en dehors des dirigeants américains, de voir l'ONU revenir au premier plan, on est pour le moins perplexe face à un tel dédain de la réalité. Imagine-t-on des casques bleus assurer la protection armée de convois de secours dans l'Irak en guerre ? Voit-on l'ONU assurer une coordination dans un conflit dont elle a été activement évincée ? Ignore-t-on les limites et impasses de l'ONU dans l'aide humanitaire en temps de guerre, telles qu'elles apparaissent par exemple en Afghanistan, en Angola, ou en Sierra Leone ? Peut-on si facilement oublier que l'ONU a participé, dans ces deux derniers pays, au blocage de l'aide à destination de populations civiles [2] ? À aucun titre, de telles demandes ne pouvaient constituer la moindre réponse au problème posé. D'autant moins que, dans un texte daté du 21 mars, les Nations unies mettaient en garde contre toute confusion des rôles : « Tout ce qui pourrait donner l'impression que l'ONU est un sous-traitant [des forces armées] doit être évité », pouvait-on lire dans ce document qui excluait notamment toute escorte militaire pour les convois de l'ONU [3]. Étonnant retournement pour qui se souvient que les mêmes Nations unies avaient défendu la protection militaire des convois humanitaires dans toutes les crises précédentes.

Pendant les cinq semaines d'opérations militaires, entre bombardements massifs ou ciblés, annonces contradictoires, tensions politiques, propagande et dommages collatéraux, la confusion fut à son comble. Fort d'une présence ininterrompue remontant à la guerre Irak-Iran, le CICR put poursuivre tant bien que mal le travail d'entretien du système d'approvisionnement en eau qu'il effectuait jusqu'alors, notamment à Bagdad et Bassorah. À cette notable exception près, l'aide humanitaire demeura insignifiante au moment où les opérations militaires

1. *Le Monde*, 28 mars 2003.
2. Voir « Afghanistan : des talibans aux soldats missionnaires », p. 75-95 ; « Angola : malheur aux vaincus ! », p. 119-143 ; « Sierra Leone : la paix à tout prix », p. 53-73.
3. *Le Monde*, 5 avril 2003.

faisaient rage. L'équipe de MSF à Bagdad fut paralysée du fait de l'arrestation de deux de ses membres par la police irakienne au moment même où l'hôpital Al Kindi était débordé par un afflux de blessés. Elle ne put donc pas travailler, alors même qu'un chargement de matériel et de médicaments lui était parvenu par camion depuis la Jordanie en pleine attaque. Les membres de l'association britannique Islamic Relief connurent la même mésaventure, ainsi que plusieurs journalistes. S'il est impossible de dresser un bilan précis des pertes civiles et militaires des combats, le nombre de victimes civiles des bombardements de l'opération « Effroi et stupeur » semble avoir été, toutes proportions gardées, limité.

Les *spin doctors* font de l'humanitaire

Du côté de la coalition, dans cette intervention comme dans les conflits précédents impliquant des forces occidentales, la rhétorique humanitaire fournit la composante la plus visible des « opérations psychologiques ». À l'instar des rations alimentaires larguées lors des bombardements américains sur l'Afghanistan en octobre 2001, les secours alimentaires et les bouteilles d'eau apportées par les troupes alliées lors du siège de Bassorah, par exemple, firent l'objet d'une intense communication. Le débarquement de troupes, de munitions et de vivres à Oum Kasr devint, par la magie des mots, une opération « humanitaire » : puisque l'on craignait une « crise humanitaire » provoquée par l'encerclement de la ville voisine de Bassorah, il fallait pousser l'offensive pour dénouer la crise et distribuer l'« aide humanitaire ». Il est temps de s'apercevoir que le terme « humanitaire », employé dans de telles conditions, appartient au lexique de la propagande. Rappelons-nous que, comme le traitement correct des prisonniers, la responsabilité de la satisfaction des besoins vitaux de la population incombe à la puissance occupante selon le droit de la guerre. C'est le non-respect de ces obligations qui est condamnable : il est interdit, par exemple, de déclarer qu'il n'y aura pas de survivant. Faire des prisonniers est donc une contrainte juridique universellement acceptée, que l'on peut avoir intérêt à respecter ou que l'on peut décider d'ignorer, certes, mais ce n'est pas en soi une action humanitaire. Par contre, affamer, torturer ou tuer des personnes désarmées est un crime. Fournir à quelqu'un un bien dont on l'a soi-même privé, ce n'est pas donner mais restituer. Refuser de le rendre, c'est le voler. Le droit humanitaire ne fait ici qu'enregistrer dans son propre champ cette évidence.

Pour certains gouvernements désireux de démontrer leur engagement aux côtés des Américains sans être en mesure de fournir une aide militaire significative, l'« humanitaire » servit de trait d'union : l'Italie, l'Espagne et la Lituanie purent ainsi s'inscrire dans la coalition sans coup férir, leur contribution se bornant à intervenir sur le « terrain humanitaire ». La Turquie, de son côté, reproduisit ce qu'elle avait déjà fait lors de la guerre du Golfe de 1991, invoquant le prétexte humanitaire pour tenter – mais en vain cette fois-ci – de justifier une présence militaire au Kurdistan d'Irak. Il est vrai que le Pentagone, parmi les huit objectifs de guerre qu'il s'était fixés, mentionnait le fait de « mettre un terme aux sanctions et de fournir immédiatement une aide humanitaire, de la nourriture et des médicaments aux personnes déplacées et aux nombreux Irakiens dans le besoin ». Après les douze ans d'embargo imposés par ces mêmes États-Unis, cela ne manquait pas de cynisme.

Dans un tel contexte, où l'usage du mot « humanitaire » par la coalition ne semblait poser de problème à personne (à l'exception des ONG), relevons que nul n'a jugé opportun de qualifier d'« humanitaires » les distributions de vivres auxquelles Saddam Hussein a fait procéder avant le début de la guerre. Cette nourriture n'était pourtant pas moins utile que celle fournie par l'autre côté mais chacun voyait bien, dans ce cas, que l'utilité pour les destinataires ne pouvait pas être le seul critère qui permît de qualifier d'« humanitaire » un transfert de marchandises. L'intention de Saddam Hussein n'était évidemment pas d'adoucir le sort de ses compatriotes et cela suffit à tous les observateurs pour appeler ces vivres des vivres, et non de « l'aide humanitaire ». Quelle secrète hiérarchie de valeurs intervient lorsque l'acheminement de vivres par les troupes anglo-américaines se retrouve paré de cet obligeant adjectif tandis qu'il est exclu, pour une même opération, à l'administration irakienne ?

Quoi qu'il en soit, la confusion induite par l'usage intempestif de ce mot passe-partout n'a pas disparu avec la fin des opérations militaires, bien au contraire. La situation de chaos créée par la guerre – pillages, règlements de comptes, insécurité générale – donna lieu à nouveau à la qualification de « crise humanitaire ». Curieuse formule que celle-ci, employée exclusivement dans un contexte de malheur (toujours exotique) pour désigner un désordre auquel des secouristes (toujours occidentaux) seraient censés remédier. On ne s'étonnera pas que les *spin doctors* des chefs d'État et des états-majors l'utilisent, compte tenu des avantages offerts par une expression si commode : ici, elle permet de se limiter à un pur déploiement de secours comme pendant le génocide au Rwanda, là elle justifie une intervention militaire comme au Kosovo... Partout elle est une version élégante de « truc » ou « machin », c'est-à-dire, comme l'écrivait Roland Barthes, « une valeur indéterminée de signification, en elle-même vide de sens et donc susceptible de recevoir n'importe quel sens[1] ». Il est plus surprenant, en revanche, de voir la formule s'imposer dans le vocabulaire des ONG alors même que son emploi répond à un simple dessein de communication, autrement dit de propagande, de pouvoirs politiques. Sans doute est-ce par facilité que des ONG humanitaires la reprennent à leur compte, y voyant pour leur part une façon immédiatement intelligible de désigner leur place naturelle et de faire valoir leur action avant même qu'elle ait lieu. En ce sens, elles y trouvent elles aussi leur intérêt. Mais c'est un bénéfice à court terme qu'elles engrangent, car la confusion

---

1. R. Barthes, *Mythologies*, Paris, Seuil, 1957, sur le concept de Mana (à propos de Lévi-Strauss).

à laquelle elles contribuent ainsi profite d'abord à ceux qui utilisent l'humanitaire à d'autres fins.

Recherche crise humanitaire, désespérément

En l'absence d'attaques délibérées et répétées contre les civils, seule cause de déplacements massifs de population et d'urgence vitale collective, le problème des secours immédiats se résumait au rétablissement de l'approvisionnement en eau et aux soins aux blessés. Si le CICR a pu assez rapidement intervenir sur les circuits d'eau, que ses spécialistes connaissaient bien pour s'en être occupé depuis le début de l'embargo, il n'en a pas été de même pour les blessés. Pourtant, trente-trois hôpitaux publics, dont plusieurs réservés aux militaires, fonctionnaient à Bagdad selon des standards occidentaux de qualité. Les soins courants étaient assurés par un grand nombre de cabinets et de cliniques privés, secteur florissant depuis plusieurs années en raison du trafic de médicaments et de matériel induit par l'embargo. Au moment de l'attaque de Bagdad, la plupart des médecins qualifiés et des directeurs avaient disparu des hôpitaux, et les blessés furent pris en charge par un personnel réduit aux seuls volontaires et à de jeunes chirurgiens en formation. Situation classique, et qui justifiait l'envoi d'équipes médico-chirurgicales expatriées pour la période aiguë de la guerre dont nul ne pouvait prévoir comment elle évoluerait.

Bien qu'aucune évaluation précise n'ait été faite, il semble que le nombre des blessés ait été relativement faible. Dans les jours qui suivirent l'arrêt des bombardements, on estimait que 1 500 à 2 000 blessés nécessitaient encore un traitement, au moment où la ville était livrée aux pillards[1]. Certains hôpitaux,

---

1. Médecins sans frontières (Bagdad), *OPA sur les hôpitaux publics*, Rapport de mission exploratoire, Paris, 5 mai 2003.

surtout les militaires, furent totalement dévastés, tandis que d'autres étaient défendus l'arme au poing par leur personnel ou encore passaient sous le contrôle de groupes armés chiites. Non seulement les cliniques privées furent bien souvent épargnées, mais nombre d'entre elles – ainsi que certains hôpitaux publics d'ailleurs – furent les destinataires directs du butin des pillages. Bien que l'infrastructure hospitalière soit malgré tout restée en état de fonctionnement, à quelques exceptions près, la plupart d'entre eux travaillaient à moins de 10 % de leurs capacités, en raison d'une désorganisation critique qui entraîna naturellement une chute dramatique de la qualité des soins. Seul le secteur privé fonctionnait à peu près normalement, lequel assura, par exemple, la quasi-totalité des césariennes.

Quels secours humanitaires apporter, dans un contexte où le personnel soignant est présent mais ne peut ou ne veut pas travailler, et où les moyens matériels sont disponibles ? Les livraisons de colis de médicaments et de matériel médical sont toujours bienvenues et photogéniques, mais inutiles, comme l'attestait la quantité de cartons non déballés, encombrant couloirs et pharmacies de certains hôpitaux. La réorganisation de la vie publique d'une ville est en dehors des capacités des institutions d'aide, ce à quoi il faut ajouter qu'aucune ONG ne pouvait envisager sereinement de travailler sous la protection armée des forces américaines, sauf à vouloir faire de ses membres des cibles de choix. Plus généralement, l'aide humanitaire est sans fondement dans ce pays riche en compétences et en ressources matérielles, confronté au chantier de la reconstruction physique et du changement d'organisation sociale et politique. On trouvera certes, comme dans les pays voisins et dans presque tous les pays du monde, des « besoins humanitaires », mais ils sont sans rapport avec les énormes budgets mis à la disposition des ONG par la Commission européenne et le gouvernement américain pour les inciter à participer à la reconstruction de l'Irak. C'est ce que la plupart des ONG ont compris peu de temps après la fin de la « phase militaire ».

Vous avez aimé la Somalie ?...

Dès la fin mai, en effet, les principales d'entre elles (Care, International Rescue Committee, World Vision) envisageaient ouvertement leur prochain retrait d'Irak, motivé par les trois raisons suivantes : difficultés à travailler en raison de la désorganisation, de l'insécurité mais aussi et surtout des pressions et calculs politiques omniprésents ; autres priorités plus pressantes dans le monde ; malaise, enfin, de se trouver sous le contrôle d'une administration militaire d'occupation[1]. Les équipes de MSF ont pu de fait constater l'intensité des luttes de pouvoir qui se jouaient autour du contrôle des hôpitaux entre anciens directeurs, médecins spécialistes, nouvelle garde de volontaires, nouveaux directeurs et comités de direction autoproclamés, sur fond de blocages américains[2] et de pressions des mollahs en zone chiite. Ces vives tensions interdisaient en pratique toute implication sérieuse dans ces structures. Aucune organisation humanitaire ne pouvait par ailleurs accepter comme allant de soi la disproportion effarante entre les budgets alloués au titre de l'« aide humanitaire » à l'Irak en l'absence de besoins urgents, et l'insignifiance des fonds disponibles pour d'autres situations critiques, notamment en Afrique centrale et de l'Ouest. Quant au refus de coopérer avec les autorités américaines, plus compréhensible encore pour des ONG américaines soucieuses de ne pas être confondues avec leur gouvernement, il fut exprimé d'emblée par celles qui avaient publié leur opposition à la guerre et au nom même de cette opposition. C'est ce qui les avait conduites, comme nous le rappelions au début de ce chapitre, à en appeler à l'ONU pour assurer la coordination de l'aide humanitaire.

En fait, les organisations humanitaires se seraient senties

1. D. Bank, « Humanitarian groups spurn Iraq », *The Wall Street Journal*, 29 mai 2003.
2. H. Kempf, « MSF dénonce l'obstruction des autorités américaines », *Le Monde*, 9 mai 2003.

à l'aise dans leur rôle (à supposer encore qu'elles aient eu un travail réel à accomplir) si le scénario prévu par les stratèges américains s'était réalisé. Mais contrairement à ce qui s'était passé au Kosovo et au Timor, où la majorité de la population avait reçu les troupes étrangères comme des libérateurs, celles-ci étaient massivement considérées en Irak comme des envahisseurs. Ce que confirmait à sa manière le directeur de l'agence américaine de coopération (USAID), Andrew Natsios, en déclarant que les ONG sous contrat avec les États-Unis étaient « le bras du gouvernement » et qu'elles devaient présenter sous un meilleur jour les liens avec l'administration Bush si elles voulaient continuer à recevoir des fonds gouvernementaux. Quelques jours plus tard, il était demandé à ces ONG que tous leurs contacts avec les journalistes soient au préalable « filtrés » par USAID [1]. Cette injonction inédite, heureusement rejetée par les organismes concernés, témoigne de l'embarras d'une administration face à des difficultés qu'elle n'attendait pas.

Naturellement, les organisations d'aide humanitaire, à nouveau confrontées à la nécessité pratique de l'indépendance politique, n'ont pas à choisir leurs interlocuteurs. Elles n'ont d'autre possibilité que de composer avec les pouvoirs de fait, qu'ils soient un commandement de guérilla, une autorité militaire, une administration internationale ou un gouvernement élu. Leur unique souci doit être de disposer de suffisamment de liberté d'action pour être certaines d'aider les victimes avant de servir les intérêts d'une politique [2]. Mais il faut bien, pour cela, que la population les perçoive comme autonomes par rapport au pouvoir, tout particulièrement lorsque celui-ci fait l'objet d'une large hostilité. En Irak, ce problème de fond se pose sous l'occupation américaine comme il se posait du temps de Saddam Hussein. Ce n'est donc nullement la légitimité ou la légalité d'un pouvoir que doivent apprécier les humanitaires –

1. J. Epstein, « Charities at odd with Pentagon », *The San Francisco Chronicle*, 14 juin 2003.
2. R. Brauman, *Humanitaire, le dilemme*, Paris, Textuel, 2002, p. 53.

au nom de quoi le feraient-ils ? – mais la perception par la population de leur autonomie vis-à-vis de ce pouvoir. C'est ce qui permet de comprendre, en amont de la question des besoins, pourquoi une ONG peut travailler en Palestine occupée tout en estimant ne pas être en mesure de le faire en Irak occupé.

Au moment même où il était établi que les justifications officielles de l'opération « *Iraqi Freedom* » n'étaient qu'une excuse, le Pentagone annonçait que la présence militaire américaine allait s'alourdir. Seul un optimisme d'idéologue peut laisser imaginer que l'occupation armée produira autre chose qu'un surcroît d'instabilité et de violence. Il est probable qu'on s'achemine vers une « palestinisation » de la situation irakienne. Mais il n'est pas dit que les ONG y trouveront les conditions minimales pour être utiles. À défaut d'être un terrain d'action pour les humanitaires, l'Irak risque durablement d'être un champ de mines pour tous.

Rony BRAUMAN et Pierre SALIGNON

CHAPITRE 2

Kosovo :
la fin d'une époque ?

Présentée par les dirigeants des principales puissances occidentales comme un tournant dans l'histoire des conflits modernes, la crise du Kosovo a soulevé autant de questions qu'elle en a tranché. Selon le Premier ministre britannique Tony Blair, l'intervention occidentale au Kosovo au printemps 1999 a été menée « au nom de valeurs, et non d'intérêts ». Il s'agissait d'une guerre d'essence altruiste (par opposition aux guerres visant l'accumulation de richesses, une expansion territoriale ou la défense de la nation), d'une guerre déclenchée pour défendre des populations menacées par des violations massives des droits humains et du droit international humanitaire, d'une guerre, en somme, qui paraissait conforme aux préceptes d'un nouvel internationalisme fondé sur les droits de l'homme. À une époque où même un homme aussi intelligent que le président tchèque Vaclav Havel pouvait soutenir que la campagne aérienne de l'OTAN – y compris les bombes elles-mêmes – revêtait un « caractère purement humanitaire », la première victime de ce conte de fées ne pouvait être que la vérité. Tel est toujours le cas en temps de guerre. Mais jamais autant que dans les guerres dites *humanitaires*, où la rhétorique humaniste fait partie intégrante de la campagne militaire, comme fondement de l'argument moral justifiant le recours aux armes.

Avec le recul, les événements du Kosovo semblent évidemment beaucoup plus complexes. Insister sur ce point n'est pas nier les faits incontestables qui ont entraîné l'intervention de l'OTAN au printemps 1999. Nul ne saurait douter qu'un crime a commencé à se dérouler au Kosovo dès que le régime de Slobodan Milosevic a aboli l'autonomie de la province, accordée par Tito vers la fin de son règne : un crime politique et humain, conçu en termes ethniques, et dirigé contre l'écrasante majorité des habitants, les Albanais du Kosovo. Au milieu des années 1990, il était manifeste que Milosevic avait créé un état d'apartheid où une petite minorité de Serbes (moins de 7 % de la population, selon les estimations généralement admises) jouissait des droits les plus essentiels (éducation, santé, etc.) systématiquement refusés à leurs voisins albanais. Étant donné l'intransigeance générale du régime de Belgrade, l'attachement farouche du patriarcat orthodoxe à la domination de la Serbie sur les « sites sacrés » du Kosovo, ainsi que l'idée, très répandue en Serbie, selon laquelle, quelles que soient les données démographiques, les Serbes détenaient une sorte de droit mystique sur la province (la comparaison avec les Israéliens et la Cisjordanie n'est que trop douloureusement évidente), il était peu vraisemblable que la situation pût évoluer *sans* une guerre. Le fait que les paramilitaires serbes ayant participé aux campagnes de nettoyage ethnique en Croatie et en Bosnie au début des années 1990 étaient désormais à l'œuvre dans la province laissait peu d'espoir qu'un changement d'attitude de Belgrade pût se faire sous l'influence de moyens de pression pacifiques.

L'évolution politique de la société albano-kosovare au cours de cette période corrobore cette idée. L'approche relativement modérée, pacifiste et conciliante d'Ibrahim Rugova était de plus en plus dédaignée par une nouvelle génération de nationalistes kosovars. Une proportion croissante d'Albanais du Kosovo se ralliait aux idées radicales du leader indépendantiste Adam Demaci, ainsi qu'au mouvement de guérilla naissant de l'Armée de libération du Kosovo (l'UCK, d'après ses initiales albanaises). L'UCK était proche de puissants clans kosovars et, dans une certaine mesure, d'organisations criminelles actives en Yougoslavie ainsi qu'en Europe occidentale. Dès 1998, ce groupe commença a organiser des opérations de guérilla dans différentes parties de la province. On ignore si l'UCK espérait ainsi s'imposer sur le champ de bataille ou susciter une campagne de représailles suffisamment sévère de la part des forces serbes pour remporter une victoire idéologique sur son concurrent politique Ibrahim Rugova. Ce qui apparaît clairement, c'est qu'après avoir vu ce que Milosevic avait fait (ou laissé faire) en Bosnie et en Croatie, peu de Kosovars albanais pouvaient se nourrir d'illusions quant à la ligne de conduite qu'il allait suivre au Kosovo.

Il ne s'agit pas de justifier l'attitude de Milosevic, ni d'occulter le caractère désespéré de la situation quotidienne des Kosovars albanais : aussi vaine, donquichottesque ou criminelle qu'elle fût, la résistance armée semblait la seule attitude susceptible de leur redonner honneur et estime de soi, tout du moins aux yeux des moins de trente ans (là encore, la comparaison avec les Palestiniens sous domination israélienne s'impose). Jusqu'au tout dernier moment, Milosevic n'a montré aucun signe d'adoucissement. Confronté au retour des paramilitaires serbes de Bosnie et de Croatie, les autorités de Belgrade se devaient de leur trouver rapidement un nouveau terrain de chasse : le Kosovo s'avéra idéal. À vrai dire, Milosevic n'avait aucune raison pressante de modérer son comportement. L'Occident lui avait pardonné son rôle prépondérant dans les guerres de succession yougoslaves, de même que le meurtre et le déplacement de centaines de milliers de musulmans bosniaques. Pourquoi Washington ou Bruxelles auraient-elles soudainement inversé une politique qui, au début du conflit kosovar en 1999, durait déjà depuis dix ans ?

Milosevic se trompait. La mise en place de la mission de vérification de l'Organisation pour la sécurité et la coopération en Europe (OSCE) au Kosovo – conçue dans l'espoir d'écarter toute nécessité d'intervenir dans le conflit – et le sentiment général, bien qu'embryonnaire, selon lequel personne en Occident ne pouvait tolérer une « seconde Bosnie » (sentiment que Milosevic n'a manifestement jamais perçu), avaient préparé le terrain de la future opération « Force alliée ». En outre, le renouveau de violence au Kosovo coïncidait avec le cinquantième anniversaire de l'OTAN. L'idée que l'organisation atlantique pouvait impassiblement se voir défier par la Yougoslavie à ce moment précis était fondamentalement irréaliste. D'autant plus qu'à des degrés divers trois des principaux dirigeants occidentaux (Bill Clinton, Tony Blair et Jacques Chirac) regrettaient désormais la passivité de leurs pays pendant la guerre de Bosnie. Comme Saddam Hussein, mais peut-être pour de meilleures raisons, Milosevic s'est fourvoyé dans l'interprétation du rapport de force entre Belgrade et les grandes puissances qu'il narguait sans vergogne depuis si longtemps.

Qui plus est, les dirigeants occidentaux étaient confrontés à une véritable escalade de provocations serbes. Certains opposants à la guerre ont avancé avec insistance que l'unique urgence au Kosovo a été créée par les bombardements de l'OTAN et que seule l'agression de l'Occident a motivé la décision de Milosevic de déporter quelque 800 000 Kosovars en Albanie, en Macédoine et au Monténégro. Cela s'est révélé faux. Selon les services secrets allemands et les diplomates grecs (représentant un gouvernement – et une nation – qui, d'une manière ou d'une autre, reste farouchement pro-serbe), les autorités de Belgrade avaient toujours eu l'intention de déporter un grand nombre de Kosovars (le chiffre habituellement cité était celui de 350 000 Albanais). À leurs yeux, ce projet constituait un moyen de rétablir l'équilibre démographique « naturel » de la province (où la proportion de Serbes dans la population de négligeable serait devenue substantielle) ou de permettre une éventuelle partition de la province dans des conditions favorables à Belgrade. En d'autres termes, si les bombardements de l'OTAN ont effectivement entraîné un exode de courte durée, au sens où les déportations massives ont suivi le déclenchement de l'opération « Force alliée » au lieu de la précéder, il n'est ni juste, ni exact de prétendre qu'aucune crise ne se serait produite en l'absence de bombardements. En 1999, le régime de Milosevic restait déterminé à mener la même campagne de nettoyage ethnique que celle à laquelle il avait sacrifié tant de sang et de ressources au début des années 1990 en Bosnie et en Croatie. C'était simplement une question de temps.

Conscientes de cet état de fait et finalement résolues, bien qu'à contrecœur, à ne pas assister passivement à une nouvelle campagne de nettoyage ethnique, les puissances occidentales avaient peu d'options à leur disposition en dehors de l'intervention armée. Milosevic se serait-il conduit de la même manière si l'Occident s'était montré plus dur au moment des accords de paix de Dayton ayant mis fin à la guerre de Bosnie en 1995, et a fortiori si l'Occident avait fait preuve de plus de fermeté sur le dossier de la Croatie et de la Bosnie à n'importe quel moment au cours des quatre années précédentes ? Sans doute pas. Mais il est impossible d'en être certain. En effet, avec le recul, Milosevic n'apparaît pas comme un politicien particulièrement habile. Du point de vue d'un patriote yougoslave, sa plus grande réalisation a été de présider à l'affaiblissement, puis à la ruine et enfin à la disparition de son propre pays. La Yougoslavie a bel et bien disparu, remplacée par le nouvel État de Serbie-Monténégro depuis février 2003, alors que le Kosovo reste sous la tutelle (moitié protectorat, moitié dépendance autonome) de l'Union européenne, des Nations unies et des États-Unis. Que Milosevic, aujourd'hui incarcéré à La Haye sans grand espoir de retrouver un jour la liberté, soit lui-même victime du désastre qu'il a provoqué n'est pas pour atténuer sa responsabilité.

Il n'est donc pas difficile d'adhérer aux arguments défendant la nécessité de l'intervention occidentale au Kosovo en 1999. Du point vue classique de la théorie des « guerres justes » – en l'occurrence de l'impératif décent et justifiable pour les nations européennes, de maintenir l'ordre démocratique en Europe et d'éradiquer les aventures fascistes à caractère ethnique comme celle représentée par Slobodan Milosevic –, cette campagne était parfaitement légitime. En revanche, il n'était pas tenable d'invoquer une justification *humanitaire* au conflit. C'est pourtant en ces termes que les opérations de l'OTAN ont été présentées, non en référence aux arguments de la « guerre juste », à l'intérêt national ou même au sentiment ordinaire selon lequel les pays démocratiques ont le droit – et à vrai dire le devoir – de mettre fin aux agissements criminels et agressifs de leurs États voisins. Lorsque Vaclav Havel, par exemple, proclame que la campagne de bombardements n'était motivée par aucun « intérêt matériel », il sous-entend que cette guerre n'aurait eu aucune justification morale si le contraire avait été vérifié. Certes, M. Havel pouvait prétendre au rang de moraliste autant qu'à celui de politicien, ce qui le place légèrement en retrait par rapport à son temps. Mais que des politiciens de métier tels que MM. Clinton, Blair et Chirac aient tenu le même discours, suggère que quelque chose de beaucoup plus général et impérieux dans la culture politique occidentale imposait l'utilisation de la justification humanitaire comme caution suprême à ce qui ressemblait, selon tous les critères classiques, à une « guerre juste » – et ce plus que tout événement de la fin des années 1990. Autrement dit, l'impératif humanitaire et le besoin de faire respecter les droits de l'homme semblaient offrir les seules justifications moralement crédibles (hormis la légitime défense, bien sûr) à une guerre auxquelles pouvaient avoir recours les dirigeants occidentaux.

Que l'action humanitaire et la défense des droits de l'homme reposent sur des impératifs différents et parfois même contradictoires (comme le démontre le fait que les organisations humanitaires doivent obtenir la coopération de criminels qu'il est du devoir absolu des défenseurs des droits de l'homme de dénoncer catégoriquement) était clair pour les activistes et médecins informés. Mais il serait déraisonnable d'attendre de politiciens qu'ils respectent les limites d'un espace humanitaire « indépendant » ou l'absolutisme d'une vision politique fondée sur les droits de l'homme. Au contraire, la crise du Kosovo a démontré la facilité avec laquelle la classe politique occidentale s'est approprié ces valeurs et le respect que celles-ci continuent d'inspirer dans l'opinion occidentale. L'utilisation de cette rhétorique pour garantir la moralité du conflit a démontré une fois de plus la maxime de Napoléon selon laquelle, en temps de guerre, le rapport entre les ressources morales et matérielles est de trois contre un. Sur le terrain, les membres des organisations humanitaires pouvaient montrer de l'étonnement et de l'indignation face à l'utilisation de leur vocation comme prétexte à des bombardements mais cette question leur échappait alors. Plus généralement, l'usage idéologique du langage humanitaire pour cautionner les bombardements a représenté une importante étape dans le long processus par lequel l'idéal humanitaire indépendant (tel qu'illustré par le Comité international de la Croix-Rouge ou par Médecins sans frontières) faisait place à un humanitarisme d'État : un humanitarisme du type américain où les ONG sont considérées ou tendent à se considérer elles-mêmes comme des sous-traitants serviles ou des collaborateurs appréciés des gouvernements, ou un humanitarisme correspondant à la vision messianique de Bernard Kouchner pour qui la collaboration entre les organisations humanitaires et les États représente un levier d'Archimède pour la justice et la transformation politique du monde.

M. Kouchner n'a pas tort. Une guerre de valeurs et non d'intérêts, pour faire écho à l'expression grandiloquente de Tony Blair, est presque par définition une croisade. Après tout, les guerres d'intérêts sont généralement des affaires limitées qui doivent être jugées en purs termes de pertes et de profits. Par opposition, les guerres de valeurs impliquent que ce qui est valable à un endroit comme le Kosovo l'est également en Sierra Leone, au Congo, voire même, peut-être, en Irak. Elles ne connaissent aucune limite en dehors de celles, évidentes, de la prudence (aucune personne raisonnable n'appelle à une intervention visant à mettre un terme aux violences en Tchétchénie ou au Tibet). Chacun de ces conflits, tout comme une décision de justice faisant jurisprudence, est donc considéré par ses partisans comme le fondement de futurs conflits. Il n'est guère surprenant de constater que l'une des principales critiques soulevées par des personnes intelligentes au moment de la guerre du Kosovo et depuis celle-ci était, effectivement : « Pourquoi le Kosovo et non pas, mettons, le Soudan ? » Il n'est pas plus surprenant que la rhétorique utilisée pour justifier l'intervention occidentale au Kosovo soit, dans une certaine mesure, employée aujourd'hui par l'administration américaine pour cautionner une guerre en Irak. Ainsi, les ambitions messianiques des mouvements humanitaires et des défenseurs des droits de l'homme se voient appropriées par les projets du « nouvel empire ».

Là encore, rien de tout cela n'annule la légitimité de la

guerre au Kosovo, mais cela devrait donner à réfléchir aux organisations humanitaires, aux défenseurs des droits humains, ainsi qu'à leurs partisans en Occident. En effet, si l'idéal humanitaire est aussi facilement coopté par le pouvoir, quelle est sa nature réelle ? Ou, pour poser la question de façon plus abrupte, l'idée humanitaire comporte-t-elle quelque chose qui la rendrait particulièrement susceptible de se voir appropriée par le pouvoir politique ?

Cette idée peut certainement être défendue, et pas seulement sur la base des interprétations qui voient dans l'action humanitaire et les droits de l'homme les religions séculières de la nouvelle classe internationale (pour employer les termes du juriste américain Kenneth Anderson). L'action humanitaire – qui attire une jeunesse qui aurait probablement été aspirée par les valeurs métapolitiques du communisme quelques générations plus tôt – se proclame antipolitique ou du moins apolitique. Son allégeance, affirme-t-elle, va aux victimes, à ceux qui sont dans le besoin. Elle ne juge pas la valeur morale de ceux qu'elle essaie d'aider mais veille seulement à ce qu'une assistance leur soit apportée. Ce n'est certainement pas volontaire, mais cette idée coïncide évidemment avec le consensus néolibéral occidental selon lequel les grandes questions politiques ont été résolues, qu'il n'y a désormais plus de place pour l'idéologie (exception faite, bien sûr, de l'idéologie du marché libre, considérée comme non idéologique) et que la mission des États démocratiques est de défendre et propager les droits de l'homme à travers le monde. Très certainement, ces droits peuvent être étendus, même si les opinions des activistes et des politiques divergent souvent sur ce point. Quoi qu'il en soit, l'idée générale est que nous sommes tous d'accord sur ce à quoi devrait ressembler le monde – tous, sauf quelques êtres malveillants, tels que Slobodan Milosevic, mollah Omar, Saddam Hussein et leurs protégés.

Et c'est peut-être le cas. Pour la plupart d'entre nous, en tout cas. Il existe pour le moins un consensus croissant – au sein des Nations unies, des ONG et des ministères des Affaires étrangères des pays occidentaux – selon lequel l'action humanitaire, l'établissement de la démocratie, la résolution des conflits et les droits de l'homme constituent une sorte de « boîte à outils » permettant d'améliorer le monde. Bernard Kouchner a consacré sa vie à cet idéal et il a été fort à propos nommé proconsul des Nations unies au Kosovo à la fin de la guerre. C'est en effet l'humanitarisme d'État défendu par M. Kouchner qui s'est imposé dans les chancelleries et au Conseil de sécurité des Nations unies. Pour autant, la notion d'« outil » implique que les principes humanitaires (avant tout la nécessité d'agir exclusivement en fonction des besoins) doivent, lorsque c'est nécessaire, se subordonner à de plus larges objectifs. Ainsi, au cours de la guerre du Kosovo, la plupart des organisations humanitaires ont effectivement été subordonnées à l'effort de guerre de l'OTAN. Ces agences ont reçu le financement des pays de l'OTAN et sont ainsi devenues les sous-traitants de l'un des belligérants. C'est en cela que Médecins sans frontières a constitué une exception notable, en refusant le financement des pays de l'Union européenne, de la Commission de Bruxelles et des États-Unis. Cependant, MSF ne pouvait brusquement cesser de faire partie du système humanitaire. En ce sens, son geste s'est avéré d'une portée avant tout symbolique. Bon gré mal gré, MSF a quand même participé à l'effort global et ses bénéficiaires n'ont probablement pas vu de grande différence entre ses opérations et celles d'autres organisations humanitaires financées, elles, par les pays de l'OTAN. En fait, le système humanitaire est suffisamment puissant et résistant pour assimiler même ses dissidents.

Ce processus n'a fait que s'accélérer depuis la guerre du Kosovo. En Afghanistan, par exemple, la subordination des organisations humanitaires aux ordres et au programme de l'armée américaine a été encore plus prononcée. Mais c'est le Kosovo qui a donné le ton. La volonté des organisations de continuer à agir dans la province longtemps après la fin de la guerre et de couvrir la quasi-totalité des besoins d'urgence démontre leur subordination croissante. De toute évidence, les intérêts institutionnels jouent un rôle dans ce processus, au sens où les ONG humanitaires ne peuvent résister longtemps à la volonté de leurs bailleurs de fonds et ont souvent besoin des financements générés par les opérations de secours de grande ampleur pour couvrir les frais de fonctionnement de leurs sièges. Cependant, ces questions de pérennité et d'intérêts purement institutionnels sont secondaires. La leçon du Kosovo est bien plus importante et décourageante. En effet, le Kosovo a remis en cause l'existence même d'un espace d'intervention indépendant pour les organisations humanitaires. Rien de ce qui s'est produit depuis dans la province, même avec la stabilisation et l'amélioration relative de la situation politique, ne laisse entrevoir la moindre altération de cette sinistre configuration. Au contraire, au Kosovo, comme en Afghanistan et aujourd'hui en Irak, la plupart des organisations humanitaires ont participé avec enthousiasme à leur propre subordination au pouvoir des États. Peut-être n'y avait-il rien d'autre à espérer. Peut-être était-il inéluctable, une fois le monde effectivement perçu comme un endroit où les forces du Bien sont confrontées à l'axe du Mal, que l'apolitisme des organisations humanitaires et l'insistance de celles-ci sur les besoins des personnes et non leur valeur morale soient transformés et instrumentalisés. Il semble que, pour les États, le combat humanitaire soit trop important pour être laissé aux mains des humanitaires. La perte n'en est pas moins lourde.

David RIEFF

CHAPITRE 3

Espaces humanitaires, espaces d'exception

La divulgation, au mois de février 2002, de certaines des informations du rapport de l'organisation britannique Save The Children Fund (SCF-UK) sur « L'exploitation et les violences sexuelles sur les enfants réfugiés au Liberia, en Guinée et Sierra Leone » a donné lieu à une condamnation morale unanime, aussi immédiate qu'éphémère.

Les personnes prises en compte par l'enquête de SCF-UK sont des « enfants » selon la Convention des Nations unies de 1989 sur les droits de l'enfant, c'est-à-dire qu'elles ont moins de dix-huit ans. Le passage à la vie adulte, en Afrique ou ailleurs, a souvent lieu avant cet âge : travail et habitat indépendants pour les « enfants des rues », mariage ou maternité prénuptiale chez les jeunes filles de toutes classes sociales, ont lieu dès l'adolescence. Dans les camps évoqués par le rapport de SCF-UK, les victimes sont dans leur très large majorité des adolescentes ayant entre treize et dix-huit ans. En outre, les actes de pédophilie ou de viol manifeste, avec menaces et violences physiques, sont, sinon totalement absents des témoignages recueillis, du moins exceptionnellement mentionnés. Ce dont il s'agit d'une manière très générale est l'« exploitation sexuelle », c'est-à-dire une forme élémentaire, non organisée, de prostitution : un échange direct de « faveurs sexuelles » contre un peu de nourriture, une toile plastifiée, une couverture, une savonnette, ou éventuellement un peu d'argent.

La condamnation strictement *morale* de fautes strictement *sexuelles* est donc inefficace : elle ne touche qu'une infime partie des faits concernés et ne dit rien du milieu social qui les produit. En outre, les faits invoqués dans l'enquête en question résultaient de témoignages indirects, sans désignation précise de suspects, de victimes ou de témoins directs. Quelques mois après des révélations que les médias avaient vite qualifiées de « scandales sexuels », « viol humanitaire » ou « humanitaire sordide », l'affaire a été conclue par un non-lieu faute de preuves tangibles sur des faits juridiquement condamnables. Le bureau des services de contrôle interne de l'Organisation des Nations unies a rendu un rapport en octobre 2002 qui laisse le sujet ouvert : des abus sexuels ont bien eu lieu, mettant en cause éventuellement des travailleurs humanitaires, mais rien n'est systématique ; pourtant le problème « est bien réel »...

Réfugiés et « *big men* » : les camps comme régime d'exception

Les faits évoqués par les témoignages sur lesquels se fonde le rapport de l'agence britannique sont trop tristement banals dans leur contexte pour être assimilés à l'actualité générale et indifférenciée des perversions, débauches et autres harcèlements sexuels dont la presse française, européenne ou américaine est friande. L'implication d'« agents internationaux » (c'est-à-dire de Blancs) des organisations non gouvernementales et onusiennes dans ces abus sexuels sur des mineures réfugiées est mentionnée officieusement, sans apparaître dans le rapport écrit de SCF-UK. La question est importante du point de vue de la conscience blanche post-coloniale, plus ou moins propre ou sale, qui nous préoccupe, ici, chez nous. Par contre, s'il est prouvé que l'implication d'agents occidentaux a effectivement existé, elle n'est là-bas, sur place, qu'une des abjections parmi d'autres produites par un état général de détresse sociale et d'impunité. C'est de cet état général qu'il nous faut parler davantage.

Les « exploiteurs sexuels » des réfugiées mineures sont essentiellement des hommes adultes, appartenant aux catégories sociales qui détiennent dans les camps une forme ou une autre de pouvoir. Si l'on a beaucoup parlé de la mention, faite dans le rapport de SCF-UK, de certains agents d'ONG et d'organisations onusiennes (travailleurs d'origine nationale, locale, et réfugiés employés par les ONG), d'autres catégories sont tout autant représentées parmi les auteurs d'abus de pouvoir sexuels : policiers et militaires des armées nationales, unités régionales des forces de paix des Nations unies, enseignants (nationaux ou réfugiés) des écoles gérées par les gouvernements ou par des ONG, représentants des réfugiés (leaders communautaires ou religieux), réfugiés ayant des activités commerciales dans les camps, enfin tout homme de la région ayant un emploi, quelque revenu et un accès aux camps (selon les cas, commerçants, mineurs diamantaires, travailleurs de plantation, etc.). On a là l'ensemble des catégories occupant habituellement des positions « supérieures » dans le monde social des camps de réfugiés : les mineures entendues par les enquêteurs du rapport de SCF-UK les désignent sous le nom de « *big men* ».

Ainsi, les camps sont des microcosmes sociaux apparemment presque ordinaires, bien que de formation hybride, artificielle : on y trouve, en général, une immense pénurie mais aussi des ébauches de hiérarchie sociale, quelques tentatives d'économie informelle, de la prostitution, toutes sortes d'Églises, etc. Ce sont parfois des camps-villes, d'immenses agglomérations faussement provisoires. Leur différence, qui permet tous les abus, repose sur la détérioration de la vie sociale dans et par la guerre qui les alimente sans cesse, et sur l'existence d'un régime d'exception pour gouverner la vie des réfugiés parqués là, très loin de nos regards.

Dans ces camps-là comme dans d'autres, la prostitution et les abus sexuels sur les mineures se nourrissent non seulement du dénuement matériel, mais aussi de la disparition ou de la dislocation de l'entourage social de la grande majorité des réfugiés. La perte de parents tués sur les lieux de départ ou au cours du trajet, la dispersion des familles dans la fuite, la faim et les maladies, tout cela atteint et diminue, physiquement comme socialement, tous les réfugiés, et en particulier les femmes et les enfants, survivants souvent isolés des massacres. Cette vulnérabilité donne plus d'emprise au pouvoir absolu que possède, dans les camps, quiconque détient un peu d'argent et de nourriture. Dans ce cas-là, il n'y a ni « viol » ni harcèlement, ni pression explicite. Le contexte lui-même dispense le « *big man* » d'un geste coupable.

Créés comme des solutions d'urgence, les camps en viennent petit à petit à constituer le cadre de vie quotidien de leurs « habitants » pendant de longues, très longues années, parfois des décennies. Privés de la maîtrise du temps ou des politiques qui les concernent, les réfugiés se trouvent alors de manière permanente dans des espaces d'exception. N'ayant pas le droit de circuler ni de travailler dans les pays où sont situés les sites du Haut-Commissariat des Nations unies pour les réfugiés qui les accueillent, ceux qui sortent des camps le font par dérogation spéciale et temporaire, ou sont clandestins. Ils ne possèdent aucune citoyenneté de fait (ni celle du pays qu'ils ont quitté, ni celle du pays d'accueil) et ils ne relèvent pas d'un autre « droit » que celui que dictent les individus qui détiennent là le pouvoir sur leur vie. Ce régime d'exception peut agir pour le pire, mais il arrive aussi qu'il ait des effets bénéfiques : parfois, des organisations humanitaires développent des programmes de sensibilisation sur la santé des femmes, contre les abus sexuels et les viols dans et autour des camps, contre la violence intrafamiliale ; elles mènent des programmes d'éducation pour la paix, créent des groupes de parole post-traumatique, etc. Il n'en demeure pas moins que, dans tel ou tel camp ou partie d'un camp, d'autres individus, moins bien intentionnés, énoncent leurs propres règles.

Dans un camp de Zambie qui aurait pu aussi bien faire partie de l'enquête de l'agence Save the Children, le HCR délègue ses pouvoirs à la section nationale d'une grande ONG confessionnelle internationale. Celle-ci emploie des agents nationaux, locaux et réfugiés ; ils ont l'habitude de travailler dans le camp en passant éventuellement d'une ONG à l'autre. L'un d'eux est particulièrement chargé des centres de transit : c'est un réfugié, arrivé dans le camp il y a plus de vingt ans. Les centres de transit sont les lieux où les nouveaux réfugiés arrivent de la frontière, fatigués, affamés, souvent malades. Ils représentent une extrémité de la chaîne humanitaire, lieu critique de vérification de son efficacité, mais ils constituent également le « terrain » sur lequel cet homme est le seul de l'ONG à se rendre régulièrement. Dans le centre de transit, circulant entre les tentes, le représentant de l'ONG distribue au compte-gouttes des savonnettes à quelques-uns, des ustensiles de cuisine à d'autres, des couvertures exceptionnellement ; la nourriture tarde de deux jours à une semaine avant d'être distribuée aux nouveaux réfugiés. L'agent de l'ONG bouscule les uns, insulte les autres, traite celui-là de « menteur », cet autre de « voleur » parce qu'il réclame une toile plastifiée que l'agent dit lui avoir déjà donné la veille. L'attribution des terrains sur lesquels ils pourront planter quatre piquets et une bâche estampillée HCR est à la charge du même homme qui distribue, répartit, regroupe ou sépare les réfugiés en les montrant du doigt, en hurlant contre ceux qui se plaignent. Ces derniers sont là dans les tentes de transit depuis un mois, mais déjà il semble bien les connaître : il menace un jeune qu'il soupçonne d'être délinquant et voleur, embrasse une jeune femme, est enlacé par un jeune homme, entre et reste dans les tentes comme il l'entend... l'abus de pouvoir, éventuellement sexuel, s'il a lieu à ce moment-là, s'inscrit dans une profonde misère sociale doublée d'une exception politique ; il s'inscrit dans une situation de « pouvoir sur la vie » : le HCR délègue à l'ONG, qui délègue à l'unique homme « de terrain », lequel applique sa loi... et ainsi met en œuvre l'une des formes d'un vaste régime d'exception.

Les camps de réfugiés ne sont pas des zones de non-droit, mais des zones de droits et pouvoirs d'exception, où tout est possible pour qui les contrôle. Dans le même camp, en réaction aux dysfonctionnements de l'administration, plusieurs volontaires d'ONG internationales, dont Médecins sans frontières et Jesuit Relief Service (JRS), se sont plaint auprès du HCR. Cinq employés de l'administration du camp ont été officieusement reconnus comme auteurs de détournement de nourriture ou de fonds, et d'abus de pouvoir sexuel, dont le responsable de la distribution de nourriture pour les 25 000 réfugiés du site. Bien qu'aucune procédure juridique n'ait été engagée contre eux, ils ont été démis de leurs fonctions et ont dû quitter le camp. Quant à « l'homme de terrain » dont on a parlé plus haut, il a lui-même démissionné et est parti précipitamment, non sans avoir dénoncé par écrit les multiples pratiques de détournement d'argent et de matériel qu'il a observées au sein de l'ONG administratrice du camp qui l'employait.

Aujourd'hui, le HCR ne donne pas le nombre total de réfugiés vivant en camp dans le monde. Il déclare prendre en considération environ 22 millions de réfugiés de différents statuts et, dans ses derniers rapports, estime à 50 millions le nombre total de réfugiés et déplacés par les guerres et la violence ; sans doute sont-ils encore plus nombreux si l'on compte tous les réfugiés « invisibles », clandestins, qui peuvent à un moment donné de leur errance se retrouver en camp. Mais, au-delà, tous les lieux de cantonnement sont concernés, quelles que soient leurs raisons d'être apparentes : camps de prisonniers ou de détention de réfugiés, zones d'attente dans les aéroports, centres de transit près des frontières. Des lieux de parcage humain qui se développent et se consolident [1].

Les espaces humanitaires – voire militaro-humanitaires, comme dans le modèle australien des camps de détention – sont tenus à l'écart de nos lieux de vie ordinaires. Le regard qui est porté vers eux s'enracine dans un rapport égocentré du type centre-périphérie : ce regard ne s'intéresse aux détails de la vie interne de la périphérie humanitaire que dans la mesure où ils mettent en cause le centre lui-même. Le « scandale » de l'ex-

1. M. Agier, *Aux bords du monde, les réfugiés*, Paris, Flammarion, 2002.

ploitation sexuelle de réfugiés mineurs, dont on a parlé plus haut, doit-il tout simplement disparaître quand on énonce l'innocence des Blancs ? Notre morale étant sauve, le fonctionnement, les perversions et les corruptions des sites humanitaires peuvent relever d'un *régime d'exception* dans lequel l'arbitraire et les acteurs de l'arbitraire agissent librement dans leur propre « ordre des choses ». Dans le meilleur des cas, un rapport des forces s'établit à l'intérieur des camps pour en définir les modes d'autorité de manière plus ouverte.

Alors que la dénonciation morale et lointaine entretient le stigmate, une attention critique et impliquée dans ces mondes de l'exode, des camps et leurs multiples détresses, est plus efficace. Ce qui, à la réflexion, s'avère vraiment utile, ce n'est pas de dénoncer ici ou là, pour seulement laver notre conscience, un « scandale sexuel » de plus, c'est de résister par tous les moyens à la mise en place à l'échelle mondiale d'un régime d'exception durable, réservé à des millions de personnes indésirables, qu'on cantonne dans des camps, sur des îles, des ports et autres quarantaines, faute d'avoir à leur égard une réflexion et une politique inclusives capables de les ramener dans le monde.

Il est d'ailleurs significatif que la réapparition de ces populations dans le débat public se soit faite autour des violences sexuelles. Il s'agit là d'une approche qui ne regarde que l'aspect individuel et intime de la violence subie en occultant la dimension collective des violences sociales et de l'abandon politique de ces populations. Mais il ne suffit pas d'ériger le corps en espace sacré, si aucun rempart social, politique et juridique ne permet plus aux individus de défendre leur intégrité physique.

L'implication des humanitaires dans cette forme de violence a également produit un renversement des rôles particulièrement choquant entre sauveteurs et bourreaux. Au-delà des émotions, ce choc symbolique devrait nourrir les efforts pour penser et comprendre les fonctions et les limites de l'action humanitaire et pour lui adosser d'autres formes de responsabilités politiques et juridiques vis-à-vis des populations concernées.

Personnes protégées ou victimes assistées

Les années 1990 ont marqué une évolution de la prise en charge des réfugiés qui s'est focalisée sur les divers aspects de l'assistance matérielle, comme par exemple l'élaboration de standards techniques d'assistance ou la question de l'escorte armée des convois de secours. Derrière cette effervescence apparente, la question de la protection juridique, c'est-à-dire du respect des droits des réfugiés, a connu une véritable régression. De fermetures de frontières en rapatriements forcés, les populations en danger sont restées prises au piège des conflits, transformées en boucliers humains, en appâts pour l'aide internationale, en réservoirs humains privés de tout droit et soumis à toutes les violences et tous les arbitraires. La disparition de toute protection juridique de ces populations a augmenté leur mise en danger physique, posant le problème de la gestion de la sécurité des camps.

À la suite du génocide des Tutsis en 1994 au Rwanda, la région des Grands Lacs a connu un mouvement de réfugiés sans précédent. En quelques semaines, 2,5 millions de personnes avaient traversé les frontières du Rwanda en direction de la Tanzanie et du Zaïre, encadrées par les leaders locaux et nationaux qui avaient organisé le génocide. Le défi constitué par l'ampleur de l'assistance à mettre en place pour secourir un tel afflux de réfugiés a longtemps occulté la violence du contrôle physique et politique qui continuait à s'exercer sur cette population. Les camps ont vite perdu leur vernis d'espace humanitaire pour se révéler de purs espaces d'exception où le contrôle était assuré par des criminels, et où la violence sur les personnes se doublait de détournements massifs d'assistance.

Malgré les plaintes de certains acteurs humanitaires et la demande du secrétaire général de l'ONU, aucun État n'a accepté de fournir des contingents militaires pour assurer la sécurité dans ces camps et pour procéder à l'arrestation des leaders génocidaires. Cette situation signait une nouvelle dégradation de la situation qui transformait les camps en lieux d'oppression, symboles de l'irresponsabilité politique internationale, où le réfugié privé de la sécurité du refuge était transformé en bouclier humain de stratégies criminelles.

L'attaque de ces camps de réfugiés par l'armée rwandaise et les rebelles zaïrois en 1996 a apporté une réponse militaire meurtrière à la question non résolue de la protection internationale des réfugiés. Depuis cette période, on a, par diverses initiatives internationales, cherché à tirer les leçons de ce drame en tentant de préciser l'obligation de protéger et de renforcer la qualité des actions humanitaires.

Le projet SPHERE a été initié après la crise des Grands Lacs (en 1994) par un groupe d'ONG occidentales dans le but d'améliorer la qualité de l'action humanitaire. La charte du projet SPHERE affirme que l'assistance et la protection sont indissociables. Pourtant ce projet se concentre en réalité uniquement sur le contenu de l'assistance.

Le préambule stipule que les populations ont droit à un niveau d'assistance satisfaisant mais il ne contient aucune précision sur la réalité et les modalités de ce « droit ». L'apport réel de ce projet réside donc dans la formulation de standards techniques d'assistance pour les réfugiés : il fixe des normes minimales que les ONG devraient s'engager à respecter pour leurs activités dans les domaines suivants : l'eau et l'assainissement, l'alimentation et la nutrition, les abris et la santé. Certains bailleurs de fonds ont également cherché à faire de ce projet un outil d'évaluation du travail des ONG. Cette initiative pourrait peut-être améliorer le professionnalisme des acteurs humanitaires, mais elle risque de masquer les problèmes de fond relatifs à la qualité des actions de secours en détournant les énergies vers des débats techniques. Il semble en effet difficile de parler de qualité des actions de secours sans évoquer d'abord les multiples violences qui frappent les populations réfugiées et le silence, voire la fuite, de nombreux acteurs face aux enjeux et responsabilités de protection de ces populations.

Il est également difficile de fixer des standards de secours sans aborder les difficultés de financement de certaines de ces opérations. Dans de nombreuses situations, c'est la faiblesse et la réduction des financements internationaux qui empêchent d'assurer une assistance suffisante aux populations concernées. C'est notamment le cas pour les budgets affectés aux réfugiés et aux personnes déplacées en Afrique de l'Ouest. Les ONG devraient-elles s'abstenir de tout secours dans ces conditions pour ne pas risquer d'enfreindre les standards d'action ? La standardisation des actions de secours serait efficace si elle était liée à un mécanisme de financement du HCR contraignant pour les États.

En ce qui concerne la responsabilité de protéger les populations réfugiées et déplacées, une grande confusion règne sur l'utilisation et la signification du terme de « protection » au niveau international. Cette confusion affecte le contenu juridique ou militaire de l'activité de protection. Alors que certains y lisent la reconnaissance et la défense d'un statut juridique qui garantisse des droits minimaux à ces populations marginalisées, d'autres y voient diverses activités nationales ou internationales de maintien de l'ordre ou de recours à la force pour assurer la sécurité physique des réfugiés.

Or l'expression « protection internationale des réfugiés » désigne en réalité une responsabilité qui incombe au HCR et qui consiste à surveiller l'octroi et le respect des droits qui sont garantis par les conventions internationales aux personnes dont la vie est menacée. Le droit international reconnaît à ces personnes le droit de fuir leur pays pour trouver refuge ailleurs et celui de ne pas être refoulées vers un lieu de danger. Ce droit fondamental est complété par une série de droits dérivés comme celui de demander l'asile et de recevoir des secours. Le statut de protection internationale a pour but d'éviter que le réfugié qui a perdu, de fait, le bénéfice de tous ses droits nationaux en quittant son pays ne devienne un individu hors la loi (sans droits), soumis à tous les arbitraires. Le Comité international de la Croix-Rouge est également investi d'une responsabilité de protection internationale assez similaire mais celle-ci concerne les victimes de conflits armés qui n'ont pas pu fuir leur pays.

En revanche, la sécurité physique des réfugiés ou des victimes des conflits armés ne fait l'objet d'aucun mandat international précis. Diverses opérations militaires des Nations unies ont été déclenchées durant les années 1990 sous prétexte, entre autres choses, que les violations massives des droits de l'homme ou du droit humanitaire dans certains pays constituaient une menace à la paix et à la sécurité internationale [1]. Ces missions de maintien de la paix comprenaient par conséquent un mandat de protection de l'aide humanitaire ou des populations.

La confusion entre protection et sécurité, entretenue par l'ambiguïté de ces missions de maintien de la paix, a été cruellement dissipée par divers épisodes de massacres de populations. Ainsi lors de l'attaque de l'enclave de Srebrenica en Bosnie orientale en 1995, plus de 7 000 personnes protégées par les contingents de l'ONU ont été massacrées et 25 000 autres déportées. En 1994, lors du déclenchement du génocide des Rwandais tutsis, les soldats de l'ONU présents sur place n'ont pas reçu les ordres et les moyens de s'opposer aux massacres. Au contraire, l'ONU a décidé de réduire le nombre de ses troupes dans ce pays. Les enquêtes [2] réalisées ultérieurement par l'ONU sur ces drames ont conduit à préciser que la protection des populations ne pouvait pas être assurée par les missions de l'ONU en l'état actuel de l'organisation et du fonctionnement de l'ONU et de l'absence d'obligations pesant

1. Ce fut le cas au Kurdistan (1991), en Somalie (1992-1993), en Bosnie (1992-1995) et au Timor (1999).

2. *Rapport présenté par le secrétaire général en application de la résolution 53-35 de l'Assemblée générale : la chute de Srebrenica* (A/54/549 du 15 novembre 1999) ; *Rapport d'enquête indépendant sur l'action des Nations unies pendant le génocide au Rwanda* (15 décembre 1999).

sur les États membres dans ce domaine. Le rapport d'audit sur les opérations de maintien de la paix de l'ONU[1] adopte la même conclusion. Certes, il reconnaît que les soldats de la paix devraient jouir d'une autorisation implicite de faire cesser des violences quand ils sont témoins de crimes contre les civils, à condition d'être dotés des moyens requis pour une telle mission. Mais dans sa conclusion, il déconseille de confier aux casques bleus de telles missions de protection des populations car cela ne semble ni possible ni souhaitable. En pratique, l'adéquation entre la mission et les moyens requis se réalise en abaissant les objectifs de protection à la hauteur des ressources disponibles et non l'inverse, comme le montre l'exemple de la République démocratique du Congo (voir « République démocratique du Congo : des victimes sans importance », p. 217-234). Dans ce pays, le mandat de la Monuc (Mission des Nations unies au Congo) déployée par l'ONU a fixé les critères relatifs à la possibilité de protection des populations par la force des Nations unies. Cette possibilité est limitée aux cas où les civils seraient sous la menace imminente de violences physiques dans les zones où sont déployés les bataillons d'infanterie de l'ONU, et ce uniquement dans la mesure où les forces de l'ONU estimeraient disposer des capacités nécessaires.

Enfin, le rapport publié sur les violences sexuelles en Afrique de l'Ouest montre aussi que la présence de forces armées internationales ou régionales ne doit pas être pensée seulement comme gage de sécurité des populations, mais également comme un potentiel de violences et d'abus sur les populations.

Confrontés aux difficultés d'assurer la protection des populations contre les violences massives, les États ont choisi de restreindre leurs obligations dans ce domaine. La fermeture des frontières au moment de l'offensive américaine en Afghanistan a illustré un nouveau consensus international, selon lequel le droit de fuite n'est plus reconnu aux populations en

1. *Rapport du groupe d'étude sur les opérations de maintien de la paix de l'ONU* (A/55/305 du 21 août 2001, dit « Rapport Brahimi »).

danger. Privées de cette option légale de survie par la fuite, ces dernières sont livrées à la merci des passeurs et deviennent objets et sujets de trafics divers.

Elles n'ont pas d'autre choix que de vivre sur le champ de bataille, rançonnées, violentées, boucliers ou réservoirs humains des différentes stratégies militaires. Cette régression du droit des réfugiés est officiellement compensée par le développement supposé d'un droit des personnes déplacées à l'intérieur de leur propre pays. Mais le quotidien des personnes déplacées par les conflits se vit dans l'arbitraire des secours et dans la difficulté d'accès aux protections institutionnelles, nationales ou internationales, dans les atermoiements et les tracasseries multiples. Comment, dans de telles conditions, envisager de mettre en pratique la reconnaissance de ces droits ?

Un avenir autre qu'humanitaire

L'action humanitaire est souvent présentée comme une victoire de la générosité, une revanche de l'humanité sur la souffrance et la pauvreté. Mais elle est aussi le négatif de la violence des conflits et de la destructuration sociale. Elle révèle autant qu'elle pallie l'incapacité des sociétés à gérer la violence, l'exclusion, les mutations et les conflits. Mise à contribution pour donner à la barbarie un visage humain, l'action humanitaire a connu pendant les vingt dernières années une croissance et une expansion à la mesure de ce défi. Ainsi, par exemple, entre 1990 et 1995, le volume de l'aide humanitaire consentie par l'Union européenne a été multiplié par sept. Pendant cette période les organisations humanitaires ont rapidement pris conscience que cette puissance matérielle ne suffisait pas à alléger les souffrances des populations. Certaines organisations comme Médecins sans frontières ont mis en évidence le danger qu'il y avait à faire de l'action humanitaire un substitut à l'action politique [1]. Contrairement à bien des idées reçues, l'humanitaire n'est pas l'avenir radieux de l'humanité mais le degré zéro du dialogue et de la construction sociale. Par glissements successifs et apparemment innocents, l'action humanitaire tend naturellement à transformer les individus-sujets en victimes-objets dépersonnifiées, à remplacer le droit par la générosité. Au nom de l'urgence, du pragmatisme, de sa proximité avec les victimes et du caractère généreux de ses intentions, l'action humanitaire court le risque de tarir les rapports de responsabilités, de droits et de devoirs réciproques qui structurent plus durablement la vie sociale et qui limitent les phénomènes de violences individuelles ou collectives. Après avoir expérimenté la toute-puissance de leurs actions de substitution, les organisations de secours éprouvent leur impuissance dans la recherche de solutions.

Pour résister à cette érosion qui peut conduire de la générosité à l'arbitraire puis à l'abandon des populations, il est important que l'espace humanitaire ne soit pas seulement un espace d'exception où la générosité et le pragmatisme rendent superflue toute référence aux droits et aux responsabilités des différents acteurs concernés. Au sein des territoires humanitaires relativement stabilisés, comme les camps, les réfugiés considèrent les ONG et les organisations internationales représentées sur place comme leurs « partenaires sociaux » naturels. Malgré les interdits ou les limitations que les autorités des camps mettent au développement d'une vie active, associative ou politique, il arrive que des boycotts de la ration alimentaire du Programme alimentaire mondial soient organisés, ou encore des grèves de réfugiés travaillant comme « volontaires communautaires » pour les ONG. Ce désordre peut faire peur, dans le contexte de confinement qui est celui des camps. Il est pourtant une manifestation de l'existence des sujets, de l'exercice d'un droit à la vie, qui appelle une révision de leur statut juridique.

Dans les situations de conflit armé, le droit humanitaire organise depuis longtemps cet équilibre entre les secours et

1. R. Brauman, *Humanitaire, le dilemme, op. cit.*

la protection des populations[1]. Les textes ne parlent pas de « victimes » mais de « personnes protégées ». Le droit au secours des différentes catégories de personnes protégées est intégré dans un cadre précis de responsabilités attribuées aux différents acteurs politiques, militaires et humanitaires.

Le droit humanitaire fournit ainsi un cadre dynamique pour les actions d'assistance. Il permet d'équilibrer le pouvoir et les responsabilités des acteurs de secours. Il compense l'aspect unilatéral des approches pragmatiques ou morales du secours en obligeant à penser les diverses formes de vulnérabilité des individus. En effet, la morale reste un mouvement individuel alors que le droit est le produit d'une relation négociée entre les individus. Quant à l'approche pragmatique, aussi efficace soit-elle d'un point de vue opérationnel, elle limite la reconnaissance des personnes au seul traitement des victimes.

Certaines initiatives ont d'ailleurs été prises pour tenter de rééquilibrer les relations entre les organisations humanitaires et les victimes. Un projet a été lancé concernant notamment la création d'un médiateur humanitaire qui pourrait recevoir les critiques formulées à l'encontre des organisations de secours par des victimes, rebaptisées « bénéficiaires » à cette occasion. Mais il est illusoire de vouloir aménager la relation entre les sauveteurs et les victimes puisqu'il s'agit par définition d'une relation de dépendance exclusive. Il est par contre nécessaire de créer des alternatives à cette dépendance pour ouvrir aux populations concernées un avenir autre qu'humanitaire.

En Afrique de l'Ouest comme ailleurs, les organisations humanitaires sont pressées d'adopter des codes de bonne conduite pour éviter les abus de pouvoir sur les personnes vulnérables. Cette autolimitation, compréhensible et justifiée sur le plan de l'éthique professionnelle, ne peut pas tenir lieu de réponse collective à l'extrême vulnérabilité et aux multiples violences auxquelles restent condamnées les populations concernées.

1. F. Bouchet-Saulnier, *Dictionnaire pratique de droit humanitaire*, Paris, La Découverte, 2000.

Préserver la pureté des acteurs humanitaires ne résoudra pas le défi qui consiste à rétablir un cadre légal et pratique de survie préservant la dignité des populations en danger, leur droit à la fuite et à la protection. L'action humanitaire a progressivement évolué. Conçue pour apporter secours et protection à des populations en danger, elle a dans certains cas contribué à enfermer des populations dans des espaces d'exception et d'irresponsabilité. Loin de protéger l'ordre public international, ces espaces d'exception, en perdurant, ont au contraire réintroduit l'inhumanité au cœur de toutes les sociétés.

Michel AGIER et Françoise BOUCHET-SAULNIER

CHAPITRE 4

Justice et humanitaire : un conflit d'intérêts

Le 1ᵉʳ juillet 2002 est entré en vigueur le traité instituant la Cour pénale internationale (CPI). Ce tribunal permanent a pour vocation de juger les personnes impliquées dans « les crimes les plus graves qui touchent l'ensemble de la communauté internationale », à savoir les actes de génocide, les crimes de guerre, les crimes contre l'humanité et les crimes d'agression. À la différence des tribunaux de Nuremberg (1945) et de Tokyo (1946) ou des juridictions *ad hoc* créées pour l'ex-Yougoslavie (1993) et le Rwanda (1994), il s'agit d'une juridiction permanente à vocation universelle. De nombreuses organisations humanitaires ont activement milité pour la création de cette cour. Elles estiment que la lutte contre l'impunité des auteurs de crimes de masse constitue le prolongement naturel de leur action. Pourtant, la participation des agences de secours au développement et au fonctionnement de la justice internationale est porteuse d'une série de contradictions. Démarche humanitaire et démarche judiciaire ne sont pas nécessairement compatibles.

Les statuts de la Cour pénale internationale stipulent qu'elle ne peut être saisie que par un État, le Conseil de sécurité des Nations unies ou sur initiative de son procureur[1]. Autre-

---

1. Le procureur est nommé par l'assemblée des États parties à la Cour pénale internationale.

ment dit, les organisations humanitaires n'ont pas la possibilité de se constituer partie civile. Elles peuvent fournir de leur propre initiative des informations au procureur avec la garantie que celles-ci seront traitées confidentiellement. Mais rien n'oblige le procureur à les prendre en considération ni à ouvrir une enquête à partir des faits communiqués. En revanche, la CPI peut obliger quiconque à comparaître et à témoigner publiquement. Afin de protéger les victimes et les témoins, le procureur a la possibilité de recourir à des mesures spéciales, tels le huis clos ou la déposition par moyens électroniques. Quoi qu'il en soit, la possibilité et *a fortiori* l'obligation de témoigner posent un problème délicat aux acteurs humanitaires car elles interfèrent directement avec les conditions d'accès aux victimes de guerre.

Dans la plupart des zones de conflit, la demande ou l'exigence d'assister les non-combattants (populations civiles, combattants blessés ou prisonniers) est adressée par les organisations humanitaires à l'autorité de fait : aux autorités politiques et à l'état-major au niveau central, mais aussi et surtout, au niveau local, au commandement militaire ou tout simplement aux soldats qui contrôlent un accès, quel qu'il soit (route, pont, etc.). Concrètement, le déploiement des opérations humanitaires nécessite l'accord des autorités locales à la fois sur le principe d'assister les non-combattants et sur les modalités de mise en œuvre des moyens logistiques et humains requis : garanties de sécurité, circulation des véhicules et des personnes, utilisation de moyens de communication, acheminement du matériel médical et logistique, installation d'infrastructures légères, embauche de personnel, etc. Dans ces conditions, les combattants locaux dominent la situation. La conduite d'une intervention humanitaire est nécessairement soumise à leur bon vouloir.

Or les forces armées ont de nombreuses raisons de bloquer l'accès au champ de bataille ou d'interdire le franchissement d'une ligne de front. Les programmes d'assistance, parce qu'ils interfèrent avec la conduite des opérations militaires, sont régulièrement soupçonnés de couvrir des activités d'espionnage ;

de plus, ils constituent une ressource indéniable pour l'ennemi lorsque l'aide bénéficie aux victimes de la partie adverse. Pour autant, les acteurs humanitaires ne sont pas exclus des zones d'affrontement, la nécessité d'assister les blessés et les malades étant le plus souvent admise par les belligérants. Reste que la mise en place d'une opération de secours implique d'établir un *modus vivendi* avec les forces combattantes, en grande partie déterminé par l'aptitude des équipes humanitaires à rendre compte des raisons de leur présence.

Si le passage des *check-points* et les négociations avec les hommes en armes font partie du quotidien des missions en zone de conflit, les exactions et les crimes de guerre aussi. Les travailleurs humanitaires en sont parfois les témoins directs, lorsqu'ils assistent à des attaques délibérées sur les populations civiles, à des déportations, ou lorsqu'ils découvrent des charniers. Ils en sont aussi les témoins indirects lorsque, au travers d'activités de soins, ils se trouvent face à des personnes torturées, à des non-combattants intentionnellement blessés, ou tout simplement lorsqu'ils écoutent les récits de ceux qu'ils secourent. C'est là une réalité de l'action humanitaire. Il faut négocier – ce qui ne veut pas dire pactiser – avec des criminels, ou des criminels en puissance, dans des zones d'arbitraire où le droit est aboli *de facto* et où les équipes d'assistance sont en position d'identifier ou de suspecter des crimes graves.

L'instauration de la CPI et de l'obligation de témoigner ont pour conséquence directe de compliquer singulièrement la relation entre acteurs humanitaires et forces combattantes, dans la mesure où les secouristes sont aujourd'hui susceptibles de faire envoyer leurs interlocuteurs en prison quelques années plus tard en témoignant devant une cour internationale. Envisageons ainsi le cas d'une équipe médicale qui demande au chef d'un groupe armé, milice ou détachement militaire ayant autorité sur la région, de se rendre dans un village où, après des combats, on suppose l'existence d'un grand nombre de blessés. L'autorisation est accordée. Sur la route les membres de l'équipe croisent des hommes de la milice. Une fois arrivés, ils découvrent, à côté des blessés, les corps de nombreux civils, visiblement abattus à bout portant. Les récits des blessés terrorisés ne laissent aucun doute sur la pratique d'exécutions sommaires. Si ultérieurement les membres de cette équipe, suivant en cela leur conscience, témoignent de ce qu'ils ont vu devant un tribunal international, ils rendront vraisemblablement plus difficile le travail de ceux qui essaient d'accéder aux victimes. Si ce témoignage sert à déterminer la responsabilité des auteurs d'actes criminels, il deviendra notoire que les volontaires humanitaires peuvent contribuer à faire juger et condamner des combattants. Le fait que ces derniers se soient rendus coupables de crimes graves n'apparaîtra que comme un élément secondaire aux yeux des forces armées.

La possibilité d'une mise en cause de la responsabilité politique des belligérants par des organisations humanitaires posait déjà problème aux forces armées, qui apprécient rarement la présence sur le champ de bataille de témoins susceptibles de dévoiler publiquement leurs méfaits. Avec l'entrée en vigueur de la CPI, cela se double d'un problème de responsabilité pénale individuelle. Qu'il s'agisse d'un artilleur russe en Tchétchénie, d'un chef de faction au Congo ou d'un officier britannique en Irak, tous ceux qui s'inquiéteraient, à tort ou à raison, de devoir un jour rendre compte de leurs actes devant un tribunal verront dans les dispositions de la CPI un incitatif sérieux à écarter toute présence humanitaire (sauf peut-être les soldats américains, pour qui le risque d'être traduits devant une juridiction internationale est moindre compte tenu de la politique de leur gouvernement qui cherche à établir l'immunité de ses ressortissants par des accords bilatéraux invalidant le devoir d'assistance à la CPI).

Le Comité international de la Croix-Rouge a résolu une partie du problème en obtenant une dérogation formelle à l'obligation de témoigner au nom de la neutralité et de la confidentialité nécessaires à son action. Dans un premier temps, le Tribunal pénal international pour l'ex-Yougoslavie (TPIY) a statué en juillet 1999, décrétant que « le CICR jouit, en application du droit international coutumier, du droit de ne pas divulguer dans une procédure judiciaire les informations relatives à son action » et a considéré que la confidentialité était « absolument essentielle à l'accomplissement du mandat du CICR[1] ». En se fondant sur cet arrêt, le CICR a ensuite demandé l'inscription de ce principe dans le règlement de la CPI, ce qui a été accordé de manière très large. En effet, le règlement établit que toute information qui parvient à un représentant du CICR dans l'exercice de ses fonctions est couverte par le secret professionnel.

Cette exemption n'est accordée qu'au CICR, de manière nominale. Son activité comportant l'exécution de certaines tâches spécifiques (comme la visite des lieux de détention) qui lui ont été officiellement confiées par les États signataires des conventions de Genève, on conçoit aisément qu'il existe des contradictions formelles entre l'exercice systématique du mandat assigné au CICR et l'obligation qui lui serait faite de témoigner. Mais il faut noter que la principale raison invoquée sur le fond par le CICR est que « l'accès de ses délégués aux victimes des conflits armés dépend de la confiance des parties au conflit » et qu'en conséquence « le CICR ne portera pas témoignage contre elles en cas de poursuites pénales ultérieures ». Telle qu'elle est décrite, la problématique de l'accès aux victimes est transposable aux autres organisations ayant pour vocation d'apporter des secours. Ni les raisons invoquées ni la dérogation accordée ne sont liées à une activité rentrant dans le cadre du mandat exclusif du CICR (comme la visite des prisonniers de guerre ou des lieux de détention).

D'autres catégories professionnelles sont confrontées à des difficultés du même ordre. Ainsi certains journalistes se sont inquiétés de la fragilisation, voire de la perte de crédibilité qu'entraînerait auprès de leurs sources la possibilité de devenir témoins à charge contre elles. Ils estiment que cette situation constitue une menace directe sur la possibilité d'exercer leur métier. Le journaliste Jonathan Randal, du *Washington Post*, refusait depuis janvier 2002 de se présenter devant le TPIY

1. Comité international de la Croix-Rouge, *Rapport d'activité 1999*, Genève, août 2000.

malgré une citation à comparaître, encourant ainsi le risque théorique d'une peine de prison. Il était soutenu dans ce refus par son employeur et par plusieurs collectifs de journalistes. La décision prise en appel en décembre 2002 établit finalement que la comparution d'un journaliste ne peut être obligatoire que si elle a « un rapport direct et crucial avec les questions essentielles d'une affaire » et si « l'élément de preuve souhaité ne peut être obtenu d'une autre source ». Ce n'était pas le cas et Randal a été dispensé. Mais le TPIY ne renonce pas au principe d'obliger un journaliste à comparaître, comme l'illustrent les critères retenus pour motiver sa décision.

Pour l'instant, le conflit entre l'obligation de témoigner et la discrétion qui permet de négocier l'accès aux victimes reste théorique. Sur le plan juridique, les textes actuels ne permettent pas de prévoir quelle serait l'attitude du procureur de la CPI si un membre d'une organisation humanitaire cité à comparaître invoquait la nécessité générale de protéger l'activité humanitaire pour demander à témoigner anonymement ou pour réserver son témoignage. Un volontaire de Médecins sans frontières a déjà témoigné devant une cour internationale. En 1997, le Dr Rony Zachariah a tenu à répondre personnellement aux enquêteurs du tribunal d'Arusha (Tribunal pénal international pour le Rwanda, TPIR). La cour a toutefois spécifié que sa déposition n'entrait pas dans le cadre de l'examen de la responsabilité de l'accusé mais que les faits qu'il rapportait visaient à aider la cour à comprendre la situation qui prévalait au Rwanda à ce moment.

Le statut et le règlement de procédure et de preuve de la CPI prévoient un certain nombre de dispositions pour protéger la sécurité, le bien-être et la dignité des victimes et des témoins, mais *a priori* elles ne concernent pas les acteurs humanitaires en tant que tels. Le procureur peut ainsi s'engager à ne pas divulguer les informations obtenues d'un témoin si ce témoignage « confidentiel » permet de recueillir d'autres preuves ou si le témoin craint pour sa sécurité ou celle de ses proches et que le tribunal ne peut le(s) protéger. Plusieurs témoins bosniaques se sont ainsi vu accorder l'anonymat par le TPIY dans le cadre du procès d'un gardien de camp de « purification ethnique » : le tribunal a estimé ne pas pouvoir leur fournir une protection suffisante. Mais rien ne contraint le procureur à faire usage des mesures de confidentialité à l'égard des volontaires humanitaires, et rien ne dit qu'il considérerait comme recevable une demande de confidentialité motivée par le souci général de préserver l'accès aux victimes dans le cadre d'une activité humanitaire. En effet, le juge doit considérer le respect du droit de la défense, qui implique l'accès au témoin. L'anonymat doit donc demeurer une mesure exceptionnelle. D'autre part, les volontaires humanitaires ne peuvent pas réclamer de statut particulier puisque celui-ci n'existe pas sur le plan juridique. Que se passera-t-il alors si un volontaire humanitaire ne souhaite pas témoigner publiquement, jugeant que son témoignage pourrait avoir des conséquences négatives pour des équipes sur le terrain ? La question demeure entière, mais le volontaire est théoriquement passible de sanctions.

Les ONG humanitaires sont tenues d'anticiper une situation de ce type. Pour devancer une éventuelle demande du procureur réclamant les noms et les coordonnées de ses membres, nationaux et expatriés, Médecins sans frontières a choisi d'informer préalablement les personnes concernées, de s'en remettre à leur libre choix et de leur fournir une assistance juridique au cas où ils seraient cités à comparaître. La même démarche s'applique dans l'hypothèse où MSF serait sommé de dévoiler le nom de personnes ayant accepté, sous couvert d'anonymat, de confier leur récit dans le cadre de témoignages publics.

Aucune position institutionnelle et formelle ne permet de résoudre le dilemme posé par l'existence de la CPI. Les organisations humanitaires se retrouvent potentiellement devant une situation paradoxale : soit mettre en péril leur capacité à aider des victimes en témoignant, soit protéger des criminels pour pouvoir continuer à apporter une assistance.

Il existe au sein de nombreuses ONG une sensibilité « justicialiste » qui inscrit l'action humanitaire dans le cadre du droit international et qui considère l'engagement humanitaire comme indissociable de la lutte contre l'impunité des auteurs de crimes graves. Plusieurs organisations humanitaires, dont MSF, sont membres de la coalition des ONG en faveur de la création de la CPI. Lors des réunions préparatoires, MSF a même exclu, contrairement au CICR, de demander une dérogation à l'obligation de témoigner au nom de l'exception humanitaire. L'organisation a estimé publiquement que « la justice internationale est une réponse indispensable à la banalisation des crimes de guerre, des crimes contre l'humanité et de génocide ». Dans cette optique, il semble naturel que des agences de secours adoptent une démarche positive vis-à-vis de la justice en fournissant des éléments d'information utilisables dans le cadre de procédures judiciaires, lorsqu'elles sont confrontées à des crimes ou des exactions massives. D'où l'incitation à procéder à un travail systématique de recueil des données concernant les atteintes au droit international humanitaire et à l'enregistrement de paramètres précis comme les dates, les lieux et les circonstances. L'objectif de ces démarches est de formaliser et « professionnaliser le témoignage » afin d'alimenter avec pertinence le processus judiciaire.

Contrairement à cette approche, nous pensons que la fabrication de témoignages à l'intention de cours de justice ou d'autres institutions ne peut qu'affaiblir à la fois la position du témoin et l'action humanitaire. La valeur du témoin réside dans sa capacité à rapporter ce qu'il a vu et non dans l'intention particulière qui le motive dans sa relation des faits. Toute initiative visant à donner une forme préconçue à un témoignage, à le susciter ou à le consolider par le recueil de données particulières (dont le choix n'est jamais neutre), revient à l'orienter et à l'instrumentaliser, ce qui ne peut que l'affaiblir devant un tribunal dont le travail consiste précisément à établir la réalité des faits et des responsabilités. De même, la démarche visant à établir la nature et la gravité des crimes commis nous poserait en auxiliaires informels des procédures de justice. Or un tel choix requiert des engagements spécifiques.

Des ONG comme Human Rights Watch, dont la vocation première est d'enquêter sur les atteintes aux droits de l'homme, envisagent la collaboration active avec la CPI comme un aboutissement de leur travail. Pour que leurs investigations puissent être prises en considération dans la procédure judiciaire, ces organisations s'engageront vraisemblablement à adopter pour leurs collaborateurs un code de conduite spécifique similaire à celui des enquêteurs officiels de la cour, qui pourra dès lors considérer comme acquise la validité de leurs enquêtes. Elles envisagent, très logiquement, de modeler leur activité sur les attentes de la CPI à leur égard en se faisant le relais de la cour auprès des victimes et en facilitant l'accès de la cour à ces dernières. Elles se préparent à inclure dans leurs enquêtes la distribution de formulaires d'enregistrement dans la procédure, que ce soit en tant que victime, témoin ou demandeur de réparation. Et elles envisagent de constituer des listes de personnes qui pourront être communiquées à la cour sous réserve, évidemment, du consentement des intéressés.

Il est évident qu'introduire ce type de procédure dans l'action humanitaire nuirait à son déroulement et à sa lisibilité. On peut dès lors s'interroger sur les raisons qui poussent les agences d'aide à jouer simultanément des rôles aussi distincts, et constater que cela tient à leur croyance en le droit comme socle d'un ordre public international plus juste. Le simple devoir moral enjoindrait de contribuer activement à la tentative de juridiction universelle puisqu'elle permettra enfin, si l'on en croit ses partisans les plus convaincus, de prévenir et de limiter les crimes et les souffrances.

Notre propos n'est pas de commenter cette autoproclamation du droit comme fondement d'une nouvelle morale mondiale, mais de faire remarquer que céder à la tentation – illusoire – de faire jouer à l'humanitaire un rôle d'acteur de transformation socio-politique en l'inscrivant dans ce nouveau paradigme de réponse aux crises que constitue la justice internationale nous amènerait immédiatement, en l'inféodant à des pratiques juridiques, à le déposséder de sa capacité à apporter une aide. Au lieu d'inscrire l'activité des organisations humanitaires dans le cadre des attentes de la CPI, il serait pertinent au contraire d'envisager le cas de figure où ses exigences s'avèreraient dommageables aux efforts développés pour assister les victimes. Il faudrait alors envisager d'apporter son soutien à celui ou celle qui refuserait de témoigner en dépit de l'obligation légale, refus évidemment fondé sur une décision individuelle prise en conscience devant une situation particulière.

Éric DACHY

CHAPITRE 5

Les missionnaires modernes de l'Islam

Depuis une quinzaine d'années, les organisations humanitaires occidentales rencontrent sur leur terrain un nouveau type d'ONG qui se définissent comme « islamiques ». International Islamic Relief Organization (IIRO, Arabie Saoudite), Human Appeal International (Ajman, Émirats arabes unis), Islamic African Relief Agency (IARA, Soudan), Islamic Relief Worldwide (Royaume-Uni), Imam Khomeiny Relief Committees (Iran) ou Benevolence International Foundation (États-Unis) sont quelques exemples de ces nouveaux acteurs humanitaires mondiaux. Plus d'une centaine ont une activité transnationale, plus de 10 000 une action à l'échelle locale. En ce début de millénaire où la majorité des réfugiés dans le monde sont musulmans, il n'y a plus un terrain de crise affectant des musulmans où l'on ne trouve, quelque part, des humanitaires islamiques à l'œuvre.

Les ONG islamiques, contre-pouvoirs et instruments d'État

Lorsqu'elles n'ont pas précédé son éveil, les ONG islamiques sont nées dans le giron de l'islam politique dans le but de pallier la « panne d'État » dans le monde arabo-musulman. Elles sont animées par des islamistes convaincus, pôles de contestation de pouvoirs locaux jugés défectueux voire impies ou corrompus, et dès lors illégitimes. De nombreux pays comme l'Égypte, l'Algérie ou la Turquie ont vu arriver cette vague sociale islamique – et parfois islamiste – avec appréhension. En Égypte, les autorités font preuve chaque jour de plus d'imagination pour empêcher ces mouvements contestataires de trop perturber l'ordre établi et de mettre en cause le pouvoir. Le Croissant-Rouge, l'équivalent en pays musulman de la Croix-Rouge dans les sociétés de culture chrétienne, est l'un des instruments étatiques permettant de contrer les ONG islamiques qui cherchent à monopoliser l'intégralité de l'action humanitaire en terre d'islam. Mais si le Croissant-Rouge résiste encore au raz-de-marée des ONG islamiques, les ONG locales laïques ou traditionnelles en monde musulman se sont fait progressivement dépasser sur le plan national.

Paradoxalement, ce qui a fait le succès des ONG islamiques à l'échelle nationale (dans leur action concurrente à celle de l'État et du Croissant-Rouge) n'explique pas leur réussite au-delà des frontières. Car, loin de chez elles, ces ONG islamiques doivent justement une grande partie de leur puissance au soutien d'États musulmans – en particulier de pays exportateurs d'idéologie islamique comme le Soudan, l'Iran, l'Arabie Saoudite ou le Koweit (dans une moindre mesure) – visant à étendre leur influence par ONG islamiques interposées.

Malgré la surveillance beaucoup plus étroite des ONG islamiques exercée par les grands pays occidentaux depuis les attentats du 11 septembre 2001, ces dernières continuent d'essaimer. Elles dégagent toutes une même force de conviction, une même résolution dans l'action, une même efficacité, qui impressionnent. Leurs projets sont loin d'être modestes : mise en place de réseaux de distribution d'eau potable dans les camps de réfugiés, construction et gestion d'hôpitaux, d'écoles, d'orphelinats, distribution alimentaire à large échelle. Elles occupent à présent une part non négligeable du champ humanitaire, autrefois réservé aux seuls organismes occidentaux.

Plusieurs facteurs expliquent cet essor spectaculaire. D'abord, ces ONG sont dotées de moyens financiers très importants – certains budgets dépassent les 150 millions d'euros – provenant de subventions étatiques (pays du Golfe, Libye ou Iran) mais aussi de banques islamiques, de riches mécènes, de réseaux économiques informels et, enfin, de l'aide croissante du grand public, sollicité à l'aide de techniques de marketing direct. Ensuite, les ONG islamiques jouissent de soutiens politiques précieux au centre ou à la périphérie des pouvoirs en place dans certains pays comme l'Arabie Saoudite, l'Iran ou le Koweit. Enfin, elles sont portées par la ferveur religieuse de leurs membres, conséquence du retour au religieux observé depuis plus de vingt ans dans le monde arabo-musulman. Une ferveur nourrie du message de l'islam lui-même, au sein duquel la charité est centrale. L'islam est en effet la religion monothéiste où le devoir de charité a été le plus systématisé. La *zakat*, ou aumône obligatoire, est le troisième pilier de l'islam, après la profession de foi et les prières. Elle exige que chaque musulmane et musulman qui en a les moyens donne, une fois par an, 2,5 % de sa richesse (et non seulement de son revenu) à des indigents dont les catégories sont spécifiées : le pauvre, le malade, l'orphelin, le voyageur, etc. Les chiites, quant à eux, pratiquent le *khoms* – littéralement : le cinquième – qui enjoint de reverser 20 % des avoirs au pauvre et au vulnérable, par l'intermédiaire d'un dignitaire religieux (*marjaa*, ou référent). De plus, l'islam recommande la *sadaqa*, ou aumône surérogatoire, laissée au libre arbitre du donateur. S'y rajoute le principe du *waqf*, ou legs religieux, qui a permis à une multitude d'ONG de disposer gratuitement de locaux ou de biens, dans le but ultime de faire le bien auprès de ceux qui en ont besoin. C'est cette panoplie d'outils caritatifs, renforcée par l'injonction centrale dans l'islam du devoir de justice et d'équité, que les ONG islamiques trouvent à leur disposition.

Les quatre temps forts de l'essor des ONG islamiques

Quatre événements proches dans le temps ont été les principaux catalyseurs de cet engouement caritatif islamique. Tout d'abord, la révolution islamique de 1979 en Iran, qui a été marquée par la volonté à la fois de s'exporter, entre autres voies par l'entremise d'organisations non gouvernementales, et de proposer un modèle alternatif musulman à la domination politique et culturelle de l'Occident, y compris dans le domaine de l'humanitaire. Le souvenir ravivé des épisodes humiliants des croisades, du colonialisme et des missionnaires chrétiens a légitimé le rejet du modèle occidental humanitaire.

Dans un deuxième temps, l'occupation de l'Afghanistan par l'URSS, à partir de 1979, a déclenché un élan de solidarité dans l'ensemble de l'*umma* (communauté des croyants) pour résister à l'empire athée soviétique. À cet égard, l'Afghanistan constitue la première étape du voyage initiatique des associations caritatives à référent islamique, leur ère romantique – la première mise à l'épreuve des théories islamiques de la solidarité en territoire étranger. Le tout avec des moyens quasi illimités mais une expérience technique balbutiante.

Ensuite, la flambée des prix du pétrole en 1979 a subitement donné de grandes disponibilités financières à de nombreux régimes du monde musulman, qui, en distribuant une partie de leurs richesses aux musulmans moins privilégiés, ont réussi à conforter leur légitimité. Peu désireux d'intervenir dans certains conflits où les populations musulmanes étaient particulièrement touchées, ces États ont pu soulager partiellement la pression de leur opinion publique en donnant des quantités colossales d'argent aux ONG islamiques. L'exemple de la Bosnie dans les années 1990 – qui a mobilisé l'ensemble des sociétés civiles du monde musulman, outrées par les témoignages relayés par les médias – est emblématique de cet engagement caritatif tentant de masquer une démission politique similaire à celle des États occidentaux.

332

Enfin, l'invasion israélienne du Liban en 1982 et l'absence de soutien du monde arabe à la résistance contre l'envahisseur ont fait basculer une partie des militants palestiniens et libanais dans l'islamisme, conférant par là même un nouveau souffle aux mouvements caritatifs islamiques. Avec l'islamisation de la résistance palestinienne et l'émergence du Hamas comme l'un des mouvements politiques et sociaux les plus importants en territoires occupés, la Palestine est devenue un terrain de prédilection et de développement des ONG islamiques.

Le pain, le Coran et le sabre

Les ONG islamiques sont loin de former un ensemble homogène. L'observation de leurs modes d'insertion sur la scène internationale permet de distinguer quatre grands types de stratégies. La première est une stratégie clairement subversive, dont les adeptes sont prêts à utiliser tous les moyens, y compris la violence, pour faire valoir certaines revendications politiques islamistes et « aider » les musulmans qu'ils estiment opprimés. La combinaison entre « jihad des âmes » – quête du salut spirituel – et « jihad des corps » – soigner les musulmans le jour et combattre leurs ennemis la nuit – a été un trait dominant de l'implication des premières ONG islamiques en Afghanistan. Au milieu des années 1990, la Bosnie fut le lieu d'apprentissage des rouages relationnels avec les autres acteurs humanitaires qui marqua la disparition du double jihad dans sa version publique. Cependant, certaines ONG islamiques continuèrent d'y mener des activités subversives, sans que la grande majorité des donateurs musulmans en sache rien. Cette stratégie subversive est aujourd'hui la plus minoritaire. Des ONG comme Human Concern International ou Mercy Relief International (soupçonnée d'avoir facilité l'attentat contre l'ambassade des États-Unis à Nairobi en 1998) la pratiquent encore secrètement, qui facilitent le transit d'armes, de combattants et de fonds dans le but de commettre des actions violentes.

La deuxième stratégie est la stratégie « dawatiste » (du terme « *al-dawa* » : « prédication »). Présentée par ses promoteurs comme défensive, elle est perçue par les acteurs humanitaires occidentaux comme agressive. De fait, elle reprend à son compte les techniques missionnaires des puissances européennes des XVIIIe et XIXe siècles, et cherche à renforcer la foi des musulmans secourus tout autant qu'à convertir les non-musulmans. La majorité des ONG islamiques peuvent être classées comme « dawatistes », telles al-Haramain Foundation (Arabie Saoudite), al-Dawa al-Islamiya (Soudan) ou al-Rasheed Trust (Pakistan). Constructions de mosquées, distributions de livres religieux et mise en place d'écoles coraniques accompagnent leurs projets d'assistance.

La troisième stratégie est celle de la conciliation, qui multiplie les initiatives de partenariat opérationnel avec les acteurs humanitaires occidentaux et s'efforce d'avoir un langage apaisant et d'ouverture envers les non-musulmans. Parmi ces ONG, on compte Islamic Relief Worldwide (Royaume-Uni, connue sous le nom de « Secours islamique » en France) ou Muslime Helfen (Allemagne).

La dernière stratégie, enfin, est une stratégie « caméléon ». Pratiquée par la grande majorité des ONG islamiques, elle consiste à manier l'art de l'accommodement aux circonstances et celui de l'ambivalence. International Islamic Relief Organisation ou Human Appeal International sont emblématiques de ces ONG caméléons jouant avec adresse d'une stratégie élastique où l'on est tantôt conciliant tantôt « dawatiste », voire parfois subversif, selon la conjoncture et les interlocuteurs.

La limite de cette classification quelque peu artificielle tient au fait que dans toute organisation coexistent plusieurs tendances : au sein de la Fondation Zayed d'Abu Dhabi, par exemple, cohabitent des wahhabites, des partisans des Frères musulmans, mais aussi ceux que l'on appelle aujourd'hui les Gens du Bien (Ahl al-Khein), qui considèrent la bienfaisance comme un projet en soi, nécessairement dénué de toute intention politique. Reste que, pour au moins deux raisons, la tendance qui progresse le plus aujourd'hui est celle consistant à privilégier la conciliation. D'abord parce que cela permet d'apaiser les soupçons grandissants qui planent sur tout l'humanitaire islamique, suspecté de connivence avec l'action violente islamiste, en particulier depuis le 11 septembre 2001. Ces suspicions ont réduit considérablement les fonds disponibles et rendu les conditions de travail plus contraignantes. Ensuite parce que la stratégie de la conciliation est la clé d'entrée dans le vaste système de l'aide internationale dont les règles et les normes sont largement inspirées des valeurs occidentales.

La bataille des âmes : missionnaires chrétiens et musulmans

Travaillant sur les terrains humanitaires de façon isolée et refusant *a priori* tout dialogue avec leurs homologues occidentaux – la plupart de leurs volontaires parlent l'arabe et refusent de communiquer en anglais –, la majorité des organisations caritatives islamiques ont très vite gagné une place à part dans les communautés musulmanes, où qu'elles se trouvent. Leur terrain d'intervention tend désormais à s'étendre au-delà des « terres islamiques » de conflit comme l'Afghanistan, le Soudan, la Somalie, la Bosnie, la Tchétchénie, le Kosovo ou le Cachemire. Elles ambitionnent aujourd'hui d'accéder à des régions où l'islam n'est pas la religion dominante (Afrique centrale, Asie du Sud-Est). Ces nouvelles terres promises sont autant de lieux où les plus dévotes des ONG islamiques entendent exercer pleinement leur rôle de missionnaires modernes de l'islam, leur objectif étant tout autant de ré-islamiser les musulmans peu fervents que d'islamiser les non-musulmans.

Les ONG « dawatistes », nous l'avons déjà dit, sont les plus nombreuses. Ce sont elles qui ont donné leur spécificité aux ONG islamiques et qui sont les plus visibles sur les terrains humanitaires où se trouvent des ONG occidentales. De fait, l'action caritative à référent religieux – quel qu'il soit – ne s'est

335

jamais si bien portée. L'humanitaire d'inspiration chrétienne et plus particulièrement protestante, pour ne citer que lui, vit un renouveau frappant en Amérique latine, en Asie centrale et du Sud-Est, ainsi qu'en Afrique noire. Au Soudan, au Kenya, en Ouganda, au Rwanda, en République démocratique du Congo, au Congo-Brazzaville, au Gabon, la multiplication des ONG chrétiennes évangélistes, dont World Vision (États-Unis) reste le chef de file, et l'intensification de leur action prosélyte suggèrent que le phénomène des ONG islamiques ne peut être compris que dans un plus large contexte. Au Soudan notamment, une compétition, parfois insidieuse, parfois féroce, se déroule par ONG interposées entre missionnaires chrétiens à la recherche de nouveaux peuples à évangéliser, et « dawatistes » dont l'objectif est d'islamiser la non négligeable population africaine n'adhérant pas toujours à une grande religion monothéiste. Face à l'activisme de leurs alter ego occidentaux, les humanitaires islamiques ont toutes les raisons de penser qu'ils luttent simplement pour la défense de l'islam.

Humanitaire contre humanitaire ?

Comment ces ONG islamiques se fondent-elles dans le paysage humanitaire classique privé, dominé, d'une part, par les organisations occidentales chrétiennes, dont l'objectif est aussi de convertir les âmes et, d'autre part, par les ONG laïques qui ne savent comment accorder la laïcité de « leur » humanitaire avec le caritatif à référent islamique ? Un choc se produit-il sur le terrain entre ces deux « blocs », qui se retrouvent face à face, mais ne parlent ni la même langue, ni le même langage ?

Entre ONG laïques occidentales et ONG islamiques, les représentations simplistes et stéréotypées prévalent. Pour les premières, les ONG islamiques sont souvent des organisations agressivement prosélytes, auxiliaires d'États islamistes, animées par des volontaires zélotes et belliqueux, qui n'ont d'humanitaire que le nom. Les volontaires des ONG islamiques ont une image tout aussi stéréotypée des ONG transnationales occidentales : de vulgaires avatars des missions chrétiennes, porteuses des relents d'une autorité cléricale chrétienne qui n'a jamais vraiment accepté la séparation des pouvoirs de l'État et de l'Église.

Les ONG islamiques se méfient considérablement des revendications séculières d'une partie des ONG internationales contemporaines. Dans leur représentation de l'Occident, les islamistes peinent à intégrer l'idée de laïcité et *a fortiori* le concept d'ONG laïque. De plus, il leur est difficile de distinguer entre association laïque et association animée par des athées. Ils ne comprennent pas ou n'acceptent pas que le geste humanitaire, quel que soit son origine, puisse se situer en dehors du champ des valeurs religieuses, et se refusent à croire qu'ils puissent avoir affaire à des cadres laïques représentant des associations qui inscrivent leur démarche transnationale en dehors de toute inspiration religieuse.

À titre individuel, un volontaire humanitaire occidental évoquant son athéisme au détour d'une conversation ne peut que plonger son interlocuteur islamique dans un profond désarroi. De même, invoquer l'athéisme comme position de principe pour échapper à l'accusation d'être une organisation missionnaire peut s'avérer totalement contre-productif pour une ONG occidentale. Quelle que soit la situation, même dans une ambiance très tendue, le volontaire islamique préférera toujours avoir affaire à un « chrétien » plutôt qu'à un athée « sans foi ni loi ». Parce que leur conception de la société est régie par des préceptes religieux, les islamistes ont du mal à concevoir que les ONG internationales laïques soient le fruit de sociétés occidentales qui se déchristianisent – ce qui serait à leurs yeux une affligeante conséquence de la perte radicale de références morales essentielles. La promiscuité sexuelle, la consommation d'alcool ou de drogue par certains volontaires humanitaires occidentaux – qui agissent souvent au mépris de la culture locale – sont perçues comme les symptômes d'une société en déliquescence, qui a perdu ses valeurs fondamentales en enterrant sa foi religieuse. Cette image caricaturée sert aux ONG islamiques de contre-exemple permettant de mobiliser le soutien de leur base sociale – même si elles puisent chez leurs homologues occidentales tout le savoir-faire technique qui les fascine.

Ces représentations enveniment les relations entre les ONG occidentales et les ONG islamiques. En effet, si les ONG confessionnelles sont considérées par les ONG islamiques comme des ennemis historiques clairement identifiés et que les ONG laïques sont d'emblée récusées, comment le dialogue peut-il s'établir ? Ces organisations sont pourtant amenées à se rencontrer de plus en plus souvent sur le terrain, ne serait-ce que par nécessité. C'est même parfois l'une des seules occasions où de véritables militants islamistes sont en contact direct avec des Occidentaux.

Médecins sans frontières s'est trouvée confrontée à ce genre de situation dès le début des années 1990. Ainsi en 1994, dans la région de Kunduz en Afghanistan, des volontaires d'IIRO ont tout fait pour intimider les équipes de MSF et les forcer à quitter un terrain qu'ils estimaient réservé aux seules ONG islamiques. Médecins sans frontières n'intervint finalement pas dans le camp de Bâgh i Sherkat. Quelques semaines plus tard, MSF entamait une intervention dans un camp de réfugiés en cours d'installation près de Khânabad. Mais l'irruption du Croissant-Rouge iranien, puis d'ONG islamiques arabes, et les tensions en résultant contraignirent MSF à abandonner le terrain. Au Soudan également, les incidents foisonnèrent entre ONG occidentales d'une part, autorités et ONG islamiques de l'autre. En 1995, dans le camp de Wadi al-Bashir à Omdurman, où cohabitaient des ONG islamiques soudanaises, telles al-Dawa al-Islamiya et Islamic African Relief Agency, des ONG nationales chrétiennes, comme Sudan Council of Churches, et des ONG occidentales laïques, telles MSF et Goal (Irlande), la population, composée majoritairement des musulmans déplacés et nouvellement islamisés, a chassé, malgré son dénuement, toutes les ONG non islamiques sous l'influence de al-Dawa al-Islamiya. L'expérience du bureau régional de MSF aux Émirats arabes unis est un autre exemple de cette tension permanente. Depuis son lancement en 1995 et malgré d'immenses efforts d'ouverture, les ONG islamiques basées dans le pays n'ont jamais cessé de dénigrer MSF auprès du public émirien, l'accusant notamment d'être l'incarnation de cet Occident chrétien expansionniste qui cherche à imposer aux autres sa culture et ses croyances.

Toutefois, ces difficultés de coexistence ne sont pas toutes le fait de certaines ONG islamiques. La responsabilité est partagée. La méfiance presque instinctive des ONG occidentales envers les ONG islamiques, laquelle fait échouer le dialogue avant même qu'il ne soit entamé, est aussi en cause. Les ONG islamiques n'ont presque jamais été invitées aux réunions de coordination sur le terrain, ni à Beyrouth, ni à Peshawar, ni à Khartoum, ni à Sarajevo, ni à Pristina. La mésaventure d'un dirigeant d'une ONG islamique, évoquée avec amertume par un responsable d'origine irlandaise de l'organisation Islamic Relief Worldwide, est révélatrice de cet état d'esprit délétère. Ce dirigeant, s'exprimant dans un anglais approximatif, a dû subir les sarcasmes de ses collègues lors d'une de ces réunions de coordination humanitaire à Pristina en 1999 et a préféré, dès lors, s'abstenir de participer à de telles assemblées. Les acteurs humanitaires occidentaux et islamiques ne dialoguent donc que très rarement dans des forums établis, sans que cela choque – et c'est peut-être là le plus décevant – les volontaires humanitaires occidentaux.

Piège humanitaire pour les ONG islamiques

En commençant à soutenir des populations non musulmanes dans des situations d'urgence (c'est-à-dire sans projet de *dawa*), comme en Inde ou encore au Mozambique, les ONG islamiques veulent convaincre que l'initiative caritative d'inspiration islamique est saine et bénéfique à tous. En se plaçant désormais sur le terrain de l'action opérationnelle d'urgence, les ONG islamiques font un bond qualitatif qui les rapproche du monde humanitaire privé international. Parfois grisées par leur succès en terre d'islam – qui contraste avec la perte de popularité des groupes islamistes plus politiques –, certaines ONG islamiques ambitionnent aujourd'hui de jouer dans la « cour des grands ». Afin d'y accéder, car c'est là qu'abondent pouvoir, légitimité et moyens, les ONG islamiques sont contraintes de remodeler leur stratégie. C'est ainsi qu'un nombre croissant d'entre elles – notamment celles dont le siège est en Occident et qui doivent se plier à une « contrainte de démocratie » – s'inscrivent aujourd'hui dans deux légitimités contrastées. Elles jonglent avec deux discours, deux actions. L'une prône la solidarité vernaculaire islamique, porteuse de valeurs culturelles propres et protectrice de la vie et de la dignité des musulmans vulnérables. L'autre promeut l'humanitaire moderne et les principes chéris par l'Occident d'universalité, d'impartialité et de non-discrimination. Si certaines sont en passe de réussir à imposer cette double légitimité et à en dégager une identité qui leur est spécifique – c'est le cas de certaines ONG islamiques basées en Occident, comme Islamic Relief Worldwide –, d'autres risquent de se perdre dans un syncrétisme bancal, comme c'est le cas d'Islamic African Relief Agency (IARA, Soudan). En effet, deux logiques s'opposent : l'une, représentée par les grandes institutions d'aide de l'Occident, exigera toujours plus de professionnalisme et de gages de « bonne conduite », tandis que l'autre, celle des donateurs musulmans, exigera toujours plus de garanties d'efficacité et de conformité aux préceptes islamiques, pour satisfaire aux exigences du « fardeau de l'homme musulman ».

Ces contraintes externes viennent désormais s'ajouter aux pressions qui tiraillent de l'intérieur le monde humanitaire islamique. La plus importante provient du risque de se faire piéger par la « logique d'appareil ». Perdant peu à peu le contact avec les fondements de leur légitimité religieuse, victimes de leur propre succès, certaines des ONG islamiques les plus développées pénètrent aujourd'hui dans le champ implacable de la compétition. Quatre formes de concurrence ont ainsi graduellement fait leur apparition. Une concurrence idéologique entre ONG issues de courants islamiques différents, qui essaient d'imposer « leur » islam (wahhabisme, Frères musulmans, Jamaat Tabligh, khomeynisme...) ; une concurrence politique, par ONG interposées, entre États exportateurs d'islam ; une rivalité, ensuite, entre ONG islamiques classiques du Moyen-Orient – qui considèrent toujours que la légitimité première est la solidarité islamique – et ONG islamiques d'Occident – qui cherchent à développer une forme d'humanitaire qui combine avec adresse valeurs islamiques et occidentales ; enfin, une concurrence, parfois acharnée – et très pragmatique – entre toutes les organisations islamiques pour accéder à la reconnaissance, au savoir-faire et aux ressources.

C'est ainsi que pendant la crise du Kosovo, le Croissant-Rouge émirien a équipé les tentes du camp de déplacés de Kukes d'air conditionné, offert aux 10 000 déplacés kosovars trois repas chauds par jour, de l'eau chaude courante et des couches pour bébés. Il avait en plus entièrement équipé un hôpital à proximité. Ce camp fut élu meilleur site d'accueil pour les réfugiés par les journalistes. Les Kosovars se bousculaient pour y accéder, désertant les autres camps des environs. Certaines ONG islamiques suivirent le modèle du Croissant-Rouge émirien et firent un grand effort afin de fournir une aide de qualité. Pour la première fois, elles passaient d'une rhétorique de l'aliénation culturelle que véhiculeraient les ONG occidentales à une logique pragmatique de compétition dans les services fournis aux victimes-clients.

Le besoin de financement, plus particulièrement, débouche sur une problématique bien connue en Occident. On trouve beaucoup d'ONG islamiques impliquées dans des programmes pour lesquels il est facile de lever des fonds, comme en Palestine, et très peu dans d'autres régions peuplées de nombreux musulmans qui auraient également besoin de leur aide, mais nettement moins médiatiques, telles que les pays du Sahel. Cette dernière forme de rivalité est peut-être la plus symptomatique. Elle montre que même les ONG islamiques ne sont pas à l'abri de la maladie classique qui guette en permanence le monde associatif humanitaire : celle qui place l'intérêt des acteurs institutionnels avant celui des victimes.

L'arrivée des ONG islamiques dans la cour des grandes ONG occidentales les fait évoluer peu à peu vers les mêmes préoccupations. Invité à citer les principaux obstacles auxquels est confrontée son ONG, le directeur général d'International Islamic Relief Organization, Adnan Basha, surprend le journaliste musulman qui l'interroge – et qui voulait manifestement l'amener sur le terrain de la confrontation avec les ONG humanitaires occidentales. Ce que Basha répond est beaucoup plus prosaïque. Les obstacles et les problèmes ? « Ils sont nombreux... Les plus importants sont le manque d'argent, le manque d'expertise technique dans l'action humanitaire d'urgence, le manque de collaboration et de coopération avec les autres organisations humanitaires internationales, les tracasseries juridiques dues à des réglementations compliquées dans certains pays d'intervention, le risque de perdre la vie encouru par nos volontaires sur le terrain. » Un discours qui pourrait être celui de n'importe quel humanitaire et qui prouve que les ONG islamiques mûrissent. Lorsque la réalité du terrain humanitaire rattrape une ONG islamique, elle prend le pas sur les considérations d'ordre plus idéologique ou politique. La plupart des acteurs de secours transnationaux contemporains, qu'ils soient laïques ou islamiques, inscrivent leur action dans cette logique opérationnelle, celle à laquelle tous sont finalement confrontés et avec laquelle tous doivent peu ou prou composer.

Les ONG occidentales laïques contemporaines ont encore trop souvent le bon rôle dans ce contexte si politisé. Dans une situation de domination culturelle, il est plus aisé de se présenter comme le champion de l'humanitaire universel. Imaginons un instant un scénario inverse. Si le monde avait été dominé jusqu'à récemment par une culture islamique, si l'Occident chrétien venait à peine de se défaire des croisades musulmanes et sortait juste du joug des colonies arabo-musulmanes, dans quel camp aurions-nous trouvé des ONG humanitaires à vocation universelle et dans quel autre camp de simples ONG de solidarité religieuse, prêtes parfois à aller plus loin pour défendre une identité perçue comme menacée ? Les rôles n'auraient-ils pas été inversés ?

Abdel-Rahman GHANDOUR

CHAPITRE 6

Des médicaments et des hommes

Dans l'Antiquité, « victime » désignait l'être humain ou l'animal que l'on immolait en sacrifice à quelque divinité. Dans l'acception moderne du mot, la victime est une personne qui « subit un préjudice par la faute de quelqu'un [...], qui a à souffrir des intérêts ou passions d'autrui ». Les guerres, les catastrophes naturelles ou les escroqueries sont considérées comme pourvoyeuses de victimes. Mais il est aujourd'hui des dizaines de millions de personnes qui ne se voient pas reconnaître ce statut alors même qu'elles conjuguent les deux acceptions de la définition. Il s'agit des malades qui ne sont pas soignés comme ils devraient et pourraient l'être. Ne représentant pas un « marché solvable », ils ne peuvent bénéficier des traitements qui leur sont nécessaires et doivent se contenter de soins inefficaces voire dangereux. N'appartenant pas aux groupes politiquement et économiquement dominants, ils sont en quelque sorte les « sacrifiés » de l'économie politique de la santé.

Cette violence sociale, à laquelle les volontaires de Médecins sans frontières sont confrontés continuellement au travers de leur pratique médicale, fait un nombre incalculable de victimes. Chaque année, plusieurs millions de personnes, dont une majorité d'enfants, meurent de maladies extrêmement répandues, souvent curables, mais presque toujours mortelles en l'absence de traitement. Cette injustice n'est ni le fruit du hasard ni celui de la fatalité, mais le résultat d'arbitrages financiers, politiques, économiques et sociaux, nationaux et internationaux. Elle constitue l'une des facettes de la « létalité cachée » des rapports de force socioéconomiques.

Logiques de l'exclusion

Pauvreté de l'arsenal thérapeutique

Quotidiennement, les médecins qui travaillent dans les pays pauvres se trouvent dans l'incapacité de fournir à leurs patients les traitements qui pourraient les sauver. Face à des maladies aussi répandues et mortifères que le paludisme ou le sida, ils n'ont souvent à leur disposition que des médicaments inefficaces, dangereux, hors de prix ou tout simplement retirés du marché faute de demande solvable. Ainsi, la fabrication du chloramphénicol huileux, l'antibiotique le plus adapté au traitement des méningites épidémiques en Afrique, a été abandonnée en 1995. Destiné uniquement à des malades africains non solvables, le médicament n'était plus rentable pour la compagnie pharmaceutique qui le fabriquait. La production du chloramphénicol huileux a été reprise un an plus tard par un laboratoire à but non lucratif. Mais elle est à nouveau menacée depuis le rachat de ce laboratoire par une firme commerciale.

Les 60 millions d'Africains exposés à la trypanosomiase (ou maladie du sommeil) ne sont guère mieux lotis. En l'absence de traitement, la maladie du sommeil a une létalité proche de 100 % et l'arsenal thérapeutique date de plus de quarante ans. Le mélarsoprol, dérivé de l'arsenic, est utilisé pour traiter le stade le plus avancé de la maladie. Mais pour environ 25 % des patients, il est désormais inefficace en raison de la résistance développée par le trypanosome. De plus, le médicament entraîne des effets secondaires mortels chez environ 5 % des patients. Autrement dit, près d'un malade sur trois soigné au mélarsoprol est condamné à mourir.

En 1990, l'eflornithine, un médicament anticancéreux, se révéla efficace dans le traitement de la maladie du sommeil. Moins toxique que les dérivés de l'arsenic, c'était le seul recours en cas de résistance au mélarsoprol. En 1995, le laboratoire produisant l'eflornithine – qui n'avait finalement pas été retenue dans le traitement du cancer – cessa de la fabriquer et de la commercialiser, la considérant comme inintéressante : son marché (africain) n'était pas solvable et son objet (la maladie du sommeil) n'était pas « porteur ». Sous la pression de Médecins sans frontières et de l'Organisation mondiale de la santé, le laboratoire pharmaceutique a accepté de reprendre la production en 2001. Ce résultat positif n'est qu'une solution de court terme : aucun médicament n'est actuellement en cours de développement pour remplacer l'eflornithine lorsqu'elle deviendra inefficace du fait des résistances.

En effet, la mise au point de traitements adaptés requiert un effort permanent de recherche et développement. Cela est vrai pour toutes les pathologies et tous les traitements. Mais entre 1975 et 1999, sur 1 393 médicaments mis sur le marché, 13 seulement concernaient des maladies tropicales qui, rappelons-le, tuent des millions de personnes chaque année. Parmi ces 13 médicaments, la plupart étaient dus à la recherche vétérinaire ou militaire. Autant dire que ce n'est que par accident qu'ils ont servi aux malades des pays en développement.

En matière de sida, ce n'est cependant pas l'absence de recherche et de développement qui pénalise les patients les plus défavorisés. Alors que les médicaments antirétroviraux sont disponibles en Occident et que leur utilisation a permis d'améliorer considérablement la durée et la qualité de vie des malades, leur coût – plusieurs milliers d'euros par an – les rend totalement inaccessibles aux patients des pays pauvres. Pourtant, ces derniers sont de loin les plus nombreux puisque 30 des 42 millions de personnes infectées par le virus du VIH vivent en Afrique. À défaut de pouvoir bénéficier de ces médicaments, les malades pauvres se voient éventuellement proposer information, prévention et abstinence.

Quant aux patients atteints de paludisme – 300 à 500 millions nouveaux cas enregistrés chaque année et 1 à 2 millions de morts – ils ne peuvent compter le plus souvent que sur un traitement devenu totalement inefficace. La chloroquine, l'un des médicaments antipaludiques les plus communs, a été mis au point en 1934. Il réunissait à l'époque toutes les qualités du médicament idéal : efficacité, coût de fabrication très faible et facilité d'emploi. Après cinquante ans d'utilisation, son efficience est proche de zéro en raison de la résistance croissante développée par le parasite. Le médicament de deuxième intention – la sulfadoxine pyriméthamine – est lui aussi de moins en moins actif et ne peut plus être considéré comme une alternative sérieuse à la chloroquine. Des associations médicamenteuses efficaces existent et sont à même de guérir les patients. Mais dans la plupart des pays africains, ces traitements ne font toujours pas partie des protocoles de traitement nationaux. En revanche, la chloroquine, malgré une efficacité thérapeutique proche de zéro, figure encore très souvent en première ligne des schémas thérapeutiques recommandés par les ministères de la Santé d'Afrique.

Politiques de santé discriminatoires

En maintenant ces protocoles de traitement obsolètes, les ministères de la Santé africains – parfaitement conscients des résistances à la chloroquine et à la sulfadoxine pyriméthamine et convaincus de l'efficacité des combinaisons thérapeutiques – refusent à la plus grande partie de leur population d'être traitée correctement. Le coût relativement élevé de ces associations médicamenteuses est objectivement un obstacle. Mais en aucun cas une raison suffisante pour continuer à donner aux patients des médicaments inutiles, sauf à traduire un mépris profond à l'égard des malades les moins aisés. Car s'ils sont absents du secteur public, ces médicaments efficaces sont en vente dans le secteur privé. Ils sont autorisés par les ministères de la Santé et disponibles pour ceux qui ont les moyens de les acheter. Une partie de leur coût est même parfois remboursée aux adhérents de mutuelles « corporatistes » (celles de la fonction publique notamment) soulignant ainsi les priorités des autorités sanitaires. Pourtant, des possibilités de financement existent, qui permettraient que ces associations médicamenteuses soient disponibles dans le secteur public auquel s'adresse l'immense majorité des malades.

Les ministères de la Santé qui limitent ainsi le champ de l'assistance thérapeutique peuvent se prévaloir d'un certain soutien international. Au nom du slogan « La santé pour tous en l'an 2000 », des institutions internationales comme l'Organisation mondiale de la santé (OMS) ou le Fonds des Nations unies pour l'enfance (Unicef) ont prôné la mise en place de stratégies de « soins de santé primaire » qui négligeaient le soin individuel à la faveur de la prévention. Ce faisant, elles cautionnaient des politiques de santé au rabais : la prévention est une notion vague englobant aussi bien des mesures éprouvées, comme la vaccination, que des prescriptions de comportement, comme l'éducation sanitaire, dépourvues de toute efficacité pratique. La mise en place d'équipements collectifs et l'amélioration des conditions de vie, dont l'impact sur la santé n'est plus à démontrer, n'en font en revanche pas partie. Reste que selon l'utopie toujours en cours, la prévention doit réduire le nombre des malades et donc le coût des soins dans des pays aux ressources financières et humaines limitées. Cela permet surtout à des États plus ou moins déliquescents de mettre en place, sous la pression des institutions financières internationales et avec le soutien de l'OMS, des politiques d'ajustement structurel impliquant des réductions de dépenses publiques dans les secteurs réputés non productifs tels que l'éducation et la santé. Ces choix conduisent à laisser mourir des millions de malades – du sida notamment – en attendant l'avènement d'un monde idéal où, grâce à la prévention, les malades auront disparu.

L'apologie de la prévention au détriment du soin permet également de cautionner les systèmes de santé limitant leurs prestations thérapeutiques aux malades les plus nantis. Depuis l'« initiative de Bamako » lancée par l'OMS en 1987 [1], les bienfaits de la participation financière des patients aux coûts de leur traitement sont régulièrement vantés. Il est désormais admis que le paiement des soins conduit à une gestion responsable et rationnelle des ressources, tout en garantissant, par on ne sait quel mécanisme, une amélioration de la qualité des soins [2]. Cette initiative se met en place progressivement dans tous les pays, y compris dans des États totalement déstructurés par des guerres en cours ou à peine conclues : Burundi, Soudan, Liberia, Sierra Leone. C'est le fameux « système de recouvrement des coûts », qui consiste à faire payer au malade l'intégralité du coût de ses soins. Or, un traitement efficace contre le paludisme coûte en moyenne 1,2 euro et une césarienne environ 100 euros. Le revenu moyen de la majeure partie de la population dans ces pays étant inférieur à 1 euro par jour, des femmes meurent faute de pouvoir payer leur césarienne. Certaines, plus chanceuses, qui n'ont pas avoué leur indigence à leur admission, sont emprisonnées à l'intérieur même des hôpitaux une fois la césarienne accomplie jusqu'à ce que la famille, des voisins ou des associations se cotisent pour payer les frais d'intervention. Pour le plus grand bonheur des tenants de la réussite de ce système, les décès liés à la mise en place du recouvrement des coûts ne figurent pas dans les statistiques. Les malades qui savent qu'ils seront renvoyés du centre de santé ou de l'hôpital

1. L'« initiative de Bamako » est une déclaration d'intention de l'OMS invitant, dans les pays aux ressources limitées, à impliquer d'avantage les « communautés locales » dans la prise en charge des systèmes de santé, c'est-à-dire, en pratique, à leur demander d'assumer une part croissante de leur coût de fonctionnement.

2. En fait, rien ne garantit que le paiement des soins par l'usager se traduise par une augmentation des moyens alloués aux structures de santé auxquelles il s'adresse, la mise en place de systèmes de recouvrement des coûts s'accompagnant généralement d'un désengagement financier de l'État. En outre, la qualité des soins ne dépend pas seulement des moyens matériels disponibles, mais également du niveau de formation du personnel soignant, de l'organisation et de la gestion administrative du système de santé, de l'adaptation de la carte sanitaire aux besoins locaux, etc.

s'ils ne peuvent payer la facture ne prennent même plus la peine de s'y rendre.

Nombre de professionnels de la santé reprennent à leur compte les discours idéologiques des organismes internationaux. Progressivement, le personnel soignant accepte que l'essentiel de sa pratique ne soit plus de traiter les malades mais de gérer des systèmes dans lesquels la priorité est donnée à la prévention et à la réduction des coûts au détriment du soin curatif et du traitement. Le soin individuel, destiné à guérir, devient marginal et laisse la place à des mesures générales de rationalisation financière et de prévention destinées à éviter les malades. Cette marginalisation du soin explique qu'au fil des années des médecins, des infirmières acceptent comme une fatalité que les traitements qu'ils prodiguent soient de moins en moins efficaces – voire dénués de toute vertu thérapeutique – et que les indigents restent à la porte de leurs dispensaires.

Primauté des logiques financières

Ces logiques d'exclusion sont aggravées par les évolutions récentes du système commercial et financier international. C'est en 1994 que les accords de Marrakech instituant l'Organisation mondiale du commerce ont été signés. L'accord sur les aspects des droits de propriété intellectuelle qui touchent au commerce (accord Adpic), annexe aux accords de Marrakech, renforce la protection assurée aux inventions et aux découvertes – y compris dans le domaine des médicaments. Brevetable, c'est-à-dire protégée, toute innovation offre à son inventeur un monopole d'exploitation, de vente et de distribution pendant vingt ans.

Or tout monopole autorise les abus de position dominante. De fait, le prix de l'invention n'est pas fixé en fonction des coûts de production auxquels serait ajoutée une marge mais en fonction de ce que le marché peut payer compte tenu du service rendu. La valeur monétaire des médicaments qui prolongent la vie des malades peut ne pas avoir de limite. Les difficultés rencontrées pour obtenir des informations précises sur les coûts réels de ce type de médicaments ne font que renforcer l'opacité liée au mode de fixation de leur prix. C'est le cas des trithérapies antirétrovirales dont le prix atteint plusieurs milliers d'euros par an. Pourtant les coûts de recherche, souvent invoqués, ne justifient en aucune manière les tarifs pratiqués. En effet, ce sont des chercheurs publics ou universitaires qui sont à l'origine des médicaments antirétroviraux les plus usités – zidovudine, didanosine, abacavir, stavudine, zalcitabine – et du concept d'antiprotéases. Pour certains de ces médicaments, c'est également l'argent public qui a financé une partie des essais cliniques. Toujours est-il que les prix pratiqués condamnent des millions de personnes à une mort certaine. Car si, dans les pays riches, les malades bénéficient de systèmes de protection sociale, qui font que la société, après avoir financé les coûts de recherche, supporte de manière solidaire le prix exorbitant de ces médicaments, dans les pays pauvres, où les systèmes de protection sociale n'existent pas, seuls les malades les plus nantis peuvent s'offrir ces traitements. Les autres meurent.

Le médicament apparaît donc aujourd'hui comme une marchandise ordinaire. Le secteur pharmaceutique connaît depuis quelques décennies d'importantes restructurations qui le rendent très dépendant des marchés financiers. Les grands laboratoires sont plus que jamais contraints de choisir leurs investissements en fonction des prévisions de rentabilité. Soucieux de leurs bénéfices et de ceux de leurs actionnaires, ils ont un intérêt évident à produire et commercialiser des médicaments qui leur garantissent un retour sur investissement rapide, c'est-à-dire des médicaments destinés à des maladies « rentables » et à des malades solvables. Ainsi, les compagnies pharmaceutiques sont beaucoup plus enclines à développer des antidépresseurs que des antipaludiques ou plus encore à mettre au point de nouveaux usages pour des médicaments déjà existants (les *me-too*) plutôt que des traitements innovants pour la maladie du sommeil.

Pourtant, le secteur public investit des sommes non négligeables dans la recherche médicale fondamentale, y compris pour les maladies tropicales. Mais, une fois cette recherche fondamentale effectuée, le secteur public laisse en grande partie au secteur marchand le soin de développer le produit fini. La logique des firmes pharmaceutiques reposant essentiellement sur des prévisions de profit, elles ne transformeront les recherches fondamentales en développement de médicaments que si ces derniers leur assurent des bénéfices importants et rapides. Au final, l'argent public finance des intérêts privés dont la logique est totalement déconnectée des impératifs politiques de santé.

Une évolution perceptible

La prise de conscience du coût humain extrêmement élevé de ces injustices a conduit un certain nombre d'acteurs à s'organiser et à réagir. L'ampleur de l'épidémie de sida dans les pays en voie de développement est la partie la plus visible du désastre. C'est elle qui a permis que soit enfin prise en compte la question plus générale du traitement des malades les plus pauvres de la planète.

Émergence de nouveaux acteurs sociaux et économiques

À l'instar de ce qui s'était passé quelques années plus tôt dans les pays occidentaux, des malades africains, asiatiques ou latino-américains atteints du sida se sont constitués à la fin des années 1990 en associations pour réclamer des traitements, n'hésitant pas à se confronter au pouvoir politique. Les premières associations ont été créées au Brésil, en Thaïlande et en Afrique du Sud. Au Costa Rica, une association de malades a intenté en 1997 une action en justice contre le système de santé publique qui n'offrait à l'époque aucune thérapie antirétrovirale. La justice a donné raison à l'association et le gouvernement costa-ricain s'est vu contraint de traiter ses malades.

Du côté des pays émergents, la situation de l'industrie pharmaceutique a également évolué. Certains pays ont bénéficié et bénéficient encore de délais pour se mettre en conformité avec l'accord Adpic. Ils ne sont tenus de respecter les brevets sur les médicaments qu'à l'issue de ces délais. Ils ont mis à profit ces périodes de transition pour renforcer leurs capacités de production. C'est ainsi que le Brésil, la Thaïlande ou l'Inde, qui s'étaient déjà dotés d'industries pharmaceutiques performantes, sont aujourd'hui capables de produire des médicaments de plus en plus sophistiqués, en copiant des molécules protégées ou en mettant au point de nouveaux procédés de fabrication de molécules encore sous brevet. Ce sont les fameux médicaments génériques dont le prix, à qualité égale, peut être de vingt à cent fois inférieur à celui du médicament protégé. Les trithérapies antirétrovirales coûtent désormais, sous forme générique, moins de 300 euros par an. L'apparition sur le marché de ces traitements aux tarifs très concurrentiels a d'ailleurs amené certains grands laboratoires à baisser considérablement le prix de leurs médicaments à destination des pays pauvres en l'ajustant sur celui des génériques.

L'impact du procès de Pretoria

La revendication du droit des malades à être soignés a atteint son point d'orgue lors du procès de Pretoria. Le 5 mars 2001 s'ouvrait dans la capitale sud-africaine un procès intenté par trente-neuf firmes pharmaceutiques contre le gouvernement sud-africain. Ce dernier était coupable, aux yeux des laboratoires, de violer les droits de propriété intellectuelle en ayant adopté en 1997 une loi favorisant le recours à des médicaments génériques. Le 19 avril 2001, les trente-neuf laboratoires retiraient leur plainte sans que le gouvernement sud-africain ait eu à modifier sa loi. Ce sont la mobilisation de la société civile nationale (associations sud-africaines de malades, ONG sud-africaines soutenues par des ONG internationales), les critiques virulentes de la presse – y compris financière –, la contestation en interne d'une partie de leurs employés et actionnaires et le lâchage de gouvernements occidentaux qui ont fait reculer les laboratoires et acculé la très puissante Association de l'industrie pharmaceutique sud-africaine (PMASA) à retirer sa plainte et payer les frais de la procédure.

Au-delà, le procès de Pretoria a surtout projeté dans le débat public la question de l'accès aux traitements des habitants les plus pauvres de la planète. Jusque-là cantonnée aux cercles relativement spécialisés, la question de la distribution solidaire des médicaments à l'échelon international est apparue au grand jour, portée par des mouvements sociaux qui ont contraint la plupart des organismes internationaux à infléchir leur position. Après avoir longtemps affirmé qu'il était impossible de traiter les malades des pays pauvres, les Nations unies, le G8, l'Union européenne, l'Union africaine (ex-OUA) et d'autres organisations reconnaissent aujourd'hui la nécessité d'associer aux politiques de prévention un véritable accès à des traitements efficaces. Quelques pays, dont les États-Unis, continuent de préférer la prévention au traitement.

La création par l'Organisation des Nations unies du Fonds global pour le sida, la tuberculose et le paludisme, destiné à recueillir les contributions des pays occidentaux pour la prise en charge de ces trois maladies dans les pays en voie de développement, reconnaît le devoir de solidarité des pays riches à l'égard des pays pauvres. De son côté l'Organisation mondiale du commerce, à travers la Déclaration de Doha adoptée en novembre 2001, accepte désormais l'idée qu'en matière de propriété intellectuelle il faut pouvoir concilier intérêt général et intérêt particulier. Cette déclaration affirme que l'accord Adpic doit être mis en œuvre d'une manière qui garantisse le droit des membres de l'OMC de protéger la santé publique et en particulier de promouvoir l'accès de tous aux médicaments. Théoriquement, le droit des brevets ne peut donc plus priver la majorité des malades des traitements qui leur sont nécessaires. Le recours à des copies de médicaments protégés est autorisé pour des impératifs de santé publique et les pays les moins avancés ne sont pas tenus de respecter la législation sur les brevets jusqu'en 2016.

Enfin, l'OMS redonne aujourd'hui au traitement des malades du sida la place qui lui revient. Elle soutient désormais la nécessité de mettre à la disposition de ces malades des traitements efficaces. Même lorsque le prix de ces médicaments est a priori prohibitif pour les pays aux ressources financières limitées. Plutôt que d'éliminer d'emblée ces médicaments de sa « liste de médicaments essentiels » comme elle le faisait auparavant, elle cherche désormais à faire baisser le coût des traitements, notamment en identifiant des génériques qui, à qualité égale, sont beaucoup moins chers que les médicaments des grands laboratoires.

Des défis à relever

Au-delà de ces évolutions positives, seuls un engagement politique et la recherche de solutions durables permettraient de nourrir l'espoir sérieux de voir tous les malades recevoir un jour les traitements vitaux dont ils ont besoin.

Des décisions politiques indispensables

L'exemple sud-africain montre que disposer d'un outil légal (comme la loi de 1997) n'est pas suffisant pour garantir aux malades un meilleur accès aux médicaments. En effet, pour bénéficier des clauses de sauvegarde prévues par l'accord Adpic et renforcées par la Déclaration de Doha, les États doivent avoir la volonté politique d'adopter et de mettre en application les mesures concrètes appropriées. Le gouvernement sud-africain n'a toujours pas pris ces dispositions et persiste ainsi à priver les malades les plus pauvres de traitements vitaux. Plus grave, le président M'Beki continue de tergiverser sur la nécessité de soigner les malades du sida, ce qui a valu à son gouvernement une plainte pour non-assistance à personnes en danger de la part d'organisations d'activistes.

La mise en place de systèmes de « recouvrement des coûts », autrement dit de paiement des soins à l'acte, procède également de décisions politiques. En effet, la recherche de l'égalité dans l'accès aux soins relève de la question du partage solidaire des coûts de la santé. Soutenir des politiques de recouvrement des coûts sans qu'existent de réels systèmes de solidarité pour les malades aux ressources limitées revient à exclure ces derniers du système de soins. Le sacrifice de milliers de personnes impliqué par cet arbitrage doit être reconnu comme tel et débattu publiquement. Quant aux organisations humanitaires, elles courent grand risque de se trouver happées par de telles politiques sans combattre ni même dévoiler le sacrifice que ces politiques impliquent. L'intégration des humanitaires au fonctionnement de tels systèmes vaudra participation à l'exclusion qu'il engendre, ce qui n'est pas le moindre des paradoxes.

Des solutions pérennes à mettre en place

La baisse du prix de certains médicaments brevetés, essentiellement due à la concurrence de copies génériques, ne représente qu'une solution temporaire. En effet, tous les pays actuellement producteurs de génériques devront en 2006 au plus tard avoir mis leur législation en conformité avec les accords sur la propriété intellectuelle. Ils devront respecter les brevets sur les médicaments, ce qui ne les autorisera plus à produire de copies de médicaments protégés, sauf dans des cas d'exception et pour leur seul marché national. Ainsi, ils seront contraints de stopper l'approvisionnement en génériques des pays – en général les plus pauvres – n'ayant pas la possibilité de produire eux-mêmes ces médicaments et qui pourtant ont obtenu de l'OMC le droit d'en importer jusqu'en 2016. Consciente de cette incohérence qui revient *de facto* à priver les pays les plus pauvres de la possibilité d'avoir recours à des médicaments génériques à partir de 2006, l'Organisation mondiale du commerce avait recommandé à son Conseil de trouver une solution en 2002. À ce jour, le processus est bloqué du fait de l'attitude des États-Unis qui veulent limiter à trois le nombre des maladies qui pourraient être reconnues comme un problème de santé publique justifiant le recours à des médicaments génériques. Pourtant, c'est en considérant la maladie du charbon comme un problème de santé publique (après que trois personnes en sont mortes suite à l'envoi de courriers contaminés en 2001) que les États-Unis ont pu en 2001 menacer le laboratoire Bayer d'avoir recours à de la ciprofloxacine générique et faire ainsi baisser le prix du médicament de marque. Quant à l'Union européenne, malgré des déclarations favorables à la protection de la santé publique, sa proposition lors des négociations n'est pas très différente de celle des États-Unis puisqu'elle vise aussi à limiter le nombre de maladies concernées.

Quand bien même une solution serait trouvée pour l'après-2006, les marchandages actuels laissent envisager une proposition qui, soucieuse de limiter les entorses à la propriété intellectuelle, sera une renonciation à l'esprit de la Déclaration de Doha reconnaissant à la santé un droit supérieur à celui de la propriété. La seule solution viable est la mise en place d'un vrai système de prix différenciés fondé sur l'équité et non sur des mesures *ad hoc* qui relèvent tantôt de la charité, tantôt d'une politique de relations publiques et qui sont par nature provisoires. Ce système devrait aboutir à ce que les traitements vitaux soient accessibles à tous les malades, indépendamment de leurs capacités financières.

Plus incertain encore est l'avenir des malades atteints de pathologies tropicales comme la leishmaniose ou la trypanosomiase. En effet, la recherche de profits ne permettra jamais que soient couverts les besoins en nouveaux médicaments pour traiter efficacement ces patients qui n'offrent aucune garantie de retour sur investissement. Les solutions pour pouvoir espérer traiter ces malades se situent forcément en dehors des logiques de bénéfices. En créant une entité sans but lucratif dont l'objet social est la recherche et le développement de nouveaux médicaments pour les maladies les plus négligées (Drug for Neglected Diseases Initiative, DNDI), Médecins sans frontières et des instituts de recherche (Institut Pasteur, Indian Council for Medical Research, Brazilian Oswaldo Cruz Institute, et d'autres) s'efforcent d'ouvrir une voie et de démontrer en pratique la faisabilité d'un tel objectif. Mais cette entité sans but lucratif ne pourra vraiment développer des nouveaux médicaments que si la solidarité entre pays du Nord et pays du Sud, riches et pauvres, secteur public et secteur privé est effective.

Or, qu'il s'agisse de la recherche et du développement ou de la mise à disposition de médicaments vitaux au prix le plus bas, le dernier sommet du G8 à Évian laisse augurer d'une évolution défavorable. En effet, aux mesures qui ont permis de traiter le plus grand nombre de malades (recours aux médicaments génériques, production locale et transfert de technologie), les huit pays les plus riches ont préféré les pratiques les moins efficaces et les moins pérennes (renforcement de la participation du secteur privé, dons ponctuels). Une manière de s'éloigner toujours plus des objectifs de contrôle et de réduction des grandes épidémies que s'étaient fixés les pays membres du G8 lors de leurs précédents sommets.

La question de l'accès aux traitements médicaux des habitants les plus pauvres de la planète a désormais pris place dans le débat public. Ce débat doit être étendu à l'ensemble des processus qui concourent à priver la majeure partie de l'humanité de soins vitaux. Au-delà de la question de l'accès aux structures de santé et à des médicaments efficaces, il ne pourra faire l'économie d'une réflexion sur la qualité des soins dispensés. Il est aujourd'hui urgent que ce débat mène à des mesures et des actions concrètes, trop peu nombreuses actuellement, de la part de tous les acteurs de la santé, à commencer par les pouvoirs politiques nationaux et internationaux, afin que l'équité face à la maladie ne soit pas qu'un simple slogan.

Annick HAMEL

Les auteurs

Michel AGIER, anthropologue, est directeur de recherche à l'IRD (Institut de recherche pour le développement) et membre du Centre d'études africaines de l'EHESS. Il a notamment publié *L'Invention de la ville. Banlieues, townships, invasions et favelas* (Paris, Éditions des archives contemporaines, 1999) et *Aux bords du monde, les réfugiés* (Paris, Flammarion, 2002). Il mène depuis 1999 une recherche sur la socialisation et les reconstructions identitaires des populations déplacées et réfugiées en Colombie et en Afrique noire.

Chawki AMARI, journaliste, est chroniqueur pour plusieurs quotidiens algériens (*La Tribune, Le Matin, El Watan*). Installé en France depuis 1997, il collabore régulièrement au *Courrier international*. Il est également responsable, pour l'Algérie, d'une association de défense des dessinateurs de presse dans le monde, Cartoonist Relief Network.

Françoise BOUCHET-SAULNIER, docteur en droit, est responsable juridique de Médecins sans frontières et coordonne les activités de la Fondation Médecins sans frontières. Elle est notamment l'auteur de *Droits de l'homme, droit humanitaire et justice internationale* (Paris, Actes Sud, 2002) et *Dictionnaire pratique du droit humanitaire* (Paris, La Découverte, 2000).

Rony BRAUMAN, médecin, président de Médecins sans frontières de 1982 à 1994, est actuellement directeur de recherche à la Fondation Médecins sans frontières et professeur associé à l'Institut d'études politiques de Paris. Il a réalisé de nombreux travaux sur les enjeux et les limites de l'action humanitaire. Il est notamment l'auteur de

L'Action humanitaire (Paris, Flammarion, « Dominos », 2000) et de *Humanitaire, le dilemme* (Paris, Textuel, 1996).

François CALAS, membre de Médecins sans frontières, a régulièrement effectué des missions humanitaires en Asie centrale depuis 1992, en particulier en Afghanistan.

Éric DACHY, médecin spécialiste en pédopsychiatrie, collabore avec Médecins sans frontières depuis 1991. Il a participé à de nombreuses missions d'urgence (ex-Yougoslavie, Russie, République démocratique du Congo) et réalisé plusieurs travaux sur les aspects éthiques et politiques de l'action humanitaire. Il a notamment coordonné un numéro spécial des *Temps modernes* consacré à l'aide humanitaire (à paraître fin 2003).

Marc LAVERGNE, docteur en géographie, est chargé de recherche au CNRS (Laboratoire d'ethnologie et de sociologie comparative, Paris X, Nanterre). Arabisant, il a dirigé plusieurs centres de recherche et de coopération scientifique, à Beyrouth, Khartoum et Amman. Il a notamment dirigé *Le Soudan contemporain* (Paris, Khartala, 1989) et *L'Oman contemporain – État, territoire, identité* (avec Brigitte Dumortier, Paris, Khartala, 2003).

Marc LE PAPE, chargé de recherche au CNRS (Centre d'études africaines/EHESS), est membre du conseil d'administration de Médecins sans frontières. Il a notamment coédité « Les politiques de la haine. Rwanda-Burundi, 1994-1995 » (avec Claudine Vidal, *Les Temps modernes*, juillet-août 1995, n° 583), *Une guerre contre les civils – Réflexions sur les pratiques humanitaires au Congo-Brazzaville 1998-2000* (avec Pierre Salignon, Paris, Khartala, 2001) et *Côte d'Ivoire, l'année terrible* (avec Claudine Vidal, Paris, Khartala, 2002).

Abdel-Rhaman GHANDOUR, docteur en sciences politiques et diplômé de l'IEP de Paris, de l'Université américaine de Beyrouth et de la School of Oriental and African Studies de Londres, a été chef de mission pour Médecins sans frontières au Soudan et en Iran, et a dirigé le bureau MSF des Émirats arabes unis durant quatre années. Il est actuellement en poste à Nairobi où il est conseiller politique auprès du représentant spécial du secrétaire général des

Nations unies pour la région des Grands Lacs. Il est notamment l'auteur d'un livre sur les ONG islamiques (*Jihad humanitaire. Enquête sur les ONG islamiques*, Paris, Flammarion, 2002).

Gil GONZALEZ-FOERSTER, journaliste indépendant, est également chargé de mission pour plusieurs ONG dont Action contre la faim pour laquelle il a mené, en 2001, une enquête sur la reconstruction du Timor oriental.

Thorniké GORDADZÉ, chercheur, est allocataire de recherche au Centre d'études et de relations internationales (CERI/FNSP). Il est l'auteur de nombreux travaux sur la formation de l'État et les processus identitaires dans la région du Caucase.

Annick HAMEL, infirmière et diplômée de l'IEP de Paris, est coordinatrice de la campagne d'accès aux médicaments essentiels de Médecins sans frontières. Elle est l'auteur de nombreux articles sur les problèmes d'accès aux soins des populations les plus démunies.

Jean-Hervé JÉZÉQUEL, agrégé et docteur en histoire, est membre associé au Centre d'études africaines de l'EHESS. Spécialiste de l'Afrique de l'Ouest, il a réalisé plusieurs missions d'étude pour Médecins sans frontières.

Christine MESSIANT est chercheur au Centre d'études africaines de l'EHESS. Elle a publié de nombreux ouvrages et travaux sur l'Angola et l'Afrique australe parmi lesquels *Les Chemins de la guerre à la paix* (avec Roland Marchal, Paris, Khartala, 1997).

David RIEFF, journaliste indépendant, est notamment l'auteur de *Crimes de guerre, ce que nous devons savoir* (avec Roy Gutman, Paris, Autrement, 2003) et *Un lit pour la nuit. L'humanitaire en crise* (à paraître en français fin 2003).

Pierre SALIGNON, juriste de formation, est responsable de programmes à Médecins sans frontières. Il a notamment codirigé *Une guerre contre les civils – Réflexions sur les pratiques humanitaires au Congo-Brazzaville 1998-2000* (Paris, Khartala, 2001).

Fiona TERRY, docteur en sciences politiques, est directrice de recherche à la Fondation Médecins sans frontières. Elle est notamment l'auteur de *Condemn to repeat ? The Paradox of Humanitarian Action* (Ithaca-Londres, Cornell University Press, 2002).

Fabrice WEISSMAN, diplômé de l'IEP Paris, est directeur de recherche à la Fondation Médecins sans frontières. Il est l'auteur de plusieurs travaux sur l'aide humanitaire et l'économie politique des conflits.

Les cartes ont été réalisées par Abdeljalil ABDESSELAM.

Marine BUISSONNIÈRE, Sophie DELAUNAY, Fabien DUBUET, Anne FOUCHARD, Aurélie GRÉMAUD, Caroline LIVIO et Jacques PÉRON ont participé à la rédaction des encadrés.

Remerciements

Jean-Hervé Bradol, Rony Brauman, Denis Gouzerh et Marc Le Pape ont activement participé à ce projet, leur contribution à la réalisation de cet ouvrage est inestimable.

Loïck Barriquand, Catherine Boucau, Delphine Chedorge, Éric Dachy, Pascal Dauvin, Katherine De Rivero, Fabien Dubuet, Anne Fouchard, Karim Laouabdia, Pascal Lefort, Guillaume Le Gallais, Pierre Mendiharat, Catrin Schulte-Hillen, Milton Tectonidis, Fiona Terry et Jean-Guy Vataux ont bien voulu relire le manuscrit et faire part de leurs précieuses remarques.

L'aide technique de Michèle Colineau a été essentielle à la préparation de ce livre.

Aline Lebœuf ainsi que Mathilde Chaboche et Cléa Kahn-Sriber ont participé au travail de recherche documentaire.

Enfin, cet ouvrage n'aurait pu voir le jour sans la collaboration et les informations des responsables de terrain et du siège de Médecins sans frontières.

Qu'ils soient tous ici chaleureusement remerciés.

ANNEXES

Médecins sans frontières est une organisation humanitaire internationale privée et sans but lucratif, dont l'objectif est d'apporter une aide médicale à des populations éprouvées par des crises, sans aucune discrimination.

Fondée sur le volontariat, l'association est indépendante de tout État ou institution, ainsi que de toute influence politique, économique ou religieuse.

L'association a été créée en 1971 par des médecins décidés à intervenir en urgence partout où surviennent des guerres, des catastrophes, des désastres d'origine naturelle ou humaine. La philosophie de son action est contenue dans une charte à laquelle souscrivent tous les membres de Médecins sans frontières.

Fort d'une expérience acquise au cours de près de trente-deux années d'action à travers le monde, Médecins sans frontières possède un savoir-faire, des techniques et des stratégies d'intervention éprouvées qui lui permettent de mobiliser rapidement les moyens logistiques et humains nécessaires à des secours efficaces.

Financée en grande partie par des donateurs privés, l'association jouit d'une grande souplesse d'intervention et d'une totale indépendance dans le choix de ses actions.

Le témoignage est une part de l'engagement de Médecins sans frontières qui, lorsque les principes humanitaires élémentaires sont violés, considère de sa responsabilité de le faire savoir.

Le réseau international de Médecins sans frontières réunit cinq sections opérationnelles (France, Belgique, Pays-Bas, Espagne et Suisse), treize sections partenaires, et un secrétariat international basé à Bruxelles.

En 2002, près de 3 000 Médecins sans frontières de 45 nationalités différentes sont intervenus dans 78 pays du monde.

Charte de
Médecins sans frontières

Médecins sans frontières est une association privée à vocation internationale. L'association rassemble majoritairement des médecins et des membres des corps de santé et est ouverte aux autres professions utiles à sa mission. Tous souscrivent sur l'honneur aux principes suivants :

Les Médecins sans frontières apportent leurs secours aux populations en détresse, aux victimes de catastrophes d'origine naturelle ou humaine, de situations de belligérance, sans aucune discrimination de race, religion, philosophie ou politique.

Œuvrant dans la plus stricte neutralité et en toute impartialité, les Médecins sans frontières revendiquent, au nom de l'éthique médicale universelle et du droit à l'assistance humanitaire, la liberté pleine et entière de l'exercice de leur fonction.

Ils s'engagent à respecter les principes déontologiques de leur profession et à maintenir une totale indépendance à l'égard de tout pouvoir, ainsi que de toute force politique, économique ou religieuse.

Volontaires, ils mesurent les risques et périls des missions qu'ils accomplissent et ne réclameront pour eux ou leurs ayants droit aucune compensation autre que celle que l'association sera en mesure de leur fournir.

Le réseau international de Médecins sans frontières

ALLEMAGNE
Arzte ohne Grenzen
Am Köllnischen Park, 1
10179 Berlin

tél. : +49 (30) 22 33 77 00
fax : +49 (30) 22 33 77 88
e-mail : office@berlin.msf.org

AUTRICHE
Arzte ohne Grenzen
Josefstaedter Strasse, 19
1082 Wien (ou Postfach 53)

tél. : +43 1 409 72 76
fax : +43 1 409 72 76 40
e-mail : office@msf.at

AUSTRALIE
Médecins sans frontières
Suite C, Level 1
263 Broadway
Glebe NSW 2037
ou GPO Box 847 Broadway
NSW 2007

tél. : +61 2 – 95 52 49 33
fax : +61 2 – 95 52 65 39
e-mail : office@sydney.msf.org

BELGIQUE
Médecins sans frontières
Dupréstreet, 94
1090 Bruxelles Jette

tél. : +32 2 – 474 74 74
fax : +32 2 – 474 75 75
e-mail : zoom@brussels.msf.org

BELGIQUE
Bureau International   tél. : +32 2 – 280 18 81
Médecins sans frontières   fax : +32 2 – 280 01 73
39, rue de la Tourelle   e-mail : office-intnl@bi.msf.org
1040 Bruxelles

CANADA
Médecins sans frontières   tél. : +1 416 964 06 19
720, avenue Spadina, suite 402   fax : +1 416 963 87 07
Toronto, Ontario ON M5S-2T9   e-mail : msfcan@msf.ca

DANEMARK   tél. : +45 39 62 63 01
Médecins sans frontières   fax : +45 39 62 61 04
Bernstorffsvej 20   e-mail : msf-
2900 Hellerup   dk_mail@copenhagen.msf.org

ÉMIRATS ARABES UNIS
Nasr Street (Behind Khalifa   tél. : +971 2 6317 645
Comittee)   fax : +971 2 6215 059
Oteiba Building – Office 203   e-mail : msfuae@emirates.net.ae
Abu Dhabi (ou PO Box 47226)

ESPAGNE
Médicos sin fronteras   tél. : +34 3 – 304 61 00
Nou de la Rambla, 26   fax : +34 3 – 304 61 02
08001 Barcelona   e-mail :
                                         oficina@barcelona.msf.org

ÉTATS-UNIS
Doctors without borders &   tél. : +1 212 679 68 00
Bureau de liaison des Nations   fax : +1 212 679 70 16
unies   e-mail :
333, 7th Avenue, 2nd floor   doctors@newyork.msf.org
New York, NY 10001-5004

FRANCE
Médecins sans frontières   tél. : +33 (0)1 – 40 21 29 29
8, rue Saint-Sabin   fax : +33 (0)1 – 48 06 68 68
75544 Paris cedex 11   e-mail : office@paris.msf.org

HOLLANDE
Artsen zonder Grenzen   tél. : +31 20 – 520 87 00
Max Euweplein, 40   fax : +31 20 – 620 51 70
P.O. Box 10014   e-mail : hq@amsterdam.msf.org
1001 EA Amsterdam

HONG KONG
Médecins sans frontières   tél. : +852 2 338 82 77
Shop 5B, Lai chi kok Bay   fax : +852 2 304 60 81
Garden,   e-mail : office@.msf.org.hk
Lai King Hill Road, n° 272
Kowloon, Hong Kong (ou GPO
Box 5083)

ITALIE
Médecins sans frontières
Via Volturno, 58   tél. : +39 06 448 69 21
Roma 00185   fax : +39 06 448 69 22

JAPON
Médecins sans frontières   tél. : +813 33 66 85 71
Takadanobaba 3-28-1   fax : +813 33 66 85 73
Shinjuku-ku, Tokyo 169   e-mail : msf@japan.msf.org

LUXEMBOURG
Médecins sans frontières   tél. : +35 2 – 33 25 15
70, route de Luxembourg   fax : +35 2 – 33 51 33
L-7240 Bereldange   e-mail :
ou B.P 38 L-7201 Walferdange   office-lux@luxembourg.msf.org

ROYAUME-UNI   tél. : +44 20 74 04 66 00
Médecins sans frontières   fax : +44 20 74 04 44 66
67-74 Saffron Hill   e-mail : office-ldn@london.msf.org
London, EC1N 8QX

NORVÈGE
Médecins sans frontières   tél : +47 22 33 45 55
Radhusgate 30 A   fax : +47 22 33 45 51
0151 Oslo   e-mail : office-osl@oslo.msf.org

SUÈDE
Médecins sans frontières
Godlansgatan, 84
S-116 38 Stockholm

tél. : +46 8 – 55 60 98 00
fax : +46 8 – 55 60 98 01
e-mail : msf-sweden@swipnet.se

SUISSE
Médecins sans frontières
78, rue de Lausanne
1202 Genève
Case postale 116 – 1211
Genève 21

tél. : +41 22-849 84 84
fax : +41 22-849 84 88
e-mail : office-
gva@geneva.msf.org

Composition et mise en page

NORD COMPO
m u l t i m é d i a

Achevé d'imprimer en septembre 2003
dans les ateliers de Normandie Roto Impression s.a.s.
61250 Lonrai
FU 031401
N° d'impression : 032292
Dépôt légal : septembre 2003

Imprimé en France